Modern German Studies
edited by Peter Heller, George Iggers,
Volker Neuhaus, and Hans H. Schulte
Volume 7

Die Frau von der Reformation zur Romantik

Die Situation der Frau vor dem Hintergrund der Literatur- und Sozialgeschichte

herausgegeben von Barbara Becker-Cantarino

1980

Bouvier Verlag Herbert Grundmann · Bonn

Herstellung des Typoskriptes mit Unterstützung des University of Texas Research Institute.

CIP-Kurztitelaufnahme der Deutschen Bibliothek
DIE FRAU VON DER REFORMATION ZUR ROMANTIK: d. Situation d. Frau vor d. Hintergrund d. Literatur- u. Sozialgeschichte / hrsg. von Barbara Becker-Cantarino. – Bonn: Bouvier, 1980.
(Modern German Studies; Vol. 7)
NE: Becker-Cantarino, Bärbel [Hrsg.]

ISBN 3-416-01603-3

ISSN 0170-3013

INHALT

Vorwort

Alle Aufsätze in dem vorliegenden Band sind dem
Thema "Die Frau von der Reformation zur Romantik" in
Deutschland gewidmet. Obwohl, oder gerade weil die
Beiträge sich auf die Rolle der Frau und auf den
Zeitraum von etwa 1500 bis 1800 beschränken, wird damit in zweifacher Hinsicht ein Neuland betreten.
Einmal wird hier eine neue Fragestellung--nicht zu
verwechseln mit Methode--an diese Periode herangetragen, zum anderen wird das Thema "Frau" in einem Zeitraum behandelt, in dem sich die historische, sozialgeschichtliche und germanistische Forschung zwar auch
obskuren Themen und ephemeren Erscheinungen in intensiven Einzelstudien zugewendet hat, jedoch dem Thema
"Frau" kaum Beachtung geschenkt hat.

Wohl gibt es in der Germanistik eine Reihe von Untersuchungen zu Frauen*bildern*, doch beschränken sie
sich zumeist auf einen Autor und sein Werk, allenfalls auf eine begrenzte Periode und dann häufig auf
die neuere Literatur. Man könnte sagen, daß ein be-
liebtes Thema für Dissertationen und Examensarbeiten
seit Beginn des Jahrhunderts lautet: das Bild, die
Gestalt, das Ideal der Frau in der Dichtung dieses
oder jenes Mannes, dieser oder jener Epoche. In Cha-
rakteranalysen, als Geistes- oder Stoffgeschichte
sind hier zumeist Frauenbilder ebenso minutiös wie
unkritisch eruiert worden, wie man eben Stoffe, Figuren, Gegenstände, sogar Ideen als festumrissene, vermeintlich bekannte und unveränderliche Objekte abhan-
delt.[1]

Demgegenüber versuchen die Beiträge in diesem
Band, einen Neuansatz zu bringen, indem sie ihr je-
weiliges Thema aus der *Sicht* der Frau und unter *In-
fragestellung* der Rolle oder Situation der Frau behandeln. Hiermit wird jedoch keine neue Methode propagiert, schon gar nicht eine derartige feministische
Literaturkritik kreiert, die alles, was mit Frauen zu
tun hat in eine Sonderecke verweist. Vielmehr wird
eine neue Perspektive, eine neue Fragestellung an das
jeweilige Thema herangetragen: Neben dem positivi-

1

stischen, dem historischen, ästhetischen, rezeptions-
geschichtlichen oder hermeneutischen Ansatz des einzelnen Beitrages wird die Frage nach dem Selbstverständnis, dem Beitrag, dem Rollenverhalten der Frau
oder nach der Bedeutung und dem Einfluß auf die Frau
gestellt. Der Lebensbereich der Frau als Individuum
und als Angehörige einer zu ihrer Zeit geschlechts-
spezifisch abgesonderten, sozialen Gruppe steht im
Vordergrund und wird kritisch betrachtet. Diese Fragestellung und Perspektive wird man aber wohl als fe-
ministisch bezeichnen müssen, auch wenn eine aus-
drückliche, auf die Emanzipation der Frau hinzielende
Wertung--die meistens eine Abwertung sein würde--aus
heutiger Sicht vermieden wird. Die Beiträge wollen
vielmehr aufzeigen, erklären, ans Licht bringen, kritisch beleuchten, was in der offiziellen Geschichte
und Literaturgeschichte kaum Beachtung oder oft nur
einseitige, herablassend verzerrte Darstellung gefunden hat: Frauen.

Dabei mußte der Horizont erweitert werden und sozialgeschichtliche Aspekte besonders berücksichtigt
werden. So sind die Beiträge interdisziplinär, indem
sie über rein germanistische und literarische Fragen
hinausgreifen und historische Themen, wie der Beitrag
von Sabine Schumann zu den Frauenzeitschriften im 18.
Jahrhundert, und wirtschaftsgeschichtliche Fragen,
wie der Aufsatz von Herbert Arnold zur *Courasche*, mit
einschließen. Die Notwendigkeit eines historisch-
sozialgeschichtlichen Ansatzes für das Thema "Frau
und Literatur" wird in meiner Übersicht zu Problematik und Stand der Forschung am Schluß dieses Bandes
begründet und weiter ausgeführt. Nur auf dieser
Grundlage kann man den vorgeformten Auffassungen von
dem Wesen der Frau entgehen, die Frauen auf eine bestimmte Psychologie, auf geschlechtsspezifische Cha-
rakteristika, auf religiöse oder politische Konzepte
oder auf emanzipatorische Bestrebungen festlegen wollen.

Der Zeitraum von der Reformation zur Romantik wurde bewußt gewählt, weil beide Perioden einen wichtigen Einschnitt in der Sozialgeschichte der Frau bedeuten, der sich eminent im geistigen Leben und in
der literarischen Produktion widerspiegelt. In ganz
eklatanter Weise umspannen die Reformation und die
Romantik einen Zeitabschnitt, den man als *Gesichts-*
und *Geschichtslosigkeit* der Frau bezeichnen muß.

Mit der Reformation wurde die Rolle der Frau allein
auf die der Hausfrau und Mutter festgelegt; nach Luther war das Weib geschaffen zur Haushaltung. ·Diese
Bestimmung wurde moralisch und religiös untermauert
und als gottgegeben dogmatisiert, wie der Beitrag von
Dagmar Lorenz "Die Frau vor und nach der Reformation
Dr. Martin Luthers" darlegt. In dieser Funktion wurde die Frau ans Haus gebunden, domestiziert, nur in
dieser Rolle im Hause konnte eine Frau einen von der
Gesellschaft anerkannten Wirkungskreis erhalten. Solch
ein frommes Leben für das "Haus" beschreibt der Beitrag von Jean Woods, die die literarische Tätigkeit
von drei Prinzessinnen aus dem Hause Baden-Durlach
darstellt, eine literarische Tätigkeit, die ganz auf
den frommen, aufopfernden Lebensstil für Familie und
die religiöse Fürsorge für die Untertanen zugeschnit-
ten ist. Außerhalb der Rolle als Hausfrau gab es nur
Außenseiter und Verfehmte, die alten Jungfern oder
die Hexen, daneben gelegentlich außergewöhnlich begabte Einzelgängerinnen, die die Enge des vorge-
schriebenen Wirkungskreises durchbrechen konnten. So
eine Ausnahme war die Malerin und Insektenforscherin
Maria Sibylla Merian, die sogar eine Forschungsreise
nach Niederländisch Guayana unternahm, auf deren Bedeutung der Beitrag von Ingeborg Solbrig näher eingeht.
Erst mit zunehmenden Bildungsmöglichkeiten während
des 18. Jahrhunderts nehmen Frauen aktiver am literarischen Leben teil, aber immer noch als "geschickte
Helferin" eines Mannes, auf kompromißreichen Umwegen,
wie der Aufsatz von Ruth Sanders zur Gottschedin darlegt. Leben und Selbstverständnis werden dienend dem
des Mannes unterstellt. Bildung und Unterricht für
Frauen werden vornehmlich auf ihre Rolle als zukünftige Mütter und Erzieherinnen ihrer Kinder ausgerichtet.
Der Generation der Frauen der Frühromantik--Frauen
aus dem niederen Adel, dem wohlhabenden Bürgertum und
Jüdinnen--gelingt ein gewisser Durchbruch, eine Er-
weiterung ihrer Nur-Ehefrauen- und Nur-Mütterrolle:
Sie gewinnen zunächst als Leserinnen, dann als Freundinnen und Anregerinnen der großen Dichter Einfluß
auf die literarische Produktion und beginnen nebenbei
als "Dilettantinnen" auch literarisch eine rege Tätigkeit. Der Beitrag von Wulf Köpke zu "Jean Paul
und seine Leserinnen" geht auf die ambivalenten Be-

ziehungen eines Dichters zu Frauen ein, die als Verehrerinnen, Leserinnen und selbst Schreibende den kreativen Mann umkreisen und inspirieren.

Zur selben Zeit aber definieren die Männer der Romantik (Fichte, F. Schlegel, Humboldt u. a.) das Wesen der Frau erneut und idealisieren das Weibliche, verehren die Frau als lebendige Vertreterin von Liebe, Kunst und Tugend.[2] Diese Idealisierung der Frau, eine Wesensbestimmung nach weltlich-humanen Werten, war wiederum ein bedeutender Enschnitt in der Sozialgeschichte der Frau, denn ähnlich wie die Reformation legte sie die Frau als geschlechtsspezifisches Wesen auf ideell überhöhte Charakterzüge fest, schloß sie weiterhin vom öffentlich-politischen Leben aus, beschränkte sie weitgehend auf Passivität im kulturschaffenden Bereich und behinderte ihre individuelle Entfaltung besonders auf intellektuell-literarischem Gebiet. Wesen und Wirkungskreis der Frau waren weiterhin vom Manne festgelegt, denen des Mannes zugeordnet und vom Manne abhängig. Dabei wurde die Frau als Geschlechtswesen definiert, das für Nachkommen, deren Ausbildung und menschliche Werte in der Familie zu sorgen hatte, der Mann als der zur Kulturarbeit bestimmte Ernährer angesehen.[3] Diese Geschlechtscharaktere, die man vermeintlich aus der Biologie und Natur als Wesensbestimmung ableitete, wurden in das Innere der Frau (und des Mannes) verlegt und als eingeborene Wesensmerkmale betrachtet. Diese am Ende des 18. Jahrhunderts "erfundenen" inneren Werte des Frau (Liebe, Gefühl, Religiosität, Anmut, Schönheit, Passivität, Hingebung usw.)[4] wurden im 19. Jahrhundert so erfolgreich von der Medizin, Anthropologie, Psychologie und Psychoanalyse "wissenschaftlich" fundiert, daß sie weit ins 20. Jahrhundert hinein als Maßstab für "das Weibliche" (bez. "das Männliche") angenommen wurden und in betont konservativ-bewahrenden Kreisen unkritisch weitergereicht werden. Was Frauen im literarischen Leben anbetrifft, so muß die gängige Periodisierung, Renaissance, Barock, Aufklärung usw. mit der sozialgeschichtlichen Entwicklung der Frau konfrontiert werden, in der das 16. Jahrhundert die Domestizierung und das ausgehende 18. Jahrhundert die Idealisierung bringen und als wichtige Einschnitte zu verstehen sind. Beide Arten der Ideologisierung, "das Weib ist geschaffen zur Haushaltung" und die "schöne Seele" müssen in Betracht gezo-

gen werden, wenn literarisch-geistige Tätigkeiten von
Frauen zwischen 1500 und 1800 untersucht werden.

Daß aber in diesen drei Jahrhunderten neben den
wenigen bekannten Einzelgängerinnen Frauen nicht nur
als schweigende Masse gelebt haben, sondern vielseitig gewirkt haben, wirken wollten und in welcher Weise sie wirken konnten, sollen die Beiträge in diesem
Band erhellen. So zeigt der Aufsatz von Richard
Critchfield auf, welche Bedeutung Frauen im Pietismus
erlangten, eine Bedeutung, die von der intensiven
Pietismusforschung fast völlig übergangen worden ist.
Wie anders das Leben und die Selbsteinschätzung ist,
wenn die Aussagen einer Frau selbst beachtet werden,
geht aus den Ausführungen von Walter Wetzels zur
Schauspielerin im 18. Jahrhundert hervor. Das in der
hohen Literatur sanktionierte Bild der Schauspielerin
erhält neue Dimensionen und muß an sich modifiziert
werden, wenn es durch die zeitgenössische Biographie
aus der Perspektive der Frau beleuchtet wird.

Die Beiträge in diesem Band erheben keineswegs den
Anspruch auf Vollständigkeit; sie wollen und können
nicht den gesamten Zeitraum erschöpfen und alle Erscheinungen berühren. Das ist auf so knappem Raum
und bei den wenigen Vorarbeiten nicht möglich. Ganz
bewußt sind jedoch die Themen Liebe und Sexualität
nicht besonders behandelt worden: weder als Geschlechtswesen noch als Sexualobjekt werden Frauen in
diesen Beiträgen betrachtet. Literarisch tätige Männer werden in ihren Leistungen und ihrer Selbstdarstellung nicht von ihrer Sexualität her gesehen, ihre
Werke nie vorrangig von dem Aspekt der Liebe aus interpretiert. Warum sollte das noch immer bei Frauen
gemacht werden?

Ebenfalls sind die Beziehungen der Dichter zu
Frauen ganz in den Hintergrund gestellt worden. Darüber gibt es reichlich Literatur, die fast ausschließlich mit Blickrichtung auf den jeweiligen Mann
abgefaßt ist. Die betreffenden Freundinnen, Verehrerinnen, Ehefrauen oder weiblichen Verwandten sind dabei lediglich soweit von Interresse, wie sie das Leben des männlichen Autors bereichert (oder gestört)
und seine Werke angeregt, bez. beeinflußt haben. Das
interessiert aber nicht sonderlich in unserem Zusammenhang.

Die Frau soll hier nicht als Randerscheinung betrachtet werden, sondern als Gegenstand der Untersu-

chung selbst im Mittelpunkt stehen. So hoffen die
Beiträge, neue Perspektiven zu eröffnen, neues Material zu bringen und vor allem Anregung zur Weiterarbeit zu geben, eine Weiterarbeit, die nicht in der
Stoffgeschichte versinkt oder von Erotik fasziniert
in sexistischer Betrachtungsweise steckenbleibt, sondern eine Weiterarbeit, die die individuellen und die
kollektiven Erfahrungen, Beobachtungen und Leistungen
von Frauen und ihr Selbstverständnis in diesem Zeitabschnitt aufdeckt.

Barbara Becker-Cantarino

Austin, Texas/USA
Im Juni 1980

ANMERKUNGEN

1 Eine kritische Auseinandersetzung mit den Frauenbildern einer
Epoche bringt jetzt erstmals für die deutsche Literatur (des 18.
Jahrhunderts) Silvia Bovenschen, *Die imaginierte Weiblichkeit.*
Exemplarische Untersuchungen zu kulturgeschichtlichen und lite-
rarischen Präsentationsformen des Weiblichen (Frankfurt: Suhr-
kamp, 1979).

2 Ausführlich dazu Hannelore Schlaffer, "Frauen als Einlösung
der romantischen Kunsttheorie," *Jahrbuch der Deutschen Schiller-*
Gesellschaft, 21 (1977), 274-96, und mein Aufsatz "Priesterin
und Lichtbringerin.   Zur Ideologie des weiblichen Charakters in
der Frühromantik," in *Die Frau als Heldin und Autorin.   Neue*
kritische Ansätze zur deutschen Literatur, hrsg. von Wolfgang
Paulsen (Bern: Francke, 1979), 111-24.

3 Vgl. Marianne Weber, *Ehefrau und Mutter in der Rechtsentwick-*
lung (1907; Reprint, Aalen: 1971), S. 300.

4 Merkmalsgruppen von Geschlechtspezifika bei Karin Hausen,
"Die Polarisierung der 'Geschlechtscharaktere'--Eine Spiegelung
der Dissoziation von Gewerbs- und Familienleben," *Sozialge-*
schichte der Familie in der Neuzeit Europas, hrsg. von Werner
Conze (Stuttgart: Klett, 1976), S. 368.

1.

DAGMAR LORENZ

VOM KLOSTER ZUR KÜCHE:
DIE FRAU VOR UND NACH DER REFORMATION
DR. MARTIN LUTHERS

Unter Lutheranern trifft man immer wieder auf die
Ansicht, Luthers Schaffen habe, nebst zahlreichen,
gemeinhin als fortschrittlich betrachteten und ihm
zugeschriebenen Neuerungen wie der Befreiung von der
Geißel des Papsttums, der Abschaffung kirchlicher
Mißbräuche, von Aberglauben und Götzendiensten, der
Trennung von Staat und Kirche, der Definition eines
modernen Staats- und Berufsbegriffes,[1] der Aufwertung
der Individualseele und des -gewissens sowie der
Schaffung der Grundlagen zu Rationalismus und Empi-
rismus auch eine Aufwertung und Verbesserung der Rolle
der Frau im Staats- und Sozialwesen eingeleitet.
Ebensowenig wie die ersteren Annahmen unqualifiziert
zu akzeptieren sind, ist es die letztere, zu der nicht
selten auch Protestantinnen neigen. "In the meantime,
however, it has become generally known that in fact
he [Luther] had nothing to do with any of them: nei-
ther the autonomous state, the autonomous conscience,
nor the ideal of pure humanity. All of them origi-
nated in the Renaissance," führt Ritter aus, und setzt
hinzu: "The aim of the Lutheran Reformation was a
call to penance, summoning men back to the Cross of
the Son of Man, the Cross of Him whom the world de-
spised. It did not preach about man's high worth. It
did not praise the strength of man's moral faculties.
On the contrary, it taught that his will is wholly
corrupt and that he is totally incapable of perform-
ing his own salvation."[2]
Treffen diese Beobachtungen auf den Menschen, Adam,
nach christlichem Dogma nach Gottes Bild geschaffen,
zu, so in noch bestürzenderem Maße auf Eva, dessen
Gehilfin, entstanden aus Adams Rippe und in jedem
Sinne ein sekundäres Wesen. Auch die Frau hatten die
Einflüsse der Renaissance nicht unberührt gelassen.

Humanistische Tendenzen hatten zu einer Verbesserung
der Frauenbildung, besonders in den gehobenen und
mittleren Schichten beigetragen, wofür Italien und
Frankreich, aber auch Deutschland, hervorragende Beispiele bieten. Die Vorstellung, daß die Frau eine
freie Persönlichkeit sein kann, entspringt besonders
den höfischen Kreisen der Renaissance.[3] Jedoch war
auch die spätmittelalterliche Gewerbslage der Frau
weit weniger ungünstig zu beurteilen, als es oft von
protestantischer Seite geschieht, und die Position der
Frau in der Kirchen- und Gesellschaftsstruktur zeugen
vom Vorhandensein frauenfreundlicher Tendenzen, deren
Abschaffung durch Luthers ideologische Aufwertung der
Frau als Ehefrau und Mutter kaum aufgewogen werden
kann.

Dieser Aufsatz will in vergleichender Methode versuchen, die Lage der Frau vor und nach der Reformation in möglichst breiter Perspektive zu sondieren,
wobei absichtlich der Blickpunkt nicht auf Frauen der
Adels- oder gehobenen Bürgerschichten liegen soll, da
es scheint, daß ein gültiger Eindruck der Gesamtlage
nicht von Extrem- und Ausnahmefällen zu gewinnen ist.
Dabei wird den Anschauungen Luthers über die Frau,
die Familie und die Ehe ein besonderes Gewicht zufal-
len, da sie als bedeutende Faktoren für die soziologischen Tendenzen in lutherisch-protestantischen
Ländern zu gelten haben, wobei die selbstverständlich
vorhandenen Einflüsse und Überschneidungen mit anderen
Reformbewegungen, z.B. der Calvinistischen, des
Raumes wegen ausgeschlossen bleiben müssen.

Wie wenig Luther über das weibliche Geschlecht von
mittelalterlichen Anschauungen abweicht, läßt sich
aus seinen Haupttexten über Familie und Ehe entneh-
men.[4] Luthers Denken ist nicht weniger androzentrisch
als das des Aristoteles, des Alten Testamentes, der
Kirchenväter bis hin zu Thomas von Aquin.[5] Sein Rückgriff auf Paulus statt auf das Evangelium selbst bei
der Analyse und Definition der Rolle der Frau, seine
starke Anlehnung an den traditionell mysogyn gedeu-
teten Mythos vom Sündenfall und die Einbeziehung der
alttestamentlichen Ehe- und Verlobungsgesetze erlauben es ihm nicht, die Frau anders als durch ihre
Biologie und ihre Stellung in Bezug auf den Mann zu
bewerten. Sie tritt nur als heiratsfähiger Artikel,
als Gattin oder Mutter, nie aber als unabhängiges
Einzelwesen bei ihm in Erscheinung. Daher wirkt

8

Luthers Perspektive in mancher Hinsicht angesichts
der realen Zustände seiner Zeit reaktionär.

Die Frau war für die westliche Zivilisation, sei
es die griechische, römische oder judeo-christliche
in ihrer Doppelrolle als Mensch und Geschlechtswesen
immer problematisch. In allen genannten Kultur-
kreisen, den germanischen miteingeschlossen, wurde
sie als Mensch zweiter Klasse behandelt, obwohl ihr
bedeutender Beitrag zu der Ökonomie des letzteren ihr
hier ein relativ größeres Ansehen sicherte. Jedoch
kam ihr in der urchristlichen Gemeinde sowie selbst
noch im Kirchenwesen des Mittelalters ein Maß an
Betätigungs- und Ausdrucksmöglichkeiten, nicht zuletzt
symbolisiert durch das Vorhandensein einer weiblichen
Mittlergestalt zwischen Gott und Mensch, zu, eine
Fülle an inner- und außerkirchlichen Beschäftigungs-
gebieten, die ihr durch die emphatische lutherische
Betonung des Haus- und Familienkreises zusammen mit
dem Schwinden der Jungfrau-Mutter, der Vereinigung
des weiblichen, fruchtbaren und asketischen Prinzips,
endgültig genommen wurde.

Eigentümlich für das Christentum ist die Unter-
scheidung zwischen der weltlichen und der geistlichen
Bestimmung des Menschen, besonders was die Frau anbetrifft. Während die Frau als endliches Wesen im
Vergleich zum Manne minderwertig ist, ist ihre Seele--
im ewigen Leben geschlechtslos wie die des Mannes--
rational und spirituell. Die zunehmende Betonung der
irdischen Rolle beider Geschlechter führte bereits in
der katholischen Großkirche zu einer fortschreitenden
Entrechtung der Frau im Gegensatz zum frühen Christentum.[6] Auch die Frau ist in den göttlichen Heilsplan
miteinbegriffen und von derselben Zielrichtung wie
der Mann bestimmt. Im theoretischen, geistlichen
Sinne besteht also eine Gleichstellung von Mann und
Frau, wohingegen die irdischen Existenzen beider radikal verschieden sind, ein Faktum, das theologisch
durch die androzentrische Interpretation des Schöpfungsmythos belegt und sanktioniert wird.[7]

Eva, von vornherein nur zur Gehilfin des Mannes
ausersehen und aus seinem Fleisch geschaffen, ist
weder selbständig genug zur Sünde, zum radikal
Schlechten, noch gering genug für die ihr zuteil wer-
dende Verdammung. In jeder Hinsicht ist sie Adam
unterlegen, weshalb er in scholastischer Sicht auch
die eigentlich relevante Gestalt des Sündenfalls ist.

Interessanterweise bezieht sich nur für Eva die Strafe
für die Übertretung des Gebotes auf die Sexualität,
auf die Schmerzen bei der Geburt und die Unterordnung
unter den Mann, ein Motiv, das auch wieder bei Maria
in den Vordergrund tritt, nämlich durch die Abwesenheit geschlechtlicher Aktivität. Maria und Eva sind
gleich unselbständige Wesen. Ist die eine Katalysator
für das Werk des Teufels, so ist die andere, trotz
ihrer Glorifizierung zur Himmelskönigin im Mittelalter, ein Hilfsinstrument für das Heilswerk, das un-
gleich Christus, der eigentlichen göttlichen Würde
entbehrt. Fast undefinierbar ist die Trennung zwischen der "heiligen" und "weisen" Frau und der Hexe
und Ketzerin, der Mariengleichen und der Sünderin,
wie sich an mittelalterlichen Sagen und Legenden, z.B.
der der Genoveva, ablesen läßt, und wie die Einschätzung einer Jeanne d'Arc, die im 20. Jahrhundert hei-
liggesprochen wurde, belegt.[8]
    Im Rahmen einer derart ambivalenten Einschätzung
der Frau innerhalb der Religion als Objekt des Heils
oder des Bösen, ist es nicht verwunderlich, daß die
Frau im praktischen Leben sowohl vor wie nach der
Reformation weitgehend nur als Instrument angesehen
wurde, so zum Beispiel als Gefäß für den männlichen
Samen, der bereits den gesamten Fötus enthält, eine
mittelalterliche Vorstellung, die noch ernsthaft in
wissenschaftlichen Werken des 18. Jahrhunderts vertreten wird; als nur biologische Ernährerin des
Kindes, dessen geistige Ausbildung dem Vater anheim-
gestellt ist und als Mittel, den männlichen Ge-
schlechtsdrang zu befriedigen, da die Abstinenz für
den Mann landläufig als gesundheitsschädigend betrachtet wurde. "Als der man wol findt ßo eyn halstarrig
weyb, das seynen kopff auff setzt, und sollt der man
tzehen mal ynn unkeuscheyt fallen, so fragt sie nicht
darnach. Hie ists tzeytt, das der man sage: 'wiltu
nicht, ßo wil eyn andere, wil fraw nicht, ßo kum die
magd'" (*Leben*, S. 290). "Daher auch die ertzte nicht
ubel reden, das sie sprechen, wo man mit gewallt
hellt dißer natur, das muß es ynn das fleysch und
blut schlahen und gifft werden..." (*Leben*, S. 301).
Demnach existiert, auch bei Luther, die Frau für den
Mann und seine physischen Bedürfnisse, und Prostitution und Ehebruch können als Therapie gegen die
Gefahren der Enthaltsamkeit interpretiert werden.
    Für den mittelalterlichen Theologen ist das Thema

10

Ehe keineswegs einfach, insofern die Sexualität in
dem Zusammenleben der Geschlechter miteingeschlossen
ist. Die Ehe an sich wird, wie auch bei Luther,
nicht als Resultat des Sündenfalls betrachtet, sondern
als eine Institution, die bereits mit dem Abschluß
der Schöpfung in Kraft tritt. Jedoch ist, wie Luther
und vor ihm mittelalterliche Theologen wie Thomas von
Aquin festhalten, das eheliche Zusammenleben der Geschlechter vor dem Sündenfall leidenschaftslos. Der
Mann pflanzte seinen Samen wie der Säer die Saat.
Wenngleich während des paradiesischen Zustandes die
Vorrangstellung des Mannes deutlich ist, wie auch
Luther bestätigt, so ist es doch eine gemilderte Form,
da das Fehlen beiderseitiger sexueller Lust auch
Sündenlosigkeit und das Fehlen von Geburtsschmerzen
zur Folge hat. Die paradiesische Kopulation führt
nicht, laut Augustin und Luther, die Zerstörung der
Jungfernschaft herbei. Dieser scheinbar unwesentliche
Faktor ist sowohl für die Kirchenväter, für Thomas
von Aquin und Luther von hervorragender Bedeutung, da
die Defloration des weiblichen Körpers als eine nicht
wiedergutzumachende Korruption der psychischen und
physischen Integrität betrachtet wird, obgleich alle
sexuellen und persönlichen Funktionen der Frau nach
dem Akt erhalten bleiben.
   Der bedeutendste Unterschied, der sich zwischen
Luther und seinen Vorgängern findet, ist die Einschätzung der Ehe als Institution. Während, ausgehend von
Paulus, für die Kirchenväter und die Theologen des
Hochmittelalters die Ehe ein Notbehelf ist, von allen
Ständen für die Frau der zweifelhafteste, der deutlich hinter dem der religiös motivierten Jungfernschaft und dem Witwentum zurücksteht, stellt Luther
den Ehestand über alle anderen, betont dessen Verdienste und verwirft implizit und explizit das Recht
des Individuums, als alleinstehende Person zu leben:
"Denn es ist nitt eyn frey wilköre odder ratt, ßondern
eyn nöttig naturlich ding, das alles, was eyn man ist,
muß eyn weyb haben, und was eyn weib ist, muß eyn
mann haben" (Leben, S. 276). Ohne die traditionellen
Rechtfertigungen für die Ehe, die auf Paulinisches
Gedankengut zurückgehen, zu verändern, setzt Luther
einen neuen Schwerpunkt, dessen Auswirkungen auf das
geistige, private und öffentliche Leben der Frau in
den folgenden Jahrhunderten nicht überschätzt werden
können.

Gemeinhin wurde die Ehe, unvollkommen wie sie sein möchte, als eine Anstalt betrachtet, die der Schwäche des Menschen entgegenkommt und ein Heilmittel gegen die fleischliche Lust darstellte. Im christlichen Bereich war die Monogamie für Mann und Frau das herrschende Ideal, dem allerdings die Praxis eklatant widersprach. Weitere Rechtfertigungen beziehen sich auf die Fortpflanzung und die Kindererziehung im Namen Gottes, wobei der Frau in der letzteren eine größere Rolle zukam als ihr theoretisch zugesprochen wurde. Auf eine Diskrepanz zwischen Doktrin und tatsächlichem Verhalten lassen auch die im Mittelalter häufigen Verbote gegen Geburtenverhütung schließen, die zu der Annahme führen, daß Geburtenkontrolle praktiziert oder wenigstens versucht wurde.[9]

Während des 13. Jahrhunderts gewann die Auffassung von dem sakramentalen Charakter der Ehe immer mehr an Bedeutung, nachdem seit dem 9. Jahrhundert für die Heirat ein kirchlicher Akt erforderlich geworden war.[10] Freilich wurde erst im 16. Jahrhundert, auf dem Trienter Konzil, das Ehesakrament von katholischer Seite her bestätigt. Durch dieses Sakrament wird der symbolische Gehalt der Ehe betont. Die Treue der Frau zum Mann repräsentiert die der Kirche zu Christus, wodurch ein Mehr an persönlicher und spiritueller Motivierung als in den alten Anschauungen vorgegeben wurde. Luther lehnt in seinen reifen Schriften radikal jeden geistlichen Gehalt der Ehe ab. Er will sie als ein "eußerlich leyplich ding wie andere weltliche hanttierung" (*Leben*, S. 283) verstanden wissen.

Sowohl aus katholischer wie aus Luthers Sicht war die eheliche Sexualität keineswegs sündenfrei. Die Geschlechtstriebe wurden von beiden Seiten als geradezu unüberwindlich und monströs mystifiziert.[11] "Denn diße sunt wirt antzogen, darumb die wellt mitt der sindflutt erseufft wartt, Gen. 6..." (*Leben*, S. 300)'. "Derhalben ist der ehlich stand nu nit mehr reyn und an sund, Und die fleyschliche anfechtung ßo groß und wütend worden, das der ehlich stand nun hynfurter eyn spitall der siechen ist, auff das sie nit yn schwerer sund fallen..." (*Sermon*, S. 168). Es sind dies Vorstellungen, die bis zu dem sozialistischen Theoretiker Bebel hin, charakteristisch für die Kultur Westeuropas blieben.[12] Die Disziplinierung der Triebe scheint unmöglich.

Interessanterweise betrachtete der mittelalterliche

katholische Denker die Frau als das sexuell triebhaf-
tere Wesen, woraus jedoch nicht die Konsequenz gezogen wird, daß die Befriedigung ihrer Bedürfnisse vorrangig sei. Im Gegenteil, bei den Provisionen für
die beiderseitige Benutzung des Körpers unter Eheleu-
ten hatte der Mann das Recht, sich unter gewissen Umständen, z.B. im Falle eines Kreuzzuges oder Keusch-
heitsschwurs zu versagen, während die Frau zu einem
derartigen Gelöbnis zunächst die Erlaubnis des Gatten
einzuholen hatte. Jedoch bestand generell die Annahme, daß Verweigerung den Partner unweigerlich zum
Ehebruch oder der Unkeuschheit führen müsse. In Ausnahmefällen galt die Regel, daß der Mann sich selbst,
die Frau jedoch dem Manne gehört. Auch Luther, der
vielerorts die Gegenseitigkeit der "ehelichen Pflicht"
ausspricht, schränkt ein: "Hie haben sie myr schuld
geben, ich soll geleret haben, wenn eyn man seynem
weyb nitt gnug den kützel büssen kunde, soll sie tzum
andern lauffen. Aber laß liegen die verkereten lüg-
ner" (Leben, S. 278). Es entsteht auch bei ihm der
Eindruck, daß die Befriedigung des Mannes vorrangig
sei. Hier wie in den Auffassungen zum Ehebruch liegen Ansätze zur doppelten Moral. Schon bei Thomas
von Aquin wird das Vergehen eher für die Erziehung
der Kinder denn für den Bestand der ehelichen Gemeinschaft als nachteilig empfunden, weshalb der Ehebruch
auf Seiten der Frau strenger verurteilt wird. Es
kann daher nicht wundernehmen, daß es, besonders im
Hochadel, immer wieder Situationen gibt, in denen dem
Mann, nicht aber der Frau, das Recht auf eine Doppel-
ehe eingeräumt wird, eine Lösung, die auch Luther für
das Dilemma Philipps von Hessen unterstützte.[13]
  Da der Ehebruch durch die Obrigkeit bei einer Frau
strenger geahndet wurde als beim Mann, dessen sexuelle Freizügigkeit bei der allgemeinen Lockerheit der
Sitten und der Häufigkeit von Bordellen kaum Einschränkung erfuhr, während die Jungfräulichkeit bei
Mädchen, die auf die Ehe hofften, immer höher bewertet wurde, ist mit verschiedenen Maßstäben, nach denen der persönliche Wert des Mannes und der der Frau
bemessen wurde, zu rechnen. Der Verlust oder Besitz
der Keuschheit kann für die Frau ein entscheidender
Faktor sein, der ihre Zukunft bestimmt, für den Mann
ist dies nicht der Fall.
  Die Stellung der Frau innerhalb des kirchlichen
Gefüges war auch im Mittelalter nicht ideal. Hier
wie in der Außenwelt wurde das Haus als ihre eigent-

liche Domäne angesehen, weshalb sowohl im privaten
wie im kirchlichen Leben ihre Mobilität soweit wie
möglich eingeschränkt wurde. Fahrende Schwestern wurden, im Gegensatz zu fahrenden Brüdern, bald kaser-
niert. Da, wenigstens auf dem geistlichen Sektor,
die Seelen beider Geschlechter als gleichwertig
betrachtet wurden, erstaunt es nicht, daß im späteren
Mittelalter das Image der Frau in geistlichen Traktaten besser ist als in der weltlichen Literatur, wo
immer und immer ihr Lustcharakter, ihre physischen
Eigenschaften und ihre Person als erstrebenswerter
oder errungener Besitz im Vordergrund standen. Trotzdem galt auch die Frau als Nonne als potentielle Verführerin und damit als Gefahr und die volle Würde des
geistlichen Amtes blieb ihr, selbst in der weiblich
orientierten Klosterstruktur, versagt.

Dennoch läßt sich festhalten, daß trotz der selten
in Vergessenheit geratenden Verführung und Versuchung
durch den weiblichen Körper der Nonne die Wahl zur
Freiheit von der direkten Bevormundung durch einen
Mann, sei es der Vater, Bruder oder Ehemann um den
Preis ihrer Sexualität offenstand. Das Kloster, das
Beginenhaus, der Jungfernstift, stellen Alternativen
zur Ehe dar. Sie waren Zentren, die nicht selten von
Frauen für Frauen verwaltet und organisiert wurden,
wenngleich die Seelsorge in männlichen Händen blieb.
Während der Ausschluß vom geistlichen Amt unter der
protestantischen Autorität beibehalten wurde, ging
der Einfluß der Schwestern und Laienschwestern verloren und wurde nur notdürftig von dem der (freilich
ganz unter dem männlichen Regiment des Gatten stehenden) Pastorenfrau ersetzt. Die Jungfräulichkeit
rückte die Nonnen der strengen Orden in eine Sonder-
position. Durch die Aufgabe ihrer Geschlechtlichkeit
und das Vermeiden der angeblichen physischen Korruption durch den Sexualakt erhielten sie sich in
landläufiger Vorstellung ihre Stärke und Rationalität,
wodurch sie sich der Qualität des Mannes annäherten.[14]
Dadurch erreichten sie trotz der Diskriminierung
gegen die Frau ein Maß an Achtung, das für die nach-
reformatorische Frau nicht seinesgleichen hat. Bis
hin zu Karl Barth wird hier die zweitrangige Stellung
der Frau als selbstverständlich akzeptiert.[15]

Vielschichtig und problematisch wie die Position
der Frau im religiösen und theologischen Gebiet war
auch die in der öffentlichen und rechtlichen Sphäre.

14

Die Frau des Mittelalters war praktisch rechtlos. Gesetzlich betrachtet, war sie keine Person und unfähig, Verträge abzuschließen.[16] Mit der Reformation änderte sich diese Situation nicht. Ebenso wie das kanonische Recht für die Frau einen Mittelstatus zwischen Mann und Tier einräumte, stellt Luther sie im Katechismus an die Spitze jener Artikel, die dem Mann gehören: "Wir sollen Got fürchten und lieben das wier unserm nächstē nicht seyn weyb gesünd oder vihe abspannē abdringē oder abwendig machen."[17] Entsprechend mittelalterlicher Rechtsbräuche mußte die Frau durch einen männlichen Verwandten vor Gericht repräsentiert werden, ihr Eigentum wurde von einem männlichen Familienmitglied verwaltet und ging bei der Eheschließung in die Verfügungsgewalt des Ehemannes über. Die Frauengruppe, die sich auch während des Mittelalters des größten Schutzes erfreute, war die der Ehefrauen, die durch das Ehegesetz, das die Scheidung, außer in extremen Sonderfällen, unmöglich machte, ein Höchstmaß an ökonomischer Sicherheit erhielt. Jahrhunderte später nahm Madame de Staël beunruhigt das Schwinden dieser Sicherheit in lutheranischen deutschen Ländern wahr, da sich hier inzwischen Scheidungen, eingeleitet durch den Mann, im Vergleich zum katholischen Frankreich, relativ leicht vornehmen ließen.[18] Die alleinstehende Frau befand sich in der unsichersten Lage, da ihrem Broterwerb und ihrer finanziellen Sicherheit die verschiedensten Hindernisse entgegenstanden.

Dieses Problem war für das Mittelalter besonders brennend aufgrund der bedrängenden weiblichen Überbevölkerung, die rund 10-20% betrug.[19] Zudem hatten die ledigen Kleriker und Mönche einen negativen Einfluß auf die Heiratsstatistiken, wobei prinzipiell heiratsunwillige Männer nicht einmal erfaßt werden können. Zudem wurde verschiedenen Ständen, zum Beispiel den Gesellen, in gewissen Regionen das Eherecht vorbehalten.[20] Von daher läßt sich leicht einsehen, warum die theoretisch-legale Stellung der Frau mit der tatsächlichen Erwerbslage in eklatantem Widerspruch stand. 1354-1510 bildeten Frauen etwa ein Sechstel bis ein Viertel der steuerpflichtigen Bevölkerung, das heißt, trotz bedeutender Schwierigkeiten gelang es einer hohen Anzahl von Frauen, ihre wirtschaftliche Selbständigkeit zu erlangen. Es bestanden vielseitige Möglichkeiten für ledige Frauen, sich

ihrer Ausbildung und ihren Fähigkeiten gemäß zu ernäh-
ren. Auf dem Lande, wo der Bauernhof die wichtigste
ökonomische Einheit darstellte, konnte sie sich als
Magd, Landarbeiterin, Schneiderin oder Spinnerin verdingen.[21]

In der Stadt standen die verschiedensten Berufs-
zweige offen, unter ihnen schwere körperliche Arbeiten,
die in späteren Jahrhunderten als "Männerberufe" klas-
sifiziert wurden. Obwohl Zünfte es den Frauen schwer
machten, die volle Mitgliedschaft zu erwerben, da
hierfür sowohl Waffendienst wie politische und admini-
strative Pflichten gefordert wurden, von denen Frauen
ausgeschlossen waren, zeigen die Statistiken doch eine
große Anzahl von Ausnahmen, in denen es Frauen gelang,
Mitglieder zu werden, wenn sie sich durch einen männlichen Vertreter repräsentieren ließen, und unabhängige Unternehmerin und Meisterin zu werden. Für Lehr-
lings- und Gesellenstellen waren Frauen generell qua-
lifiziert und legten, wie ihre männlichen Mitarbeiter
den Eid ab, unverheiratet zu bleiben, keine Wirtshäu-
ser zu besuchen, Berufsgeheimnisse zu verraten oder
ihrer Meister zu bestehlen.[22] Nach dem Tode des Gatten übernahm normalerweise die Meisterin die Werkstatt
als Erbin. Bestanden in verschiedenen Städten Bestim-
mungen, die eine solche Frau zur Wiederheirat mit einem Gesellen der Zunft zwangen, um das Geschäft nicht
zu verlieren, so wurden diese Regeln doch in häufigen
Fällen nicht eingehalten. Besonders wenn für die Gewerbe keine Zunft zuständig war, gingen Frauen unge-
stört ihrer Tätigkeit nach. Eine alleinstehende Frau,
die ein Gewerbe ausübte, besaß, ebenso wie eine verheiratete Frau, die einen anderen Beruf als ihr Ehemann hatte, denselben Status wie ihre männlichen Kon-
kurrenten. Im Textilgewerbe fanden sich die meisten
Unternehmerinnen, aber sie waren auch zahlreich unter
den Fleischern, Bäckern, Gerbern, den Badehausbesit-
zern, Barbieren und Händlern, selbst unter den Schmie-
den und Waffenschmieden. Fast ausschließliche Frauen-
zünfte waren die Schnur- und Bortenwirker. Am Schnei-
derberuf war die Frauenbeteiligung ebenfalls außerordentlich hoch. Erst seit dem 17. Jahrhundert ging das
Weberhandwerk in männliche Hand über und die dazugehörigen Hilfsberufe, die Wollkämmerei, das Spinnen und
Garnziehen sowie das Spulen befand sich bis weit über
diese Zeit hinaus unter der Dominanz weiblicher Unter-
nehmer.

"Im Mittelalter waren die Frauen von keinem Gewerbe

ausgeschlossen, für das ihre Kräfte ausreichten. Sie
waren berechtigt, Handwerke ordnungsgemäß zu lernen,
sie als Gehilfinnen, ja als Meisterinnen zu betrei-
ben."[23] Allerdings fanden immer wieder Versuche statt,
die Frauenarbeit zurückzudrängen, teils aus Brotneid,
teils wegen der ökonomischen Schwierigkeiten während
der Renaissance. Das Fehlen eines Broterwerbs bewirkte für die Frau eine Herabsetzung des sozialen
Status. Im späten Mittelalter und während der
Renaissance fehlte es nicht an Protesten gegen Meisterinnen, die Gesellen, Mägde und Lehrlinge beschäf-
tigten. Auch schon im Mittelalter bestand eine
Lohnungleichheit zuungunsten der Frau. Besonders
schlecht bezahlt waren Stellungen für Domestiken
weiblichen Geschlechts. Es ist interessant anzumer-
ken, daß noch im 16. Jahrhundert die öffentliche
Gewalt vorwiegend auf Seiten der Angegriffenen
gewerblich tätigen Frauen war, während sie sich im 17.
Jahrhundert oft gegen dieselben wandte, eine Entwicklung, die, wie später nachgewiesen werden soll,
leicht mit den Auswirkungen der Reformation in Verbindung zu bringen ist.

Im Kleinhandel bestand eine althergebrachte Diskrimination gegen Frauen, trotz stellenweiser Ausnahmen, in denen die Käuflerinnen eigene Zünfte besaßen.
Im Ganzen standen etwa 200 verschiedene Beruf- und
Gewerbebranchen für Frauen offen, unter ihnen solche,
in denen noch heute Frauen auf männlichen Widerstand
stoßen. Obwohl die geistigen Arbeiten für Frauen zumeist auf den Bereich des Klosters beschränkt waren,
gibt es Ausnahmen, z.B. Abschreiberinnen, Briefstel-
lerinnen und Briefdruckerinnen. Gelegentlich arbeiteten Frauen als Erzieherinnen, Elementarschullehre-
rinnen, besonders an Mädchenschulen[24] und als Privat-
lehrerinnen. Malerinnen und Künstlerinnen traten,
ebenfalls als Ausnahme, gelegentlich auf. Unter den
Frauen, die als selbständige Geschäftsleute in grö-
ßerem Stil arbeiteten, ist Barbara Fugger im 15.
Jahrhundert. Unter die vielfältigen weiblichen
Tätigkeiten gehörte die der Spionin in Kriegszeiten.
Weibliche Turmwächter, Zöllner und Ärzte werden ebenfalls erwähnt.

Die weiblichen Hilfskräfte in den Armeen, die beinahe zur Selbstverständlichkeit gehörten, befanden
sich in einer Mittelposition zwischen Prostituierter
und Hilfspersonal. Nach Einheiten geordnet, nahmen

diese Frauen aktiv an Verteidigungsmanövern teil,
nicht aber an der eigentlichen Offensive. Sie fallen
in die Kategorie der fahrenden Frauen, die ihren
Lebensunterhalt mit verschiedensten Mitteln verdien-
ten, als Schaustellerinnen, Gauklerinnen, Wahrsage-
rinnen, Tänzerinnen und Sängerinnen. Während und
nach dem Dreißigjährigen Krieg hatte das Frauenvaga-
bundentum einen Höhepunkt erreicht.[25] Die drastische
Zunahme solcher Umherziehenden steht in direkter
Verbindung mit den Vertreibungen der Frauen aus Klöstern und Stiften, der wachsenden Frauenarbeitslosig-
keit sowie der beruflichen Diskrimination.

Außer der Arbeit war die andere Möglichkeit der
alleinstehenden Frau sich abzusichern, der Anschluß
an eine religiöse oder halbreligiöse Frauenvereini-
gung. Unter diesen nahmen die Klöster eine führende
Rolle ein. Während früher Nonnen aus einer begrenzten
Schicht stammten und die Zahlung einer Mitgift für
die Aufnahme ins Kloster verlangt wurde, nahm im 13.
und 14. Jahrhundert die Zahl der Stifte und Klöster
zu und die Bedingungen zum Beitritt wurden weniger
kostspielig. Sprach- und Anstandsunterricht, Gottes-
dienst, Nadel- und Handarbeit, das Kopieren von
Büchern, Sticken und Kunstgewerbe wurden in den Klöstern gepflegt, von denen besonders letztere Einnahme-
quellen für die Nonnen darstellten. Zudem nahmen
Klöster gegen Entgelt Logisgäste auf und betätigten
sich in der Erziehung junger Mädchen. In den Städten
bildeten sich auch Haushaltszusammenschlüsse allein-
stehender Frauen, die sich zu Hausgenossenschaften
zusammentaten und ihre Habe und Einkünfte miteinander
teilten.[26] Vermögende Frauen solcher Gruppen betätigten sich oft in der Armen- und Waisenpflege. Mittel-
losen unverheirateten Frauen standen Beginenhäuser
offen, die sich am besten als Armenstifte für unaus-
gebildete Frauen definieren lassen. Die Bewohnerinnen
trugen eine religiöse Tracht, ohne jedoch durch einen
Eid zum Nonnendasein verpflichtet zu sein. Zum Teil
waren sie auf Almosen angewiesen, die freilich nicht
das Stigma einer arbeitsethisch orientierten Welt
trugen. Zum Teil trugen die Frauen durch Handarbeiten
zum Einkommen der Häuser bei, wobei sie jedoch immer
wieder von den Zünften bedrängt wurden, die beflissen
waren, sie in Wohltätigkeitsarbeiten abzudrängen.
Dennoch erfreuten sich die Beginenanstalten aufgrund
des Stiftungsvermögens, das den Grundstein ihrer

18

Existenz darstellte, einer beachtlichen Unabhängigkeit. Die Vorsteherin eines jeden Hauses wurde von
den Laienschwestern entweder auf Lebenszeit oder für
einige Jahre gewählt. Sie vertrat die Interessen des
Stiftes der Gemeinde oder dem Stadtrat gegenüber.

Eine andere Art von Frauenzusammenschluß war das
mittelalterliche Bordell, das Frauenhaus, das, auf-
grund der bereits in religiösen Traktaten angelegten
Sanktionierung der Prostitution organisch in das
Gemeindewesen eingegliedert war.[27] Die städtischen
Brodelle unterlagen strengen Regeln, vergleichbar
denen der Zünfte. Es ist nicht verfehlt, von einer
Gilde der Prostituierten zu sprechen. Die Frauen
trugen eine spezielle Tracht und waren, wie andere
Zünfte, auf einen bestimmten Stadtteil verwiesen. Die
Arbeitszeit war strikt geregelt, wobei darauf geach-
tet wurde, daß den Frauen Gelegenheit gegeben wurde,
Sonn- und Feiertage einzuhalten. Generell ist zu
beachten, daß der mittelalterlichen Hure oder Konku-
bine nicht mit Verachtung begegnet wurde, sowie es
auch keinen Makel für den Mann bedeutete, mit Frauen
dieses Gewerbes umzugehen. Im Gegenteil, den Prostituierten wurden Privilegien zugestanden, die auch
ihrem spezifischen Dasein Würde verliehen. Es sei
hierbei darauf hingewiesen, daß nach der mittelalterlichen Liebeslehre Ehe und Minne keineswegs dasselbe
bedeuteten, sondern nicht selten ein Widerspruch in
sich sind. Die Frauenhäuser besaßen einen besonderen
Schutz. Ruhe- und Friedensstörungen in ihrem Umkreis
wurden von den städtischen Behörden besonders streng
behandelt und Mißhandlungen der Frauen unterlag
schwerster Verfolgung. Die Einkünfte der Häuser
gingen an ihren Patron, den Fürsten oder geistlichen
Oberherrn oder an die Stadt selbst,[28] während die
Frau einen geregelten Lohn, Unterkunft und Essen erhielt, sowie vollen Anspruch auf die ihr außer der
Regel gemachten Geschenke hatte. Eine begrenzte
Kranken- und Arbeitslosenversicherung stand den Mitgliedern eines Hauses aufgrund der Beiträge zu, die
sie in die gemeinsame Kasse machten. Private Prostitution innerhalb der Städte wurde, wie jede unzünftige
Arbeit, streng verfolgt und bestraft.

Vielerorts wurde die Korporation der Prostituierten
im Rat durch eine von den Frauen gewählte Repräsentan-
tin, die "Königin," vertreten und die Leitung des
Hauses lag oft in Händen einer selbstgewählten Vorste-

herin. Selbstverständlich war die Teilnahme der
Frauen an öffentlichen Prozessionen und Festlichkeiten
oder Feierlichkeiten, z.B. des Rates. Bei Besuchs-
zeremonien für Abgeordnete anderer Städte oder Fürsten
wurden die Frauen auf Stadtkosten gekleidet und
standen den Besuchern zur Verfügung. In größeren
Städten besaßen sie ein eigenes Badehaus und es war
ihnen neben ärztlicher Überwachung ärztliche Betreuung
zugesichert.

Normalerweise war die Kirche äußerst hilfreich bei
den Bestrebungen einer Prostituierten, ins bürgerliche
Leben zurückzukehren. Kirchliche Orden und Häuser
aus privaten Spenden dienten der Rehabilitierung seit
dem 13. Jahrhundert. Mit verschiedensten Mitteln
wurde versucht, die Diskriminierung gegen reuige Sün-
derinnen zu verhindern. Mitgiften wurden bereitge-
stellt für diejenigen unter ihnen, die sich verheira-
teten. Da der Rückfall in das alte Gewerbe streng
verboten und oft mit dem Tode bestraft wurde, gelang
es in der Tat, die Frauen von Makel und Verachtung
freizuhalten. Aufgrund der Sicherheit, die die Ret-
tungshäuser boten, wurden sie später auch unbeschol-
tenen armen Mädchen zugänglich.

Im Ganzen läßt sich festhalten, daß im Mittelalter
durchaus Versuche unternommen wurden, mit den sozialen
Problemen, die Frauen aller Stände betrafen, fertig-
zuwerden, wobei das Schwergewicht nicht nur auf der
Ehefrau, sondern auf Frauen verschiedenster Lebensla-
gen verteilt ist. Vorrangig sind dabei Zustände, die
durch eine uberwältigende weibliche Majorität hervorgerufen wurden. Das Weltbild, das sich auf diese
Weise ergibt, ist allumfassend. Jeder Stand, von der
Nonne bis zur Prostituierten, ist in die weltliche
und kirchliche Ordnung eingeschlossen. Der Begriff
"alte Jungfer" ist nicht auf die Ledigen des Mittelalters anwendbar, da sie noch nicht zu denen gehören,
die als Nutzlose von der Gnade und Barmherzigkeit
anderer leben müssen. Nach der Reformation gewann
immer mehr die Vorstellung an Boden, daß das Dasein
einer solchen Frau verächtlich oder bemitleidenswert
oder beides sei. Ab dem 18. Jahrhundert reichten die
Erwerbsmöglichkeiten einer Frau nicht mehr aus, ihr
eine eigenständige Position zu sichern, ein Faktum,
das nicht ohne Einfluß auf ihren Status bleiben konnte.

In den nachreformatorischen Jahrhunderten erfuhr
zudem der zuvor weite Kreis der weiblichen Beschäfti-

gungen im familiären Kreis, ursprünglich noch die
Großfamilie, eine weitere Limitierung. Im Laufe der
Zeit schrumpfte der Familienverband auf den Nukleus
von Eltern und Kindern, wie ihn Luther selbst in
Anlehnung an den Schöpfungsmythos beschrieb und die
fortschreitende Spezialisierung auf allen Gebieten
der Wirtschaft verminderte auch hier die Bedeutung
der Frau als autonomer Wirtschafterin.

Luthers Welt ist streng patriarchalisch. In ihr
besteht kein Raum für den ehelosen Menschen, es sei
denn er befinde sich in besonders von Gott oder den
Menschen von der Bestimmung zur Ehe ausgenommenen
Gruppen, den Kastraten oder Impotenten, von denen
Luther mit nicht überhörbarer Verachtung spricht:
"eyn unselig volck" (*Leben*, S. 279). Die besondere
Begnadung zur Keuschheit wird von Luther als so rar
betrachtet, daß sich an ihrer realen Existenz zweifeln
läßt (*Leben*, S. 279). Ehe und eheliche Sexualität
sind göttliches Werk und konstituieren somit einen
Zwang, dem sich niemand, ohne der Sünde zu verfallen,
entziehen kann (*Sermon*, S. 166-67). Freie Geschlechtlichkeit erscheint immer als Sünde (*Sermon*, S. 167).
In Anlehnung an Paulus ist für Luther die eheliche
Sexualität ebenfalls ein Übel, jedoch ein solches,
das den Menschen vor einem bei weitem größeren, nämlich dem der Hurerei oder der Masturbation, bewahrt
(*Leben*, S. 276). Luther rechtfertigt den ehelichen
Stand mit drei traditionellen Begründungen, von denen
der erste, der sakramentale Charakter der Ehe, in
späteren Schriften fallengelassen wird, indem die Ehe
zu einem rein äußerlichen Zusammenschluß und als
weltlich erklärt wird (*Leben*, S. 283). Erhalten als
positive Argumente bleiben die Abwendung fleisch-
licher Sünde und Gesundheitsgründe (*Sermon*, S. 168-69)
sowie die Erzeugung und christliche Erziehung der
Kinder (*Sermon*, S. 170, *Leben*, S. 301).

Um die Eheschließung zu erleichtern, greift Luther
auf das Alte Testament zurück und lehnt verschiedene
zeitgenössische Eheverbote ab, die durch Blutsnähe,
spirituelle Verbindungen oder das Begehen von Verbrechen wie Ehebruch oder Keuschheitsschwüre begründet
wurden (*Leben*, S. 276-87). Da nach Luther die Ehe
nicht freie Entscheidung des Individuums, sondern ein
biologischer Zwang ist, transzendiert die ihr inne-
wohnende Notwendigkeit weltliche und geistliche Autoritäten. Anderweitige Verpflichtungen werden durch

diesen Zwang aufgehoben: "Ich hab gelobd, das ich
nit habe und nicht meyn ist" (*Leben*, S. 284). Das
Austreten aus dem Kloster und das Brechen des Priest-
ergelübdes werden als Pflicht dargestellt (*Leben*, S.
277, *Jungfrauen*, S. 400). Klöster und Keuschheitsge-
lübde bezeichnet Luther als Teufelswerk: "Es ist der
teuffell, der mit der armen creatur alßo sein affen
spiell treybt und seynen tzorn alßo büsst" (*Leben*, S.
280). Er verwirft die Gründe, die den Einzelnen veranlassen, ehelos zu bleiben, als Faulheit und
Unchristlichkeit, da kein Gotteswort sie rechtfertigt
(*Leben*, S. 297-78).

Die alleinstehende oder einem klösterlichen Leben
anhängende Person wird als egoistisch und Gott mißfäl-
lig abgetan. Da die Produktion von Nachkommenschaft
die Ehe und in ihr besonders die Existenz der Frau
rechtfertigt, da Luther ihr keinen besonderen geistigen Wert zuspricht, ist es verständlich, daß Luther,
der sich sonst kategorisch gegen die Scheidung wendet,
es für berechtigt hält, einen sexuell unfähigen Partner
zu verlassen (*Leben*, S. 278), da eine Ehe ohne Bei-
schlaf ihren eigentlichen Zweck verfehlen muß. "Ich
hab weytter gesagt, das der man schuldig ist, solchs
zu verwilligen und yhr die ehlich pflicht und kinder
tzu verschaffen, wil er das nicht thun, soll sie
heymlich von yhm lauffen..." "Daher man auch sihet,
wie schwach und ungesund die unfruchtbar weyber sind,
die aber fruchtbar sind, sind gesunder, reynlicher
und lustiger, ob sie sich aber auch müde und tzu letzt
todt tragen, das schadt nicht, laß nur tod tragen,
sie sind drumb da. Es ist besser kurtz gesund denn
lange ungesund leben" (*Leben*, S. 301). So word auch
der Ehebruch im Falle sexueller Verweigerung gerechtfertigt (*Leben*, S. 290), den der impotente Mann
seiner Frau um der Kinder willen zu gestatten hat.
Unverträglichkeit der Partner, da diese weder den
Geschlechtsverkehr noch das Hervorbringen von Kindern
verhindert, ist hingegen kein Grund zu einer neuen
Ehe (*Leben*, S. 291). Die hervorragende Bedeutung der
sexuellen und prokreativen Funktionen der Ehe setzen
auch der Gewalt der Eltern und Vormünder ihre Grenzen.

Es bleibt den Eltern vorbehalten, die Verbindung
mit einer bestimmten Person zu verhindern, jedoch
liegt es nicht in ihrer Hand, dem Kind die Ehe an
sich zu untersagen, und es ist das Recht des Kindes,
sich gegen die spezifische Wahl der Eltern zu wehren

(*Eltern*, S. 163). Trotz dieser scheinbar individua-
listisch gerichteten Perspektive tritt bei Luther
immer wieder der strikte Funktionscharakter von Mann
und Frau, im Falle der letzteren der Warencharakter,
wie seine Ansichten über ihren Wertverlust durch
Deflorierung belegen, in den Vordergrund. Wird von
einer potentiellen weiblichen Promiskuität nur zögernd
gesprochen, da sie dem persönlichen Ruin gleichkommt,
hebt er bei den Junggesellen nur deren schädliche
Auswirkungen auf die Gesundheit, die körperliche und
nervliche Zerrüttung, hervor. Ein Mädchen, das seine
Jungfräulichkeit verloren hat, ist "tzu nicht gemacht"
(*Leben*, S. 286). Über die Männer heißt es: "Über
das verztehret es den leyb, verderbt fleysch und
blutt, natur und complexion" (*Leben*, S. 299).

Den größten Einfluß auf die kulturelle Entwicklung
der nächsten Jahrhunderte mag wohl Luthers Rollenbe-
schreibung von Mann und Frau innerhalb der Ehe gewesen
sein. Die Festlegung des idealen Heiratsalters, bei
Männern um 20, bei Frauen zwischen 15 und 18, läßt,
besonders für die Frau, kaum eine Gelegenheit zu
geistiger Entwicklung.[29] Während der Mann als der
berufstätige Ernährer (*Predigt*, S. 22-23) und damit
für die sozialen Belange der Familie als verantwortlich dargestellt wird, ist der Beruf der Frau ausschließlich das Kindergebären und das Erleiden der
Schmerzen während der Geburt (*Predigt*, S. 24-25),
wobei das Überleben des Kindes wichtiger ist als das
der Mutter. Die Seligkeit der Frau liegt im Erzeugen
von Kindern und deren Erziehung, beide durch den
Glauben geheiligt.[30] Der Lebensinhalt des Mannes ist
die Arbeit, der der Frau die biologische Funktion,
von der es kein Entrinnen gibt. Zwar wird dem Mann
Achtung, Treue und Liebe der Frau gegenüber nahege-
legt (*Predigt*, S. 23-24), aber immer als dem "schwech-
sten werckzeuge" (*Predigt*, S. 24) gegenüber. Die
männliche Vorrangstellung, die selbst die körperliche
Züchtigung der Frau erlaubt, bleibt unbestritten.
Demgegenüber ist die Frau dem Mann Gehorsam schuldig
(*Predigt*, S. 26). Sein Aufenthaltsort hat der ihre
zu sein.

Die Beaufsichtigung der Kinder ist beider Pflicht
(*Predigt*, S. 28) und es ist bemerkenswert, daß Luther
den Mann nicht von niederen Hausarbeiten und der
Säuglingspflege ausnimmt, indem er betont, daß der
rechte Glaube auch niedere Werke heilige (*Leben*, S.

295-96). Zu den Segnungen einer solchen, im wahren
Christentum geführten Ehe kann auch Liebe zwischen
den Partnern treten, jedoch ist es bei Luther noch
kein für das Gelingen der Ehe absolut notwendiges
Phänomen noch eine unbedingt interpersonale Angelegenheit, wie Konzepte späterer Jahrhunderte sie entwickeln sollen.

Die totale Abgrenzung der Frau vom Sektor des
geschäftlichen und politischen Lebens war im 18. Jahrhundert eine bürgerliche Vorstellung geworden und
entspricht der Rolle, die Luther für die Gattin und
Gehilfin des Mannes anvisiert. Sanktioniert und
internalisiert bestimmte sie jahrhundertelang Image
und Realität der bürgerlichen Frau. Indem Luther die
bereits durch das kanonischen Recht privilegierte und
geschützte Ehefrau unterstützte, entzog er der alleinstehenden Frau die Existenzgrundlage und -berechti-
gung, und in weiterem Sinne das Recht zu jeglicher
Tätigkeit außerhalb des Privatkreises und damit die
Aussicht auf soziale Aktivität. Das Zeitalter der
nutzlosen alten Jungfer, komische Figur in Romanen
und auf der Bühne--man denke an Lenz' *Soldaten*--
begann.

Innerhalb des Sozialgefüges, in das Luther so entscheidend eingriff, war die Ehe nur ein Aspekt, nur
eine unter vielen möglichen Existenzformen. In den
Augen des Reformators und seiner Nacheiferer wird sie
zur einzig respektablen. "Die reformatorische Lehre
des Augsburger Bekenntnisses gibt ihr [der Ehe] ihre
volle Heiligkeit, die sie in der Unterordnung unter
das mönchische Ideal verloren hatte, zurück," beobachtet Bornkamm. Jedoch handelt es sich um eine zwei-
schneidige Entwicklung. Luthers Einfluß spaltet die
Frauen in zwei Gruppen auf: die protegierte Ehefrau
und die überflüssige Ledige.[31] Und, wie zuvor dargestellt wurde, machten die Alleinstehenden einen hohen
Prozentsatz unter der weiblichen Bevölkerung aus.

Waren in der vorreformatorischen Ära ziviles und
kirchliches Recht, öffentliche Praxis und theologische
Theorie, zweierlei gewesen, so bewirkte der Zusammenschluß von Staat und Kirche die Gleichschaltung weltlicher und geistlicher Tendenzen. Die Formierung
weltlicher Gerichte, die die kirchliche Doktrin in
Bezug auf Ehe und Familie, von nun an *die* Domäne der
Frau, offiziell vertraten, bedeutete einen verminder-
ten Rechtsschutz für die unabhängige weibliche Person.

24

Es kann daher nicht wundernehmen, daß seit der
Reformation, besonders in protestantischen Ländern,
ein Ausschluß der Frau aus dem öffentlichen Leben und
der intellektuellen Sphäre zu beobachten ist. Der
Beruf, der der Geldbeschaffung und damit der Erhaltung der persönlichen Freiheit, dient, war Privileg
und Pflicht des Mannes. Die männliche Berufspflicht,
im protestantischen Bereich ein ethischer Wert,[32]
nahm die Frau von der Partizipation an Aktivitäten
aus, die neben ihrer materiellen Bedeutung auch
ideologisch überhöht wurden wie zuvor das asketische
Ideal, an dem sie, im Gegensatz zu dem des Berufes,
freilich sehr wohl hatte teilnehmen können. Demnach
war die Frau in doppeltem, geistlichem und weltlichem
Sinne, ein Mensch zweiter Klasse. Während der unverheiratete Mann als Berufstätiger noch immer ein voll-
wertiges Mitglied der Gesellschaft sein konnte, war
die ledige Frau, aufgrund der vollständigen Verfeh-
lung ihrer Berufung und der nun sanktionierten
Untauglichkeit zum Gelderwerb, zu einem Schattendasein
verdammt. Die "Heiligung" der weltlichen Funktion
des Menschen[33] durch den rechten Glauben und die Dif-
ferenzierung von männlichen und weiblichen Rollen
durch die öffentliche Meinung sowie religiöse und
weltliche Autorität schaffen einen Kreis, der gerade
aufgrund seiner universalen Verankerung kaum zu
sprengen war und nicht nur die äußere Realität, sondern auch das soziale Bewußtsein und damit die
Anschauungen und Erwartungen in Bezug auf Erfolg und
Mißerfolg und die Leistungsziele beider Geschlechter
wesentlich determinieren.[34]
Zu den ersten konkreten Auswirkungen der Reformation gehörten die Schließungen von Klöstern, Stiften--
und Bordellen, mit anderen Worten, aller Institutionen, in denen Frauen unter sich gelebt hatten und in
mehr oder weniger zufriedenstellender Weise ihrer
eigenen Existenz, sei sie die einer Auserwählten oder
einer Gefallenen, hatten Ausdruck verleihen können,
Institutionen, durch die sie sich Ansehen und Visibi-
lität als Frauen im Bild der Öffentlichkeit hatten
erwerben können. Durch die Reformation verschwand
zum Beispiel das "Übel" der Prostitution keineswegs,
nur waren die Frauen von hier an gezwungen, ihr
eigentliches Gewerbe hinter wohlklingenden Namen zu
verbergen. Die Prostitution ging in den Untergrund,
was sich nachteilig auf die beteiligten Frauen, ihre

Sicherheit und ihre Freiheit auswirkte.

Besonders gilt diese Beobachtung für die Situation
der Frau. Werden von protestantischer Seite häufig
Beispiele für die glückliche "Befreiung" von Nonnen
angeführt, nicht zuletzt die von Luthers Katharina
und ihren Freundinnen, so gibt es Zeugnisse für den
Kampf von Klosterinsassinnen, die sich weigerten, ihr
gewohntes, frei gewähltes Leben aufzugeben.[35] An den
Beispielen von Charitas Pirckheimer, Äbtissin in
Nürnberg und der Priorin Ursula von Bock wird deutlich, was in Deutschland gewiß keine Ausnahme war:
der Kampf von Frauen um die Stätte der Bildung und
Andacht, den ihnen durch ihren Lebensstil ermöglichten Kontakt mit intellektuellen Kreisen und die ihnen
zustehende soziale Position. Gleichzeitig belegen
die Tagebuchexzerpte dieser Frauen, mit welcher
Brutalität und Geringschätzung von protestantischer
Seite gegen Nonnen vorgegangen wurde, die nicht
willens waren, sich in Mütter und Hausfrauen verwandeln zu lassen. Bestechungen durch Geld, das den
konfiszierten Orden genommen worden war, öffentliche
Beschimpfungen, würdig gemeiner Straßendirnen, Ver-
leumdungen, usw. gehörten zu den kleineren Übeln, die
sich bis hin zur gewaltsamen Entführung, zum Gefan-
gensetzen in christlich-patriarchalischen Haushalten,
zur körperlichen Mißhandlung und Notzüchtigung bis
hin zu Mord und Brand steigern konnten: Gewaltakte,
unternommen im Namen eines Fanatismus, die Frau, auch
gegen ihren Willen, zu "befreien" und ihrer angeblich
natürlichen und gottgewollten Funktion zuzuführen.

Ein Resultat der Schließungen von Frauengemein-
schaften jeder Art war die ungeheure Verarmung von
ehemals versorgten Frauen und die Bildung eines weiblichen Lumpenproletariats, dem die Reformer nur
notdürftige Behelfsmaßnahmen entgegenzusetzen hatten.
Weibliche Armut entstand gleichermaßen durch die Verdrängung der Frau aus dem Berufsleben, die zunächst
von der Obrigkeit toleriert und dann aktiv unterstützt wurde, so daß dieser Prozeß Ende des 17. Jahrhunderts praktisch für abgeschlossen gelten konnte.
So kam, besonders in den Unter- und Mittelschichten,
so Verheiratung nicht möglich war, nur das niedrigste
und unwürdigste Dienstverhältnis für nicht qualifi-
zierte Frauen als unterbezahlte Domestiken infrage.
Nach dem Dreißigjährigen Kriege hatte das Schulsystem,
besonders was die Ausbildungsmöglichkeiten für Mädchen

betraf, einen Tiefstand erreicht und die Aussichten
für die Frau in den Handwerken waren nicht nennens-
wert.

Verbreitet sich also während und nach der Reformation eine wachsende Diskriminierung gegen die Frau
auf öffentlichem Gebiet, so läßt sich auch in der
Theorie keine Zunahme an Frauenfreundlichkeit feststellen. Auch im Protestantismus war die Frau ein
suspektes Wesen geblieben. Hingegen war mit Maria
das letzte weibliche Element aus der Religion
geschwunden, die Verteufelung der Frau aber nicht,
wie die Beispiele von Hexenaberglauben deutlich belegen. Auch bei den Protestanten führte letzterer bis
ins 18. Jahrhundert hinein immer wieder zur Verfolgung Einzelner oder Gruppen. Vergleiche belegen, daß
die katholischen und protestantischen Theorien Ver-
dächtige betreffend fast identisch waren.[36] Trotz
Verurteilungen männlicher Hexen überstieg, Stereotypen
folgend, die Anzahl verfolgter Frauen die der Männer
um ein Beträchtliches, da Hexenkunst vornehmlich bei
Frauen vermutet wurde.[37] Die Frau als Instrument des
Teufels hatte durch Luther, dessen Schriften weitgehend aus der Dichotomie von Gott und Teufel ihre
Dynamik gewinnen, kaum an Wirkungskraft verloren,[38]
das Bild der Gottesmutter und der Heiligen, der aus-
gleichenden weiblichen Kräfte, wurde in den Hintergrund gedrängt und mit ihm das unterschwellige
weibliche Element.

Ebensowenig waren die Vorurteile die Sexualität
betreffend schwächer geworden. Nach der Reformation
wurde sexuelle Freizügigkeit mehr denn je verfolgt
und verpönt, und Frauen auf Abwegen öffentlich, z.B.
am Pranger, bestraft, während der Mann, der sich
durch einen Eid von dem Verdacht reinigen konnte,
nicht selten frei ausging. Zusammen mit purita-
nischen Attitüden nahm die Diskriminierung gegen un-
ehelich Geborene, die im Mittelalter oft zusammen mit
ehelichen Kindern erzogen wurden, zu, und es wurden
ihnen gleiche Ausbildungs- und Berufschancen versagt.
Dadurch wurde die Verantwortung, die der Mann theoretisch für seine illegitime Nachkommenschaft zu
tragen hatte und oft, da mit ihr kein Makel verbunden
war, auch trug, immer mehr auf die unverheiratete,
geächtete und erwerbsunfähige Mutter abgewälzt.

Vorstellungen, die wie Werners, die Weltabgewandt-
heit des Katholizismus mit der wohltätigen luthera-

nischen Betonung der menschlichen Gemeinschaft kon-
trastieren, deren Sinn durch das christliche Denken
geheiligt werde,[39] entspringen mehr dem Wunsch denn
den Tatsachen, zumindest was die Frau angeht. Das
Fehlen von weiblichen Bildungsstätten verhinderte die
Konstituierung einer spezifisch weiblichen Identität
und das Sich-Ausrichten an autonomen Rollenmodellen
gleichen Geschlechts. Höchste Autorität der Familie
war der Vater, unter dessen Vorherrschaft das junge
Mädchen die Nachfolge einer unmündig gehaltenen Mutter antrat, deren Rolle sich nicht mit der einer
selbständigen Stiftsverwalterin oder Erzieherin, etwa
einer Äbtissin, vergleichen ließ.

In jedem Sinn lagen die Ausbildungsmöglichkeiten
für Mädchen im Argen. Zwar hatte Luther öffentliche
Schulen für beide Geschlechter vorgeschlagen, die als
allgemeine Grundschulen eingeführt werden sollten,[40]
hatte damit jedoch keine weiterführende berufliche
Ausbildung für die Frau beabsichtigt. Seine Äußerungen zugunsten einer höheren Ausbildung für Mädchen
wurden in der Praxis nicht realisiert.[41] Generell
läßt sich festhalten, daß im Protestantismus die
Frauenbildung vernachlässigt wurde. Sie stand hinter
der in der Kultur des Mittelalters enthaltenen Möglichkeiten zurück, betrachtet man die separaten Mädchenschulen oder die gemischten Anstalten.[42] Die
Ziele der weiblichen Bildung waren auf Ehe und
Familie ausgerichtet, nicht aber emanzipatorisch oder
der Entwicklung einer autonomen Persönlichkeit ent-
gegenkommend.

Diese Tendenzen blieben bis ins 20. Jahrhundert
hinein wirksam. Die hinzutretenden schöngeistigen
Fächer auf den höheren weiblichen Schulen dienten dem
Ziel, die Frau in ihren traditionellen Rollen zu ver-
ankern und ihr statt eines Berufes Möglichkeiten zur
Freizeitgestaltung zu verschaffen. Bei den Mädchen
aus einfachen Verhältnissen lag die Betonung auf dem
Lernen des Katechismus, elementarem Lesen und Schreiben sowie Rechnen, Hand- und Hausarbeit. Zurück-
gehend auf das 16. und 17. Jahrhundert sind die
Bestrebungen, die Frau zur Sittsamkeit und Seligkeit
zu erziehen. Die an weibliche Leser gerichteten
Zeitschriften vermittelten Wissen in popularisierter
Form. "Die Bildung der Frau ist im Allgemeinen noch
mehr als jene des Proletariats von jeher vernachlässigt worden, und was auf diesem Gebiet heute Bes-

seres geleistet wird, ist noch nach allen Seiten hin unzulänglich,"[43] merkt Bebel 1891 an und fährt fort, daß für die Frau die Ausbildung des "Gemüths" statt der des Verstandes im Vordergrund stehe, eine "rein formale schöngeistige Bildung, durch welche hauptsächlich die Nervenreizbarkeit und die Phantasie erhöht wird."

Auch auf dem juristischen Sektor trat bis zum Beginn des 20. Jahrhunderts keine Aufwertung der Lage der Frau ein. Die Verfügungsgewalt des Mannes über das Vermögen der Frau bestand weiterhin. Der Autoritätsanspruch des Vaters über seine Kinder blieb unbestritten, ebenso das Recht des Mannes, Frau und Kinder körperlich zu züchtigen. Im öffentlichen Leben waren den Frauen die Bildung von Clubs, das Versammlungsrecht und die Parteienbildung untersagt. Ein Wahlrecht für Frauen bestand nicht.

Wie weit sich ein derartig determiniertes Denken bis in die Gegenwart hat fortsetzen können, belegen die Vorstellungen des Nationalsozialismus, der die Frau zur Gebärmaschine abklassifizierte, die, einem enthumanisierten Ideal von "Nützlichkeit" folgend, ihren Zweck dann verfehlte, wenn sie sich der Internalisierung des biologistischen Dogmas widersetzte oder wenn sie zur Reproduktion unfähig war. "Das Ziel der weiblichen Erziehung hat unverrückbar die kommende Mutter zu sein,"[44] heißt es in Hitlers *Mein Kampf*. Die Mütterverdienstkreuze mit dem Motto "Das Kind adelt die Mutter" und das Drängen auf Frühehen sind ebenfalls Ansichten, die sich mit denen des Reformators treffen. "Daher ist schon die frühe Heirat richtig, gibt sie doch der jungen Ehe noch jene Kraft, aus der allein ein gesunder und widerstandsfähiger Nachwuchs zu kommen vermag."[45] Auch für Adolf Hitler kann "die Ehe nicht Selbstzweck sein, sondern muß dem einen größeren Ziel, der Vermehrung und Erhaltung der Art und Rasse, dienen."[46] Die Nazi-Politik, die sich mit Hilfe von Junggesellensteuern, Heiratskrediten, strengen Verboten gegen geburtsverhütende Mittel und einer massiven Propaganda bemühte, die Rolle der Frau als Ehefrau und Mutter staatlich als exklusive zu sanktionieren,[47] erinnert in ihrer Ausschließlichkeit an den Dogmatismus Luthers. "Das deutsche Mädchen ist Staatsangehörige und wird mit ihrer Verheiratung erst Bürgerin."[48] In ihren Konsequenzen sind derartige Zwangs- und Forma-

lisierungsmechanismen nicht weit von Luthers brutalem
"Ob sie sich aber auch müde und tzu letzt todt tragen,
das schadt nicht, laß nur tod tragen, sie sind drumb
da," (*Leben*, S. 290) entfernt. Es läßt sich nicht
von der Hand weisen, daß die lutheranische Entspiri-
tualisierung des Verhältnisses der Geschlechter
zueinander einer rein utilitaristischen Ehe- und
Familiendoktrin Vorschub leistete.

Aber auch moderne lutheranische Theologen sind
nicht bereit, der Frau einen anderen als sekundären
Rang zuzuerkennen. Zeitgenössische lutheranische
Studien wie die Wendlands entfernen sich nicht von
den althergebrachten Auffassungen über Frau und
Familie: "Das Haus trägt den Einzelnen; dieser ist
Repräsentant eines Ganzen. Vor allem gilt dies vom
'Hausvater,' da die innere Ordnung des Hauses in
diesem zusammengefaßt ist."[49] Es wird an der "fak-
tischen sozialen Vorrangstellung des Oberhauptes"
festgehalten, welches "das Regiment im Hause" führt.
"Durch die *Natur* ist die Gemeinschaft der Liebe
zwischen Mann und Weib, die Ehe, begründet,"[50] heißt
es bei Bultmann, eine Aussage, in der Geschlechtlichkeit, Liebe und Ehe beinahe synonym gesetzt werden
und die Heterosexualität als selbstverständlich dargestellt und damit implizit andere Formen der Sexualität als außerhalb dieser "natürlichen" Ordnung
stehend ausgeklammert werden. Tillich verweist auf
die grundsätzliche Unterschiedlichkeit zwischen Mann
und Frau und hält so, scheinbar wohlmeinend, an der
Dichotomie der Geschlechter fest: "Die ökonomische
Kraft der Frau erweist sich in der freien Konkurrenz
durchschnittlich als die schwächere, und die see-
lische Kraft der Frau zeigt einen tiefen Gegensatz zu
den mechanischen Formen rationalisierter Wirtschaft.
Die mit der Bestimmung zu Eros und Mutterschaft
gegebenen Ursprungskräfte der Frau lassen sich nicht
einfach in das vom Manne in extremster Einseitigkeit
geschaffenen System einfügen."[51]

Barth, der die oben aufgeführten Ansichten teilt,
konstatiert daher unmißverständlich: "A geht vor B,
B kommt nach A. Ordnung heißt Folge. Ordnung heißt
Vorordnung und Nachordnung, Überordnung und Unterordnung," und er fährt fort: "Der Mann is A, relativ
zur Frau, vor und über ihr."[52] Fast einem Wunschden-
ken folgend, expliziert er, daß die "mündige" Frau
deshalb auch keine Eifersucht auf die männliche Rolle

haben werde, im Gegenteil, sie werde sich "gefördert und getragen fühlen."[53] Angesichts derartiger Äußerungen ist es kaum ungerecht, zu behaupten, daß, wenn sich im Laufe der Jahrhunderte Emanzipationsbestrebungen zugunsten der Frau verbreitet haben, die jetzt beginnen, ihre Auswirkungen auf breiter Basis zu entfalten und die Gesetzgebung zu beeinflussen, diese nicht wegen und nicht einmal Hand in Hand mit kirchlichen Tendenzen möglich wurden, sondern trotz derer reaktionärer, uneinsichtigen Haltung und der ihrer prominenteren Exponenten.

ANMERKUNGEN

1 Gerhard Ritter, "Lutheranism, Catholicism, and the Humanistic View of Life," *Archiv für Reformationsgeschichte*, 44 (1953), 145.

2 Ritter, 145-46.

3 Alfred von Martin, *Soziologie der Renaissance* (Frankfurt: Josef Knecht, 1949), S. 121.

4 *D. Martin Luthers Werke. Kritische Gesamtausgabe* (Weimar: Böhlau), 1883 ff. Folgende Texte werden herangezogen werden: "Ein Sermon von dem ehelichen Stand," Bd. 10 (1884), S. 166-71, zitiert als *Sermon*, "Vom ehelichen Leben," Bd. 10, 2 (1907), S. 267-304, zitiert als *Leben*, "Ursach und Antwort, daß Jungfrauen Klöster göttlich verlassen mögen," Bd. 11 (1900), S. 394-400, zitiert als *Jungfrauen*, "Daß Eltern die Kinder zur Ehe nicht zwingen noch hindern, und die Kinder ohn der Eltern Willen sich nicht verloben sollen," Bd. 15 (1899), S. 163-69, zitiert als *Eltern*, "Eine Predigt vom Ehestand," Bd. 17, 1 (1907), S. 15-29, zitiert als *Predigt*.

5 R. de Maulde la Clavière, *The Women of the Renaissance* (London: Sonnenschein, 1905), S. 467 weist auf Luthers anti-weibliche Tendenzen im Gegensatz zu den liberalen Strömungen während der Renaissance hin.

6 Friedrich Heiler, *Die Frau in den Religionen der Menschheit* (Berlin, New York: de Gruyter, 1977), S. 114-17.

7 Eleanor Commo McLaughlin, "Equality of Souls, Inequality of Sexes: Woman in Medieval Theology," in *Religion and Sexism*, hrsg. von Rosemary Radford Ruether (New York: Solomon and Schuster, 1974), S. 216-17. Die folgenden theologischen Ausfüh-

rungen stützen sich auf McLaughlin.

8 Heiler, S. 43-45.

9 *Women in Medieval Society*, hrsg. von Susan Mosher Stuard (Philadelphia: Univ. of Pennsylvania Press, 1976), S. 6.

10 Zuvor hatte es sich bei der Verlobung um eine weltliche, legal verbindliche Abmachung gehandelt, die oft gleichbedeutend mit der Eheschließung war.

11 Heiler merkt, S. 146, an: "Die körperlich-seelische Inferiorität der Frau begründete ihre moralische Minderwertigkeit. Die Idee dieser sittlichen Inferiorität schuf eine große *frauenfeindliche Literatur*."

12 August Bebel, *Die Frau und der Sozialismus* (Stuttgart: Dietz, 1891), S. 52.

13 Erwin Doernberg, *Henry VIII und Luther* (Stanford: Stanford Univ. Press, 1961), S. 76.

14 Dieses Motiv läßt sich bis in die germanische Mythologie verfolgen, z.B. durch die Vorstellung der Walküren, die, wie Brunhild im *Nibelungenlied* übermenschliche Kräfte besitzen, die sie mit dem Verlust ihrer Jungfräulichkeit verlieren.

15 Karl Barth, *Die Lehre von der Schöpfung* (Zürich: Evangelischer Verlag, 1951), Teil IV, S. 190-91.

16 Heinz und Marianne Stallmann, "L'Allemande au temps de la réforme," in *Histoire Mondiale de la Femme*, Bd. 2, hrsg. von Pierre Grimal (Paris: Nouvelle Librairie de France, 1966), S. 343.

17 *D. Martin Luthers Werke*, Bd. 30, 1 (1910), S. 175.

18 Germaine de Staël, *De l'Allemagne* (Paris: Charpentier, 1890), S. 45-46.

19 David Herlihi, "Life Expectancies for Women in Medieval Society," in *The Role of Women in the Middle Ages*, hrsg. von Rosemarie Thee Morewedge (Albany: State Univ. of New York Press, 1975), S. 12-13.

20 Karl Bücher, *Die Frauenfrage im Mittelalter* (Tübingen: Laupp, 1910), S. 5-6.

21 Carlo M. Cipolla, *Before the Industrial Revolution. European Society and Economy 1000-1700* (New York: Norton, 1976), S. 70-71. Karl Bosl, *Die Grundlagen der modernen Gesellschaft im Mittelalter* (Stuttgart: Hiersemann, 1972), S. 340-41.

22 Frances und Joseph Gies, *Women in the Middle Ages* (New York: Crowell, 1978), S. 174-75.

23 Bücher, S. 19; F. und J. Gies merken an: "The mass of medieval townswomen worked as a matter of course" (S. 174).

24 Eileen Power, *Medieval Women* (London: Cambridge Univ. Press, 1975), S. 83-84.

25 Hermann Schoenfeld, *Woman in all Ages and all Countries* (Philadelphia: Rittenhouse Press, 1907), Bd. 8, S. 242-48.

26 Bücher, S. 27. Stallmann, S. 345 erwähnt, um die herrschenden Zustände adäquat zu erfassen, daß in Frankfurt um 1400 nur ein Viertel der Mädchen auf einen Ehemann hoffen konnten.

27 George Ryley Scott, *A History of Prostitution* (London: T. Werner Laurie, 1936), S. 84.

28 William W. Sanger, *The History of Prostitution* (New York: Arno Press, 1972), S. 189.

29 Wie Cipolla, S. 148, darlegt, war das Heiratsalter der Frau vor der Reformation selten jünger als 25 Jahre alt.

30 Ulrich Werner, *Der Einfluß der lutheranischen Ethik* (Berlin: Ebering, 1938), S. 9.

31 Heinrich Bornkamm, *Das Jahrhundert der Reformation* (Göttingen: Vandenhoeck und Ruprecht, 1961), S. 127.

32 Max Weber, "Die protestantische Ethik und der Geist des Kapitalismus," in *Gesammelte Aufsätze zur Religionsgeschichte*, Bd. 1 (Tübingen: Mohr, 1947) demonstriert den spezifischen Charakter dieses Wertes u.a. daran, daß auch in katholischen Gegenden Deutschlands unter Kapitalbesitzern und Unternehmern eine protestantische Vorherrschaft besteht (S. 18). "Unbedingt neu [seit der Reformation] war jedenfalls zunächst eins: die Schätzung der Pflichterfüllung innerhalb der weltlichen Berufe als des höchsten Inhaltes, den die sittliche Selbstbestätigung überhaupt annehmen konnte" (S. 69). Weber beobachtet: "Ein Bild rückständiger traditionalistischer Form der Arbeit bieten heute besonders oft die Arbeiter*innen*, besonders die unverheirateten," eine Tatsache, die er auf den religiös-pietistischen Hintergrund zurückführt und die damit zusammenhängende Unwilligkeit, sich professionell zu verhalten (S. 47). Eine neue Art der Intellektualität bahnt sich an: "Until modern times in Europe intellectualism was inconceivable except in a state of celibacy," Cipolla, S. 147, von der die Frau nun, aufgrund der Neudefinierung ihrer Rolle und der Klosterschließungen ausgenommen ist.

33   Georg Wünsch, *Luther und die Gegenwart* (Stuttgart: Evangelisches Verlagswerk, 1961), S. 137.

34   Sowohl Gotthard Frühsorge, "Die Einheit aller Geschäfte. Tradition und Veränderung des 'Hausmutter'-Bildes in der deutschen Ökonomieliteratur des 18. Jahrhunderts," sowie Reinhard M. G. Nickisch, "Die Frau als Briefschreiberin im Zeitalter der deutschen Aufklärung," beide in *Wolfenbütteler Studien zur Aufklärung*, 3 (1976), Frühsorge, S. 141-42 und S. 147-48 und Nikkisch, S. 107 und 109 gehen auf die literarischen Mittel ein, mit denen derartige Rollenerwartungen gefestigt wurden.

35   Vgl. dazu: J. M. Stone, *Reformation and Renaissance* (London: Duckworth, 1903), S. 221-23.

36   *Encyclopedia of Witchcraft and Demonology*, hrsg. von Hans Holzer (London: Octopus, 1974), S. 26.

37   H. C. Eric Midelfort, "Witchcraft and Religion in Sixteenth Century Germany: The Formation and Consequences of Orthodoxy," *Archiv für Religionsgeschichte*, 62 (1971), 268.

38   Im Gegenteil, da wie Ritter (vgl. Anmerkung 1) ausführt, Luthers Werk aus der Dichotomie von Gott und Satan lebt: "He [God] allows Satan room to play. The world is the stage of an eternal warfare between God and the devil."

39   Werner, *Einfluß lutheranischer Ethik*, S. 6-7.

40   Karl H. Dannenfeldt, *The Church of the Renaissance and Reformation* (London: Concordia, 1970), S. 117-18.

41   C. W. Johnson, *The Evolution of Woman* (London: Holden, 1926), S. 151-52.   Ulrich Herrmann, "Erziehung und Schulunterricht für Mädchen im 18. Jahrhundert," *Wolfenbütteler Studien zur Aufklärung*, 3 (1976), S. 102, betont, daß bei Luther, Bugenhagen, Comenius, Seckendorff und H. A. Francke zwar ein Plädoyer für Mädchenbildung vorliegt, jedoch fast ausschließlich in Hinblick auf Haushalt und Mutterschaft.

42   Herbert Schöffler, *Wirkungen der Reformation* (Frankfurt: Klostermann, 1960), S. 342, Mary R. Beard, *Woman as Force in History* (New York: Macmillan, 1946), S. 246-69.

43   Bebel, S. 108.   Bebel merkt weiterhin an, daß aufgrund der mangelnden Ausbildung der Gesichtskreis der meisten Frauen sich "ewig um die engsten häuslichen Dinge, um verwandtschaftliche Beziehungen," dreht, S. 115.   Nickisch stellt über den Zweck der Frauenbildung fest: "Zugleich wurde dem Mann das gesellig-kulturelle Leben genußreicher eingerichtet, ohne daß er dafür mit Einbußen an seinen Vorrechten bezahlen mußte," S. 59.

44 Adolf Hitler, *Mein Kampf* (München: Zentralverlag der NSDAP, 1941), S. 460.

45 Hitler, S. 275-76.

46 Hitler, S. 276.

47 Jill Stephenson, *Women in Nazi Society* (New York: Barnes and Noble, 1975), S. 49-50. Clifford Kirkpatrick, *Nazi Germany: Its Women and Family Life* (New York, Indianapolis: Bobbs-Merrill, 1938), S. 130 erwähnt, daß sich die Ehefrau, nach Abbezahlung des Heiratskredits, der jungen Paaren zur Verfügung gestellt wurde, verpflichtete, nicht zu arbeiten.

48 Hitler, S. 491.

49 Heinz-Dietrich Wendland, *Person und Gesellschaft in evangelischer Sicht* (Köln: Bachmann, 1965), S. 76.

50 Rudolf Bultmann, *Glauben und Verstehen*, Bd. 2 (Tübingen: Mohr, 1954), S. 262.

51 Paul Tillich, *Gesammelte Werke*, Bd. 2 (Stuttgart: Evangelisches Verlagswerk, 1962), S. 356.

52 Karl Barth, *Die Lehre von der Schöpfung*, Bd. 4 (Zürich: Evangelischer Vlg., 1951), S. 188.

53 Barth, S. 197.

2.

JEAN M. WOODS

"DIE PFLICHT BEFIHLET MIR/ ZU SCHREIBEN UND ZU TICHTEN:"

DREI LITERARISCH TÄTIGE FRAUEN AUS DEM HAUSE BADEN-DURLACH

Weil die Töchter des Adels im 17. Jahrhundert oftmals eine gute Erziehung genossen hatten, konnten sie, wenn sie Begabung und Neigung dazu hatten, als Dichterinnen hervortreten.[1] Daß jedoch auch Mädchen aus dem Bürgertum wie Sibylle Schwarz[2] oder Anna Maria Schurmann eine gründliche Bildung erwerben konnten, war keineswegs selbstverständlich. Noch 1715 tadelte Lehms seine Landsleute, weil sie "von der Geschicklichkeit eines Frauenzimmers zu Studieren/ wenig staat gemacht, ja dasselbe gäntzlich davon abzuziehen/ sich auf das eusserste bemühet; gleich als wenn dieses edle und vortreffliche Geschlecht nur mit den blinden Maulwürffen im Finstern herum kriechen/ und sich seines ihm von GOtt verliehenen Verstandes nicht bedienen dürffe."[3] Die Töchter aus adeligen Familien erhielten meistens jedoch eine Erziehung, weil sie später vielleicht die Rolle einer regierenden Fürstin ausüben würden und diese einer solchen Stellung angemessen war.

So kann man beobachten, daß an den Höfen, an denen die Eltern für die Ausbildung der Töchter sorgten, literarisch tätige Frauen zahlreich zu finden sind. In Wolfenbüttel haben Sophia Elisabeth, die dritte Frau von Herzog August dem Jüngeren, und zwei seiner Töchter nicht nur geistliche, sondern auch weltliche Gedichte geschrieben.[4] Dort waren bekanntlich Schottelius und Sigmund von Birken als Hofmeister der herzöglichen Kinder tätig.[5] Unter der Leitung von Ahasverus Fritsch dichteten die jungen Gräfinnen in Rudolstadt geistliche Lieder geradezu um die Wette; sie hatten sich nicht nur mit den üblichen Fächern einer Erziehung für adlige Damen wie Sprachen und Re-

ligion befaßt, ihnen wurden auch die Grundlagen der
zeitgenössischen Poetik vermittelt.[6]

Auch der Hof zu Durlach wurde ein Mittelpunkt für
adlige Dichterinnen. Goedeke erwähnt nur Elisabeth
von Baden-Durlach (1620-1692) und übergeht ihre
Schwester Anna (1617-1672), deren Dichtungen hand-
schriftlich vorhanden sind, und Augusta Maria (1649-
1728), die Gemahlin von Elisabeths Großneffen, dem
Markgrafen Friedrich Magnus, die das erste badische
Gesangbuch herausgegeben hat. Anna und Elisabeth
sind unverheiratet geblieben und haben sich ihr Leben
lang den Interessen der Familie gewidmet. Ihr Vater
war Georg Friedrich von Baden (1573-1638), der selbst
ein gelehrter Fürst war und dafür gesorgt hat, daß
seine achtzehn Kinder eine gute Erziehung genossen.

Die Personalangaben, die Annas Leichenpredigt[7]
beigefügt sind, geben Auskunft über ihre Ausbildung:
"Bey etwas zunehmenden Jahren/ wurde Sie mit unver-
gleichlicher Sorgfalt/ allerfordrist zur Furcht
GOttes/ inbrünstigem Gebet/ Erlernung vieler trost-
reichen Psalmen und Sprüchen/ insonderheit fleissiger
Leß- und Betrachtung der heiligen Schrifft/ und
Fundamental-Verstand der Haupt-Articul unserer allein
seeligmachenden Evangelischen Religion/ ...angewie-
sen." So groß waren ihre religiösen Kenntnisse, daß
"Sie nicht allein Ihres Glaubens genugsahme Rechen-
schafft geben/ und sich in allen Vorfallenheiten
darauß kräfftiglich auffrichten/ sondern auch den
Widersprechern mit gutem Grund/ und zu männigliches/
auch der Theologorum selbst eigener Verwunderung/ wie
solches nicht nur allein hier/ sondern in vielen
Fürsten Höfen und Stätten Teutscher Landen bekand/
das Maul stopffen können." Außerdem zeigte sie eine
besondere Fähigkeit und Vorliebe für das Erlernen
verschiedener Sprachen, so "daß Sie auch Ihre Mutter-
sprache/ so wohl in ungebundener/ als Reimensarth/
und der Teutschen Poesi/ mit weit berühmtem succeß
excolieret/ auch die Lateinische/ Frantzösische und
Italiänische Sprache dergestalt begriffen/ daß Sie
sich deroselben so wohl in Reden und Brieffwechslen/
als auch Lesung vortrefflicher Bücher und Schrifften/
ohne allen Anstoß bedienen könnten." Sie las gern
Historien nicht nur "der meisten und berühmtesten
Völcker," sondern auch "von allerley raren und meistens denen Gelährten nur bekandten Materien/ hochver-
nünfftig discurriren können." In Malen, Skizzieren

37

und "andern dergleichen Fürstl. Weibs-Personen wohl-
anstehenden Lustarbeiten" hat sie sich ausgezeichnet.
    Weil Elisabeth nur drei Jahre jünger als Anna war,
ist anzunehmen, daß auch sie eine ähnliche Ausbildung
erhalten hat, obgleich ihre Erziehung in ihrer Leichenpredigt nur knapp behandelt wird. Die Lehrer
haben sie "vordrist mit dem Erkändnüß GOttes/ allen
Christ-Fürstlichen/ und Ihrem Hohen Stande wohlgezie-
menden Tugenden/ und Wissenschafften/ getreulich zu
unterweisen/ keines Weges etwas versaumet." In
späteren Jahren hat sie sich "mit fleißiger Lesung
derer Bücher/ und Schreibung nützlicher Sachen/
insonderheit mit Dichtung schöner Lehrreicher Sprüche/
als womit Hochseeligst-erwehnte Princessin Ihren
grösten Zeit-vertreib gehabt" beschäftigt.[8]
    Es ist erstaunlich, daß die beiden Schwestern
solch eine ausgezeichnete Bildung mitten im Dreißigjährigen Krieg erhalten konnten, denn von Anfang an
hatte Baden schwere Verwüstungen erlitten. Ihr Vater
Markgraf Georg Friedrich, eine führende Persönlichkeit in der protestantischen Union,[9] entschloß sich,
nach der für die Protestanten so verhängnisvollen
Schlacht am Weißen Berge 1620 persönlich in den Kampf
einzugreifen. In der vergeblichen Hoffnung, sein
Land vor der Rache des Kaisers zu schützen, trat er
seinem ältesten Sohn Friedrich die Regierung ab.
Doch der kaiserliche General Tilly besiegte 1622 die
Truppen des Markgrafen bei Wimpfen; Georg Friedrich
mußte sein Leben durch Flucht retten und hat jahre-
lang seine Familie nicht mehr gesehen. Er lernte
seine Tochter Elisabeth, nachdem die Mutter schon am
20. April 1621 gestorben war, erst in ihrem achten
Lebensjahre kennen.[10]
    Bis zum Jahre 1634 hat Georg Friedrich für die
protestantische Sache weitergekämpft. Der kaiserliche Sieg zu Nördlingen in diesem Jahre machte seine
Hoffnungen zunichte, und er zog sich nach Straßburg
zurück, wohin sein Sohn, der Nachfolger Friedrich V.,
im selben Jahr floh. Wir wissen wenig über Anna und
Elisabeth während dieser Jahre. Eine Zeitlang waren
sie bei dem Vater in Straßbug, so wie Jesaias Rompler
von Löwenhalt, einen der Begründer der "Aufrichtigen
Tannengesellschaft," kennengelernt haben.[11] Rompler
hat später Annas Dichtungen mit Versen gelobt, die im
Anhang zu ihrer Leichenpredigt stehen:

Dan bei dem Flug-roß-brunnen
schwang sich dein Geist so hoch
daß Dein gelährtes singen
daß Deiner Saiten klingen
daselbst der gantzen schaar
sehr wolgefällig war.[12]

In der Vorrede zu seiner Gedichtsammlung warnt Rompler vor Überschätzung der Form dem Inhalt gegenüber
und wendet sich gegen die "neue" Dichtung, die so
viele "verschränckte verränckte/ verzwickte verbichte/
Unteütsch-teutsche Carmina" hervorgebracht habe.[13]
Der schlichte Stil, den Rompler empfohlen und
gepflegt hat, kennzeichnet auch die Dichtungen von
Anna und Elisabeth, und Scholte vermutet, daß Rompler
ihr Poesie lehrer war.[14]
Erst nach dem Tode von Georg Friedrich im Jahre
1638 erhielt sein Sohn Friedrich V. vom Rat zu Basel
die Erlaubnis, dort zu wohnen. Seine zwei jüngeren
Halbschwestern Anna und Elisabeth zogen mit dorthin
und fingen 1647, als Anna 30 und Elisabeth 27 Jahre
alt war, in Basel ihre handschriftlichen Gedichtsamm-
lungen an, die sich heute in dem Generallandesarchiv
zu Karlsruhe befinden. Die Sammlung von Elisabeth,
ein Heft von 63 beschriebenen Blättern mit 56 Gedichten, trägt die Aufschrift: "In den Sprüchen Salomos:
die Forcht des Herrn ist der Anfang der Weisheit.
Angefangen in Basel A.C. 1647 den 21. Junÿ." Die
Aufschrift der andern Sammlung, 68 Blätter mit 113
Gedichten, lautet: "Etliche teutsche Reimgedichte,
von welchen der Anfang in dem Namen Gottes zu Basel
ist gemacht worden, A. 1647 den 15. Juni. Anna
Markgrävin zu Baden und Hochberg."[15] Von diesem Da-
tum bis zu ihrem Tod haben die Schwestern ihre meist
in Alexandrinern verfaßten Gedichte niedergeschrieben.
Schon 1647 verfaßte Anna ihre längste poetische Arbeit, ein Lob auf Gustav Adolf von Schweden. Das
letzte ihrer datierten Gedichte schrieb sie zum
Andenken an den am 24. Februar 1672 erfolgten Tod
ihres Taufpaten Friedrich Magnus, Sohn ihres Großneffen Markgrafen Friedrich Magnus, nur wenige Monate
vor ihrem eigenen Tod am 15. Oktober desselben Jahres.
Elisabeth hat noch 1691 mit 71 Jahren für ihn ein
Glückwunschgedicht verfaßt.
Elisabeth und Anna haben oft dieselben Themen
dichterisch behandelt. Beide Handschriften beginnen

mit Gebeten um Gottes Segen bei der Arbeit, beide
enthalten Psalmennachdichtungen, Betrachtungen über
die Geburt Christi, Übersetzungen aus dem Französischen, Glückwünsche an Freunde und Verwandte, Kla-
gegedichte auf Todesfälle. Beide Dichterinnen
betrachteten es als Pflicht, Müßiggang zu vermeiden,
und sahen in ihrer dichterischen Beschäftigung einen
Zeitvertreib, bei dem sie ihre Zeit nützlich verwen-
deten. Das Wort "Pflicht" und seine Synonyme kommen
oft in diesen Handschriften vor. Die folgenden Worte
aus Elisabeths Gedicht auf den Tod ihrer Schwester
Anna kennzeichnen ihr Anliegen:

> Die Pflicht befihlet mir/ zu schreiben und zu
> Tichten
> . . . .
> Nun war es mein gepühr/ das ich mich solt befleysen
> Der Nachwelt ihren Ruhm/ durch diese Schrift zu
> weissen. (E 42r)

In "Müsiggang ist ein schändliches laster" schreibt
Anna:

> Wir seyn in dieser welt zur arbeit hoch verpflichtet
> Kein fauler hat noch nie viel gutes außgerichtet.
>
> (A 9r)

Trotz aller Ähnlichkeit unterscheiden sich die
Dichtungen der Schwestern in Stil und Inhalt. Nur
Anna übersetzte aus dem Italienischen, nur sie hat sich
an einem Sonett versucht ("Verteidige die wahrheit
bis in dot" - 8r); poetische Bilder kommen häufiger
in ihren Gedichten vor als in Elisabeths. Als Beispiel bringen wir das Gedicht "Über zweyer Thugent-
haften Personen unvergleichliche bestandigkeit:"

> Wan sich 2 Herzen fest mit warer 3 [Treu] verbinden/
> So können sie hirdurch all unglück überwinden
> Es fechten sie nicht an der neiden böse blick/
> Verloren gleiches falls/ der Falschheit arge Tück/
> Und waß Alekto selbs noch ärgers könt ersinen
> Daß ihnen schaden sollt! hie ist nichts zu gewinen:
> Dan wo man treulich liebt ohn allen falschen Schein/
> Da muß die Tugend for zum grund gelegen seyn;
> Nun ist der Thugend macht den felsen zu vergleichen:
> kein sturmwind ist so stark/ dem sie pflegt auszu-
> weichen/
> förcht Unfals wellen nicht/ bleibt jmer unbewegt/

Ob sich ein Wetter hir/ daß ander dort erregt.
Weil dann standhafte lieb ihr die zum Schutz
    erkoren/
Die keines Unglücks acht/ so bleibt sie unverworen/
Und ist kein zweifel nicht/ daß eine solche Trey
Vor allem in der Welt das höchste Kleinod sey.

(A 30v)

Mit seinen metaphorischen Wendungen, Personifizierun-
gen und der Erwähnung der Rachegöttin Alekto kommt
dieses Gedicht dem barocken Stilideal näher als die
ihrer Schwester. Doch im Vergleich mit den Dichtungen ihrer Zeitgenossen--etwa Gryphius, Lohenstein
oder Catharina Regina von Greiffenberg--sind auch
Annas Werke verhältnismäßig schlicht.

Ein vierzeiliges Epigramm gibt dem beengenden Gefühl Ausdruck, das ihr Leben bestimmte:

Epigramma über die Kammer worinnen ich meine
    arbeiten verware
In dieser Kam̃er soll forthin bewaret bleiben
Die arbeit welche mir hilft langeweil vertreiben.
Ist schon die Kunst gering ist schon die sach
    nicht schön
So freit es mich doch mehr als faules müsiggehn.

(A 27v)

Die sachliche und nüchterne Einschätzung ihrer Kunst
deutet an, daß ihre Pflichten und Beschäftigungen
nicht ausreichend waren, ihre seelischen Bedürfnisse
zu befriedigen. Leere und Langeweile lauern im Hintergrund ihres täglichen Lebens wie eine dauernde
Bedrohung, der sie mit dichterischer Betätigung zu
entgehen sucht.

Elisabeths Gedichte dagegen zeigen keine solche
Unzufriedenheit mit ihrem persönlichen Schicksal.
Fast alles, was sie schrieb, war lehrhaft im engeren
Sinn. Auch das Leben ihrer geliebten Verwandten
diente ihr als Beispiel der Nichtigkeit menschlichen
Lebens. Das Verhältnis zwischen den Schwestern und
ihrem Halbbruder Friedrich V. (1594-1659) scheint
freundlich gewesen zu sein, denn in ihrem "Klagge-
dicht" auf seinen Tod berichtet Elisabeth, die
jüngeren Geschwister häten von ihm "Vaters-Treu von
Jugend an empfangen." Während seiner Regierungszeit
in den Wirren des Dreißigjährigen Krieges mußte er
wiederholt flüchten, verlor Teile seines Landes und

geriet persönlich in Gefahr. Doch in ihrem Gedicht läßt Elisabeth diese öffentlichen Ereignisse außer acht, um ein Bild seines privaten Lebens und seines Charakters zu liefern:

> Wenn aber ich ietzund Sein Leben recht betracht
> Hat ers mit Sorg/ und Forcht/ und Hoffnung
>   zugebracht
> Weil er von Kindheit an sich allzeit hat beflissen
> Waß wohl anstendig war zu lernen und zu wissen
> So mehrte sich auch Sorg Samt mancherlei Gefahr/
> Die ihm in ferner reis oft zugestanden war
> Sein Regiment hat er damalen angefangen
> Als der langwürig Krieg in Teutschland angegangen
> Waß er in solcher Zeit vor Unglük Sorg und plag
> Erduldet acht ich nicht vor notig daß ichs sag
> Die weil es for bekannt/ was Sorg ist ihm
>   entstanden
> Durch fünffach änderung der ehlich Liebesbanden
> Von zweien hat ihm Gott doch Leibesfrucht beschert
> Acht in der ersten Eh in zweiter drei verehrt
> davon er sieben schon sammt vieren Ehgemahlen
> hat vor sich hingeschikt mit tränen ohne Zahlen.
> Als er nach langer flucht und manchen Unglükswind
> Zu Landen wiederkommt/ die er verwaiset findt
> Da hat ihn Gott auch bald mit neuem Creitz
>   gefunden
> Der hat ihm Fües und händ durch Lehme gleichsam
>   bunden
> Daß er die letzte Zeit beschwerlich zugebracht
> Bis endlich auch der Tod bei ihm ein end gemacht
> Doch hat er keines mals die Hoffnung sinken lassen
> Er wust in Noth und Tod sich mit geduld zu fassen.
> Sein Hoffnung stunde nicht auf Menschen Wankelmuth
> Auf schlipferiger Ehr/ auf ungewisen Gut
> Vielmehr auf Gott allein/ so konnt es ihm nicht
>   fehlen
> Er wolt das Ewige vor Zeitliches erwehlen
> Drum wird sein Sorg und Forcht zu Wonn und Freid
>   gemacht
> Hat waß er hie gehofft dort in Besitz gebracht.
>
> (E 37r-38v)

Hier wird der leidende Mensch, der mit stoischem Mut, Geduld und festem Vertrauen auf Gott seinem Unglück begegnet, von seiner mitfühlenden Schwester beschrieben. Indem Elisabeth dem Leser die Beständigkeit des

42

Bruders mitten im Leiden, seine Hoffnung auf Gott und
die Verwandlung seiner Sorge und Furcht nach dem Tod
in Wonne und Freude vor Augen führt, zeigt sie ihren
Mitmenschen ein Vorbild für ein tugendhaftes, erfolg-
reiches Leben.

Was auch immer ihre Dichtungen behandeln mögen,
sie fühlt sich verpflichtet, moralische Lehren--oft
in Form erbaulicher Sprüche--aufzustellen. Ein
Freundschaftsgedicht schließt sie mit den Worten:

> Wann Freindschaft sonderlich ist erstlich
>   anzufangen
> Soll die bestandig sein und nach dem Tod noch
>   prangen. (E 3r)

Und mitten in der Betrachtung des Dreißigjährigen
Krieges mahnt sie den Leser:

> Die menschlich hilf taugt nicht ihr arm kann nicht
>   erretten
> Wir müssen durch die buß zu Gott dem Herrn
>   eintretten. (E 6r)

Diese Gedichte sind "erbaulich" in dem Sinne, wie
Merkel diese Gattung charakterisiert: "Auch war
diese Literatur nicht einmal rein religiös, sondern
war 'Gebrauchsliteratur' in einem weiten Sinn, und
ihre historische Funktion war Unterweisung des
christlichen Menschen in allen Nöten seines Daseins,
nicht nur in Glaubensfragen."[16]

Warum diese Gedichte ungedruckt blieben, ist unbe-
kannt. Vielleicht erschien der schlichte Stil dem
Geschmack des späteren 17. Jahrhunderts zu altmodisch.
Vielleicht wollten die Dichterinnen ihre zum persönlichen Zeitvertreib geschriebenen Arbeiten einem
breiteren Publikum nicht darbieten. Auch in der
kleinen Auswahl, die Zell 1842 abgedruckt hat, sind
diese Gedichte bis heute nur ganz wenig Lesern
bekannt geworden.

Dagegen wurde Elisabeths Sammlung, *Tausendt Merkwürdige Gedenck-Sprüch auß unterschiedlichen Authoren
zusammengezogen und in Teutsche Verse übersetzt*, im
17. Jahrhundert zweimal gedruckt.[17] Der Name der
Verfasserin erscheint nicht auf den Titelblättern der
älteren Drucke, aber ein achtzeiliges Gedicht am
Anfang der zweiten Ausgabe, "Der Verleger an den ge-
neigten Leser," endet mit den Worten: "Kennt man den
Autor nicht?/ Princess' Elisabeth hat diß Werk zuge-

richt." Auch ist die Vorrede mit den Buchstaben "E.
M. z. B." (Elisabeth, Markgräfin zu Baden) unter-
zeichnet. Die folgende Vorrede ist "An Das Hochlöb-
liche Frauenzimmer" gerichtet: "Wann irgend einer
oder der andern ihre müssige Stunden so viel erlauben
werden/ daß sie diß Büchlein zu lesen würdigen möch-
ten/ so werden sie zwar darinnen nicht finden die
Beschreibung des Herculis gros-Thaten) oder der Römer
vielfältig geführte Krieg/ noch Alexandri in kurtzer
Zeit erhaltene Siege; Dann diese Sachen erfordern
eine tüchtigere Feder als die meinige; Sondern hier
seyn allein zusammen gezogen sinnreich Reden der
Gelehrten/ so wohl auß Christlichen als Heidnischen
Scribenten/ und auch merckwürdige Sprüche unter-
schiedlicher Potentaten/ zwar ohne sonderbahre Ordnung unter einander gemengt/ ...Die doch alle Auff-
munterung zu gewissen Tugenden geben. Daß nicht viel
Wortgepräng und verblümte Redens-Arten darbey zu
finden/ gestehe ich gern/ weil meine wenige Fehigkeit
zum Theil eine Ursach/ zum Theil aber daß ich besorgt
die Sachen/ die an sich selbst klar und deutliche/
dadurch nur zu verduncklen." Die Dichterin gesteht
ihre Unfähigkeit, Heldenepen zu schreiben oder einen
stilus ornatus zu gebrauchen. Solche "Bescheiden-
heits-Formeln," wie Curtius sie nennt, sind seit
Cicero in der europäischen Literatur häufig.[18]
Elisabeth will die Gedanken so klar wie möglich ausdrücken, weil es ihre Absicht ist, ihren Leserinnen--
denn an diese ist das Buch gerichtet--nützlich zu
sein, sie "zu gewissen Tugenden" zu ermuntern.

Die tausend Sprüche sind zumeist Alexandrinerpaare,
auch vier-, sechs- und je zwei acht- und zehnzeilige
kommen vor. Schottelius hat den Begriff "Denkspruch"
ausführlich beschrieben:

> Symbolum ist nach Griechscher andeutung ein sehr
> gemeines Wort/ ...dadurch man etwas abnimt/
> verstehet/ zu Sinnen fasset: allhier aber wird
> das Wort Symbolum in einer engeren Deutung genom-
> men/ und heisset auf Teutsch ein Denkspruch.
> Nemlich dasselbige denkwürdige/ welches einer/ als
> etwas eigenes jhm erwehlt/ bestehet gemeiniglich
> in etzlichen Buchstaben/ oder kurtzen Reime/ oder
> meistentheils in einem kurtzen nachdenklichen
> Spruche/ ....Solche Denksprüche nun/ als etwas
> eigenes zuerkiesen/ ist nicht allein vor langen

Zeiten/ beydes bey hohen und niederen gebräuchlich
gewesen/ sonderen noch heutiges Tages belieben
sich viele dieses löblichen gebrauchs/ und suchen
etwas merkwürdigen und nachdenkliches auf/ nach
dem eines jeden Sinne/ Gedancken/ Strebung/ Furche
und Hofnung beschaffen ist.[19]

Obgleich Sprüche mit unterschiedlichem Inhalt in
Elisabeths Sammlung zusammen erscheinen, finden sich
gelegentlich oder quellenmäßig zueinander gehörende
Gruppen. So enthalten die Nummern 639 bis 709 meistens "Symbole" bekannter Regenten, wie Kaiser Augu-
stus, Gallienus, Antonius, Karl dem Großen und Ferdinand dem Zweiten. Der letzte dieser Wahlsprüche ist
der von Elisabeths Bruder, Markgraf Friedrich V.:

Der beste Schau-platz ist/ darinn sich Tugend
    weiset/
Wann das Gewissen selbst des Menschen Tugend
    preiset.

Das im 17. Jahrhundert so weit verbreitete Bild der
Welt als Theater wird hier gebraucht.[20] Doch lautet
die Lehre dieses Spruchs wie in allen anderen:
"Mensch, sei tugendhaft!" Dieser Denkspruch ist bemerkenswert, weil er einer der wenigen ist, in denen
die Aussage in ein poetisches Bild gekleidet ist.
Rhetorische Figuren sind überhaupt in diesem Werk
selten; nur wenige Sprüche gebrauchen Metaphern oder
Vergleiche, von den 1000 Denksprüchen können lediglich 28 als antithetisch bezeichnet werden. Es war
nicht die Absicht der Elisabeth von Baden-Durlach,
sich geistreich zu zeigen. Sie wollte gute Ratschläge und Ermahnungen zur Tugend in einfachster Form
darbieten, wie die bekannten Verfasser von Erbauungsliteratur ihres Zeitalters--etwa Johann Arndt, Christian Scriver, Heinrich Müller--es taten, die einen
Sprachstil pflegten, der von Luthers Praxis herrührt
und der bis ins 19. Jahrhundert gemeinverständlich
blieb.

In der Erbauungsliteratur überwogen während des
Dreißigjährigen Krieges die Gebet-, Beicht-, Trost-
und Sterbebüchlein. Nach dem Krieg sind die meisten
für bestimmte Leserkreise, wie einzelne Berufe, Kinder, Mädchen oder für verheiratete Frauen geschrieben.[21] Die Vorrede zu unserer Sammlung ist an
"Frauenzimmer" gerichtet, und so darf man annehmen,
daß diese Denksprüche besonders für Frauen bestimmt

waren. Die Betonung liegt auf den Tugenden, die von
Autoren des 17. Jahrhunderts als besonders weiblich
betrachtet wurden. Die Quellen dieser weiblichen
Tugendkatalogen sind wahrscheinlich bei den Kirchen-
vätern zu suchen. In dem Anhang zum 7. Teil von Hars-
dörffers *Gesprächspielen*, der besonders für Leserinnen bestimmt ist, stehen deutsche Übertragungen von
Tertullians zwei *Büchern von der Weiber Schmukk*,
Paullinis *Sendschreiben an Celantum*, Hieronymus' *Lob-
schrift der Heiligen Paula*, *Sendschreiben an Läkam/
von Erziehung ihrer Tochter*, and *Sendschreiben an
Asellam*.[22] Anna von Baden-Durlach hat in ihrem Gedicht "Müsiggang ist ein schändliches laster" auf den
Rat des Hieronymus für Frauen verwiesen:

> Es hat Hironimus der from und wol betagt
> Als ihn ein ädles Weib um guten raht gefragt:
> Geantwort, soll es dir hirinnen wol gelingen
> So bet vor erstem recht und arbeit dan mit fleiß
> Lies etwan auch was guts so wird auf diese weis
> Mit nutzen und mit ruhm die zeit wol angelegt.

(A 9v)

Hieronymus lobte in Frauen Demut, Barmherzigkeit,
Bescheidenheit und Keuschheit; seiner Meinung nach
sollte eine Frau gehorsam und einfältig sein.
Paullini und Tertullian empfahlen der Frau Schweigsamkeit und Reinheit, und alle drei betrachteten
Geduld als die Haupttugend des weiblichen Geschlechts.
   Ähnliche Tugenden erwähnte Wilhelm Ignatius Schütz
in seinem *Ehren-Preiß des Hochlöblichen Frauenzimmers*
als besonders für die Frau angemessen. Er erörterte
zwar die Gleichheit der Geschlechter, fügte aber hinzu, daß in dieser Frage "allein der natürlichen
ungleichformigē Capacität zwischen Mann und Weib/
nicht aber auch einer ebenmäsigen Inclination zu
allen Tugenden gedacht werde/ daß obwolln Gott und
die Natur der Qualification nach kein Unterschied/
hierin doch ein schöne differentz gemacht und zwar
denen Männern/ zu diesen/ den Weibern aber zu andren
Tugenden eine absonderliche Lieb/ und Neigung gegeben
habe."[23] Er hebt das "vernünftige Stillschweigen"
einer Frau hervor (S. 15) und führt später (S. 113-
14) ein Verzeichnis folgender weiblicher Tugenden an:
Ehrbarkeit, Zucht, Keuschheit, Geduld und Bescheidenheit. Er zitiert Thomas á Kempis (S. 215) in Bezug
auf "ihre gute Werck der Lieb und barmhertzigkeit (so

46

sie mehr als Männer übeten)."

Der *Güldne Zanck-Apfel*, der unter dem Pseudonym
"Philison" 1666 in Nürnberg erschien, schließt mit
dem gereimten "Weiber A B C," in welchem für jeden
Buchstaben des Alphabets eine Weibertugend angegeben
ist: Demut, Gehorsamkeit, Keuschheit, Zucht:

> Frey/ fromm/ frisch/ freundlich/ nicht gemein
> Ein Weib soll leben in Gebehrden
> Doch muß sie drum nicht Meister. seyn
> Sonst wird ein Böse Eh draus werden.[24]

Jede Strophe endet mit einer Variante des Kehrreims

> Wann das Weib nur schweigen kan
> So ergötzt sie ihren Mann.

In Rahmen dieser Tugendforderungen muß besonders
die adlige Frau im 17. Jahrhundert gesehen werden.
So wurden viele dieser Tugenden der Anna von Baden-
Durlach zugeschrieben: "Es hat sich aber über jetzt
gepriesene Hochfürstl. Qualitäten/ noch ferner der
gantz Chor aller ihrem Standt und Geschlecht wohl
geziemender Tugenden bey Ihro befunden. Auffrichtige/
ungefärbte Liebe gegen dem Nächsten/ beständige Treu
gegen den Anverwandten/ gebührender Respect gegen dem
Haupt deß Hauses/ Reinigkeit der Seelen/ Keuschheit
des Leibes/ Christliche Sanfftmuth/ hertzliche Demuth/
Höffligkeit gegen den Frembden/ Ehrerbietung gegen
das Predigampt/ Gutthätigkeit gegen die Armen/ Gnade
und Freundlichkeit gegen jedermann."[25]
Diese als typisch weiblich verstandenen Tugenden
werden in den Denksprüchen Elisabeths besonders
betont und empfohlen, wenn Gehorsamkeit dem Leser als
die "Mutter alles Glücks und wohlergehn auff Erden"
(90) vorgestellt oder Bescheidenheit als Grund allen
Glückes gelobt wird:

> Wer die Bescheidenheit in seinem Thun erzeiget/
> Demselben ist das Glück auch günstig und geneiget.
>   (728)

Die Verfasserin empfiehlt Demut besonders den höheren
Ständen:

> Wen auch den hohen Stand die Demuth pflegt zu
>   zieren/
> So will den Niedrigen der Stoltz gar nicht
>   gebühren. (324)

47

Hier stimmt sie mit Tertullian überein (*Gespräch-spiele*, S. 37): "Wann aber eine unter euch reicher an Haab/ edler an Gütern/ höflicher an Sitten/ als die andre/ sol sie ihren Vorzug mehr durch die Tugend/ Verstand und Demut/ als Königliches oder Fürstliches Gewand erweisen. Sie sol hierinnen bescheidenlich und mässiglich verfahren/ und wissen/ daß Gott den Demütigen Gewalt giebet/ welche sich nicht decken mit stoltzer Bekleidung." Auch Reinheit, Barmherzigkeit und Keuschheit haben ihren Platz in Elisabeths Samm-lung.[26]

Doch ergeben sich Schwierigkeiten für die gelehrte Dichterin, denn ihre geistige Betätigung erscheint als ein Widerspruch gegen das Gebot der Schweigsam-keit und Einfalt. Wenn eine Dichterin wie Anna ihre Werke nur als persönlichen Zeitvertreib betrachtet hat und die Gedichte ungedruckt blieben, dann gab es keinen Konflikt mit dem Ideal einer tugendhaften Frau. Ihr Schreiben, wie ihre Stickerei oder Malerie, war denn nur eine Sache des "Frauenzimmers," die man nicht ernst zu nehmen brauchte. Wenn Elisabeth aber die Früchte ihrer Feder an ein breiteres Publikum gehen ließ, dann war sie nicht mehr "schweigsam."

Bei Elisabeth von Baden-Durlach wurde dieses Pro-blem durch eine einschränkende Definition dieser zwei Eigenschaften, Schweigsamkeit und Einfalt, gelöst. Elisabeth tadelt nicht das Sprechen im allgemeinen, sondern lediglich unnütze oder unziemliche Worte:

> Hüt dich vor viel Geschwätz/ dieweil du einmal dorten
> Must scharpffe Rechnung thun von den unnützen Worten. (456)

Ihr eigenes Werk betrachtet sie als nützlich, weil es auf die Verbesserung der Mitmenschen gerichtet ist. So ist ihr letzter Denkspruch ein Stoßgebet, daß Gott ihr Tun und Werk segnen möge, "Damit dasselb gereich zu gutem Zweck und Ende." Auch die Einfalt versteht sie als den religiösen Sachen angemessen:

> Die rechte Weißheit ist die hohen Glaubens-sachen
> Verwundernd anzusehen und nicht viel grübelns machen. (540)

Wenn sie bei dieser Ermahnung besonders an Frauen gedacht hat, deutet sie damit an, daß die Frau nicht über Glaubensfragen urteilen sollte. Für sie

bedeutet Einfalt nicht Unwissenheit schlechthin, sondern Zurückhaltung in religiösen Dingen, wo ein
bedingungsloses Vertrauen in Gott die rechte Haltung
ist.

So hat diese Frau, die offensichtlich gern geschrieben und gelesen hat, einen Kompromiß geschlossen, um das Gebot der Einfalt und Schweigsamkeit zu
befriedigen. Nur so konnte sie ihre Denksprüche
herausgeben, ohne den zeitgenössischen Begriff einer
tugendhaften Frau zu verletzen. Diese strengen
Tugendbegriffe haben sicher viel dazu beigetragen,
daß die meisten literarischen Werke von Schriftstellerinnen in dieser Epoche geistlicher oder erbaulicher Natur sind. Nur auf diesem Gebiet konnte eine
Frau ihre Gedanken vor den Lesern ausbreiten, ohne
die von ihr erwartete und geforderte tugendsame
Haltung zu verletzen, ohne Neid und Verleumdung zu
erwecken. Obgleich Elisabeth als Schriftstellerin im
Widerstreit mit der Forderung stand, daß Frauen
demütig, bescheiden und schweigsam sein sollten, so
erfüllte sie doch die Pflichten der Barmherzigkeit
und Nächstenliebe, wenn sie als Sittenlehrerin und
Christin ihre moralischen Lehren und Andachten andern
mitteilte.

Diese Spannung zwischen verschiedenen Pflichten
mag die Tatsache erklären, daß Werke von Frauen ohne
deren Wissen von andern herausgegeben worden sind,
"zu Erbauung Christlicher Andacht"[27] oder "andere
Christliche Hertzen dadurch zu erbauen."[28] Der ano-
nyme Herausgeber der Gedichte von Sophia Regina Gräf
gibt klar zu erkennen, daß es seiner Meinung nach
unziemlich für eine Frau ist, nach Ruhm zu streben:
"Weil aber ohne Dero Vorbewust, vielweniger mit der
von Ihr erhaltenen Erlaubniß solches gegenwärtige zum
Druck zu befürdern, und dißfalls die Verantwortung
auf mich nehme, so wird der wohlgesinnte Leser desto
eher alle übele praesumtiones einer etwa vom Frauenzimmer gesuchten gloire fahren, dargegen diese wohl-
gegründete Meinung sich hier beybringen lassen."
Elisabeth aber hat ihre Sprüche selbst in Druck gegeben und beruft sich auf ihr Anliegen, die Leserinnen
zu verbessern, um sich vor Angriffen zu schützen.

Zweiundzwanzig Denksprüche erwähnen Geduld als
besonders lobenswert. In allen Widerwärtigkeiten
soll man geduldig sein: "Dadurch wir alles Creutz
umb etwas lindern können" (44). Und weil Leid,

Unglück und Betrübnis unvermeidlich sind, so ist
Geduld: "Das beste Gegengifft/ das alle Schaden hei-
let" (713). Zweifellos war das Leben einer unverheirateten Frau an einem Hof, der von Krieg und wirtschaftlichen Sorgen heimgesucht wurde, nicht leicht.
Wir können daher diese Betonung der Geduld als
Elisabeths Fügung in ihr eigenes Schicksal betrachten,
das ihr keine eigene Familie und nur eine Art Schattendasein am Durlacher Hof vergönnt hatte.

Im Jahre 1670 erlebten die alternden Tanten Anna
und Elisabeth noch die Heimführung der Braut ihres Großneffen Friedrich Magnus nach Durlach, für die
umständliche Vorbereitungen gemacht wurden. Der Markgraf Friedrich VI. bedachte seine Tanten mit je 150
Gulden, damit sie sich Festkleider anfertigen lassen
konnten. Die relative Stellung von Anna und Elisabeth am Hof wird dadurch deutlich, daß der Markgraf
seinem jüngeren Sohn 600 Gulden, seinen Töchtern je
450 und der Hofmeisterin 70 bewilligt hatte.[29] Nicht
nur ihre finanzielle Abhängigkeit von dem Familienoberhaupt wird dadurch zur Genüge bewiesen, sondern
auch ihre Rangstellung innerhalb der Familie aufgezeigt; als "alte Jungfern" standen sie weit unterhalb
allen anderen, gerade noch über der Hofmeisterin. Am
2. Juli fuhr die feierliche Prozession in die Stadt,
Anna und Elisabeth mit ihren Nichten Catharina
Barbara und Johanna Elisabeth, zwei Prinzessinnen von
Baden-Baden und die Gemahlinnen des Markgrafen Wilhelm
und des Prinzen Leopold Wilhelm zu Baden-Hochberg
empfingen die Braut im Schloß und begleiteten sie in
ihr Zimmer.

Diese Braut war Augusta Maria, die jüngste Tochter
Friedrichs III. von Schleswig-Holstein, der als "der
Hochgeachte" [sic] Mitglied der Fruchtbringenden
Gesellschaft war. Friedrich und seine Frau haben
diese Tochter teilweise selbst unterrichtet und dafür
gesorgt, daß sie "in dem christlichen Glauben und der
reinen evangelischen Lehre," in Sprachen und in
"allen fürstlichen Sitten" unterwiesen wurde.[30] Für
Friedrich Magnus, der sie auf seiner Kavalierstour in
Husum kennengelernt und sofort die Zustimmung seines
Vaters zur Werbung um ihre Hand ersucht hatte, war
sie in jeder Hinsicht die passende Frau. Die Mutter
der Prinzessin billigte die Verbindung mit den Worten:
"Es ist ein gutes altes Haus und unserer Religion
darzu. Meine Tochter ist noch frei; die Person hat

50

sie gesehen, daß er ein feiner und wohlqualificirter
Herr ist."[31]
    Nur drei ruhige Jahre verlebte das junge Ehepaar
in Durlach, denn schon 1672, als die französischen
Truppen in Baden einfielen, siedelten einige Familienmitglieder nach Basel über, wo Anna am 15. Oktober
starb. Unter denen, die um ihr Sterbebett standen,
war "der hertzgeliebten Fräulein Schwester/ Der Durch-
läuchtigsten Fürstin/ Prinzessin Elisabeth/ deren mit
Ihren gepflogene niemahls gekränckte Liebe und Ei-
nigkeit/ Sie höchlich gerühmet."[32] Zwischen den zwei
Schwestern Anna und Elisabeth bestand lebenslang
echte Zuneigung, die in den Worten von Elisabeths
Klagelied noch einmal zum Ausdruck kam:

    Schwesterliche Treu/ die ohnverändert blieb/
    Solang das Hertze sich in Ihrem Leibe regte/
    Solang die Zunge sprach/ ein Ader sich bewegte.

                                                (E 42v)

Auf diesen persönlichen Verlust folgte mehr Unglück:
Elisabeths Neffe Friedrich VI. starb 1677 und es
kamen immer neue Kriege, welche die Familie zu weiteren Aufenthalten in Basel nötigten, wo sie ein
eigenes Haus unterhielten. Am 13. Oktober 1692 starb
Elisabeth in Basel, von Ihren Verwandten in der letzten Krankheit treu gepflegt, besonders von Augusta
Maria, die ihr selbst die Arzneien reichte.[33]
    Die scheinbar glückliche Ehe der Augusta Maria mit
Friedrich Magnus wurde von persönlichem Leid und
öffentlichen Sorgen überschattet. Von den elf Kindern, die Augusta Maria geboren hat, starben sechs im
frühesten Alter, unter ihnen der älteste Sohn. Das
letzte Kind, das nur acht Monate gelebt hat, wurde
1688 geboren. In diesem Jahr fielen die Franzosen
wiederum in Baden ein. Friedrich Magnus floh sofort
nach Basel, Augusta Maria blieb im Lande zurück in
der Hoffnung, durch ihre Gegenwart manches Unheil ab-
wenden zu können, doch mußte auch sie bald Zuflucht
in Basel suchen. Dort hat sie sich damit beschäftigt,
das erste erhaltene badische Gesangbuch für den
Druck vorzubereiten, das zuerst 1697 in Basel
erschien.[34]
    Friedrich Magnus starb 1709; Augusta Maria über-
lebte ihn um weitere 19 Jahre. Diese Zeit verbrachte
sie auf ihrem Witwensitz, dem Schloß Augustenburg in
Grötzingen, wo sie sich mit der Umarbeitung ihres

Gesangbuchs beschäftigte, dessen Ausgabe von 1726 sie
ihrem Sohn Carl gewidmet hat. In der Vorrede zu
dieser Ausgabe heißt is, daß die Markgräfin diese
geistlichen Lieder "selbige mit etlichen eigenen"
vermehrt hat. In seiner Monographie zu Augusta Ma-
rias Leben und Werk hat Dreher versucht herauszufin-
den, welche von den in den verschiedenen Auflagen
ihrer Sammlung anonym gedruckten Lieder von ihr stammen. Er nennt 27, die er "in keinem andern Gesang-
buche, weder früherer noch späterer Zeit" gefunden
hat. Deshalb kommt er zu dem Schluß: "Wir werden
wohl alle diese Lieder der Herausgeberin des Gesang-
buches zuschreiben dürfen, um so mehr, als auch
innere Gründe dafür sprechen. Form und Inhalt sind
so, wie wir es in jener Zeit und von Augusta Maria
nach allem, was wir von ihr wissen, erwarten können"
(S. 103). In Anbetracht der großen Anzahl von
Liedersammlungen aus dem 17. und frühen 18. Jahrhundert erscheint eine solche Behauptung sehr gewagt.

In der Tat findet man 10 dieser Lieder in verschiedenen Sammlungen anderer Autoren zugeschrieben.[35]
Bei dem Lied "Alles, was mir Gott gegeben" (Dreher Nr.
6) scheint es fragwürdig, ob die Markgräfin es verfaßt hat, weil die Anfangsbuchstaben der Strophen den
Namen "Anna Maria" ergeben, und dieses eine sehr persönliche Aussage ist. Vier weitere dieser Lieder
stehen ohne Verfassernamen in andern Werken.[36] In
diesen aber--zwei Jesuslieder (Nr. 1 u. 3), eine
Danksagung für erlangten Frieden (Nr. 18) und ein
Lied, in dem jede Strophe mit den Worten "Ich bin
vergnügt" beginnt und endet (Nr. 11)--spricht nichts
für oder gegen die Autorschaft der Markgräfin, und es
ist möglich, daß sie diese geschrieben hat.

Die restlichen zwölf Lieder sind ebenfalls von
unterschiedlichem Inhalt: ein Jesuslied (4), Gottes-
lob (8, 12, 13), eine Klage über die gefährliche Lage
der Kirche (16), eine Warnung auf das "welt-verliebte
Herz" (24), eine Beteuerung der Nichtigkeit menschlichen Lebens (23), eine Danksagung an den Herrn für
"Speis und Trank" (21), zwei Abendlieder (19 u. 20),
ein Sterbelied (25) und eines, das Gottes Liebe be-
singt (10). Doch können wir nicht mit Sicherheit
Augusta Maria als Verfasserin bezeichnen, da Handschriften oder andere Beweisstücke fehlen. Weil ihre
Wohnung in Basel mit allem Inventar 1698 verbrannte,
ist es unwahrscheinlich, daß solche Beweise noch vor-

handen sind.

Es besteht aber kein Zweifel, daß Augusta Maria
selbst das Gesangbuch herausgegeben hat und daß sie
dies als eine Wohltat für die Untertanen betrachtete.
In der Widmung an ihren Gemahl (1697) schrieb sie:
"Euer Liebden ist von selbsten nicht ohnwissend, was
massen auf beschehenes Anbringen und Ersuchen verschiedener frommer und Gottlibender Hertzen, ich bey
geraumer Zeit her, dahin bedacht gewesen seye, einen
Kern von allen, so alt- als neuen geistreichen Liedern zu verfertigen, und zum Gebrauch und Besten der
Kirchen Jesu Christi, besonders Unserer lieben Fürst-
hummen- und Landes-Kirchen, nebenst einem täglichen
Gebet-Handbüchlein, in den Truck heraußgehen zu
lassen." So hatte sie in ihrem Exil in Basel eine
nützliche Beschäftigung, bei der sie ihre Haupttugen-
den, Frömmigkeit und Nächstenliebe, vereinen konnte.

Ihr Gesangbuch hat dem kirchlichen Leben ihres
Landes gedient, denn bis weit ins 18. Jahrhundert
wurde es in den Gemeinden in Baden gebraucht. Das
Gesangbuch lieferte den Beweis, daß auch eine Frau
Fähigkeiten basaß, die eine solche literarische
Leistung ermöglichten. Die zwei Ausgaben von Elisa-
beths Spruchsammlung und Annas dichterische Tätigkeit
waren in Baden bekannt. Heilbrunnern (S. 69) lobt
Elisabeths gedrucktes Werk, während der Diaconus
Johann Specht und der Gymnasiallehrer Johann Carl
Schottel in ihren Klaggedichten Annas "edle Poesie"
erwähnen. So wußte man zwar in Baden-Durlach von der
literarischen Tätigkeit der drei Markgräfinnen, doch
war es ein bescheidener und örtlich begrenzter Ruhm.

Die Fortschritte der Frau im intellektuellen Leben
Deutschlands wurden in diesem Zeitalter wenn überhaupt durch diese kleinen Schritte gefördert. Nur
wenigen Schriftstellerinnen oder Herausgeberinnen war
Ruhm beschieden und deren Leistungen wurden durch die
Kataloge der gelehrten Frauen bekannt. Um die Jahr-
hundertwende wollten Männer wie Lehms, Paullini und
Eberti stolz auf die literarische Tätigkeit ihrer
weiblichen Landsleute deuten. Mit ihren Lexika wollten sie beweisen, daß die Frau in Deutschland keineswegs für geistige Arbeit ungeeignet war. Merkwürdi-
gerweise finden sich die Namen unserer badischen
Dichterinnen in keinem der drei berühmtesten Kataloge.[37]
So muß man annehmen, daß es auch viele andere
Schriftstellerinnen gibt, deren Namen ausgelassen

worden sind, deren Werke nur Freunden im kleinen
Kreis bekannt waren. Weitere Forschungen mögen zei-
gen, daß der Anteil der Frau an der deutschen Litera-
tur des 17. Jahrhunderts erheblich größer war, als
bisher angenommen worden ist. Ein Anfang zu dieser
Aufgabe ist mit unserer Darstellung der literarischen
Tätigkeit der Markgräfinnen Anna, Elisabeth und
Augusta Maria von Baden-Durlach gemacht worden.

ANMERKUNGEN

1 Eine Aufstellung von 75 größtenteils adeligen Frauen, die
während des 17. und frühen 18. Jahrhunderts literarisch tätig
waren, findet sich bei Karl Goedeke, *Grundriß zur Geschichte
der deutschen Dichtung aus den Quellen*, 2. Aufl., Bd. 3 (Dresden: Ehlermann, 1887), 317-31. Meine umfassende Untersuchung
über deutsche Schriftstellerinnen von 1640-1740 wurde in den
Wolfenbüttler Barock-Nachrichten, 4 (Oktober 1977), 110-11, an-
gezeigt.

2 Helmut W. Ziefle, *Sibylle Schwarz: Leben und Werk* (Bonn:
Bouvier, 1975), S. 13-16.

3 Georg Christian Lehms, "Vorrede," *Teutschlands Galante Poetinnen* (Frankfurt/M.: Heinschmidt, 1715), sig. B 1v.

4 K. Gottlieb Wolffram, *Versuch einer Nachricht von den gelehrten Herzogen und Herzoginnen von Braunschweig-Lüneburg*
(Braunschweig: Schröder, 1790), S. 33; *Janus Christianus* (Wolfenbüttel: Stern, 1657), sig. A 2v (Sibylle Ursula) und A 4v
(Maria Elisabeth).

5 Wolfgang Bender, "Herzog Anton Ulrich von Braunschweig-Wol-
fenbüttel: Biographie und Bibliographie zu seinem 250. Todes-
tag," *Philobiblion*, 8 (1964), 166.

6 Justus Söffing, *Unverwelckliche Myrten Krone* (Rudolstadt:
Freyschmidt, 1672), S. 126-27); *Schwartzburgisches Denckmahl
einer Christ-Gräflichen Lammes Freundin* (Rudolstadt: Urban,
1707), S. 347.

7 Joh. Fechten, *Christlicher Seelen Zeitliche Angst und Seelige überwindung deroselben* (Durlach: Haken, [1672]), S. 39-40.
Auf den "Leich-Sermon" (S. 3-37) und den Lebenslauf (S. 38-48)
folgen eine lateinische "Vita" (S. 49-51) und dreizehn Gedichte
voran Elisabeths "Klag-Gedicht" (S. 54-55), das auch auf Bl.
42r-v in ihrer handschriftlichen Sammlung steht, dann der

54

"Nach-Klang" von Jesaias Rompler von Löwenhalt (S. 54-60).

8 Antonio Heilbrunnern, *Auff Fromer Christen Beharrung/ Folgt Gottes sichere Bewahrung* (Basel: o.V., 1692), S. 64-69. Diese Schrift enthält nur die Leichenpredigt (S. 3-61), ein Gedicht von Erasmus Francisci (S. 62), das aber nicht auf Elisabeths Tod verfaßt war, und die "Personalia" (S. 63-72).

9 ADB, VIII (1878), 597; Arno Duch, "Georg Friedrich, Markgraf von Baden-Durlach," NDB, VI (1964), 199.

10 Heilbrunnern, S. 65.

11 Anna Hendrika Kiel, *Jesaias Rompler von Löwenhalt* (Utrecht: Kemink en Zoon, 1940), S. 19-20.

12 Fechten, S. 54-60.

13 *Des Jesaias Romplers von Löwenhalt erstes gebüsch seiner Reim-getichte* (Straßburg: Mülben, 1647).

14 J. H. Scholte, "Wahrmund von der Tannen," *Neophilologus*, 21 (1936), 238.

15 Nr. 70 und 71. Karl Zell, *Die Fürstentöchter des Hauses Baden* (Karlsruhe: Braun, 1842) druckt eine Auswahl aus diesen Handschriften S. 60-69 ab. Für die Genehmigung zur Abschrift dieser Handschriften danke ich Markgraf Maximilian von Baden. Zitate aus den Handschriften stehen im Text mit "E" (Elisabeth) bzw. "A" (Anna) und der Blattnummer.

16 Gottfried Felix Merkel, "Deutsche Erbauungsliteratur: Grundsätzliches und Methodisches," *Jahrbuch für Internationale Germanistik*, 3 (1971), 31.

17 "Durlach. Druckts Martin Müller, 1685." Ein unveränderter Nachdruck ohne Nennung des Druckers kam 1696 heraus, aus welchem ich zitiere. Eine dritte Ausgabe kam nicht in den Buchhandel: *Gedenkbuch der hochseligen Prinzessin Elisabeth* (Carlsruhe, 1834).

18 Ernst Robert Curtius, *Europäische Literatur und lateinisches Mittelalter*, 6. Ausg. (Bern: Francke, 1967), S. 93.

19 Justus Georg Schottelius, *Ausführliche Arbeit von der Teutschen HaubtSprache*, hrsg. von Wolfgang Hecht, II. Teil (1663; Reprint Tübingen: Niemeyer, 1967), S. 1108.

20 Siehe Richard Alewyn und K. Sälzle, *Das große Welttheater* (Hamburg: Rowohlt, 1959), S. 48; Adelheid Beckmann, *Motive und Formen der deutschen Lyrik des 17. Jahrhunderts*, Hermenaea, 5 (Tübingen: Niemeyer, 1960), S. 79.

21 Gottfried Felix Merkel, "Vom Fortleben der Lutherischen Bibelsprache," *Zeitschrift für deutsche Sprache*, 23 (1967), 8.

22 Nürnberg: Endter, 1647). Deutsche Neudrucke: Reihe Barock, 19 (Tübingen: Niemeyer, 1969).

23 (Frankfurt/M.: Wust, 1673), "Vorrede," sig. A 3r-v.

24 "Zu finden bei Johan Hoffmann." Curt von Faber du Faur, *German Baroque Literature: A Catalogue of the Collection in the Yale University Library*, I (New Haven: Yale Univ. Press, 1958), 116-17, vermutet, daß Ernst Boguslav Moscherosch, ein Sohn des berühmten Johann Michael Moscherosch, der Autor war.

25 Fechten, S. 41

26 Reinheit, Nr. 13 und 558; Barmherzigkeit, 4, 34, 571; Keuschheit, 78, 388, 406, 464 und 469.

27 Hans Rudolf von Greiffenberg, "Zuschrift" zu Catharina Regina von Greiffenberg, *Geistliche Sonnette und Gedichte* (Nürnberg: Endter, 1662).

28 "Vorrede" zu Sophia Regina Gräf, *Eines andächtigen Frauenzimmers...Ihrem Jesu im Glauben dargebrachte Liebes Opffer* (Leipzig: Martini, 1715).

29 Albert Krieger, "Die Vermählung des Markgrafen Friedrich Magnus von Baden-Durlach und der Prinzessin Auguste Marie von Schleswig-Holstein," *Festschrift zum Fünfzigjährigen Regierungsjubiläum des Großherzogs Friedrich von Baden* (Heidelberg: Winter, 1902), S. 110.

30 Carl Dreher, *Leben, Lieder und Liederpflege der Augusta Maria, Markgräfin von Baden-Durlach* (Berlin: Schlawitz, 1858), S. 10.

31 Zit. nach Krieger, S. 110.

32 Fechten, S. 43.

33 Heilbrunnern, S. 59.

34 *Himmlisch gesinnter Jesus-Hertzen Geistliche Seelen-Freude/ Oder Neu-vermehrtes Christliches Gesangbuch*...zu dem Truck befördert/ von A. M. Mit Fürstl. Margg. Bad. Durl. Privilegio und Freyheit gedruckt. Im Verlag Emanuel und Joh. Georg Königen/ Im Jahr Christi/ 1697. Nach Dreher (S. 77) kamen drei spätere Ausgaben heraus. Er gibt keine näheren Angaben über die zweite. Die vierte, ein unveränderter Abdruck der dritten von 1726, trägt den Titel: *Himmlischer Seelen-Trost der Traurigen zu Zion* (Karlsruhe: Maschenbauer, 1733) und ist fünf

Jahre nach dem Tod der Markgräfin erschienen. Dreher druckt 27 Lieder aus dieser Auflage S. 129-56 ab, die er der Markgräfin zuschreibt.

35 In Albert Fischer, *Das deutsche evangelische Kirchenlied des 17. Jahrhunderts*, vollendet und hrsg. von W. Tümpel, 6 Bde. (1915; Reprint Hildesheim: Olms, 1964): "Fließt, ihr Thränen, fließt und schießet" (Dreher Nr. 2, FT V Nr. 69--Sigmund von Birken); "Ach Gott und Herr, dein Lob und Ehr" (D Nr. 5, FT I Nr. 54--Urban Langhans); "Ach wie groß ist deine Gnade, du getreues Vaterherz" (D Nr. 9, FT IV Nr. 426--Johann Olearius); "Jesu, hast du mein vergessen?" (D Nr. 14, FT IV Nr. 568--Gustav von Mengden); "O wie fröhlich, o wie selig ist des Himmels Leben!" (D Nr. 26, FT V Nr. 310--Johann Christian Arnschwanger); "Mensch, sag an, was ist dein Leben" (D Nr. 14, eine Variante zu FT III Nr. 360--Bonifazius Stölzlin); "Im Leben und im Sterben ist das mein höchster Trost" (D Nr. 27, ein Variante zu FT I Nr. 128--Christian Knoll). In der *Glauben-schallende Und Himmel-steigende Hertzens-Music*, hrsg. von Sophia Christiana von Brandenburg-Culmbach (Nürnberg: Froberg, 1703): "Schweige, mein Gemüth, nicht belle" (D Nr. 17, HM Nr. 441--Sigmund von Birken, auch FT V Nr. 79 unter Birkens Liedern). In *Der irdischen Menschen himlische Engelfreude*, hrsg. von Johann Michael Dilherr (Nürnberg: Endter, 1653), "Nun sei Gott Lob, Ruhm Preiß und Ehr" (D Nr. 22, Dilherr S. 564--Jos. Wegelein). In *Musicalischer Vorschmack* [sic] *Der Jauchtzenden Seelen im ewigen Leben*, hrsg. von Peter Sohr (Hamburg: Völckers, 1684): "Hinweg, hinweg all Frölichkeit" (D Nr. 7, Sohr S. 926--Johann Michael Dilherr).

36 In der *Hertzens-Music*: "Jesu, du Wurzel des Lebens zum Leben (D Nr. 1, HM Nr. 166); "Ich bin vergnügt nach Gottes Willen" (D Nr. 11, HM Nr. 427); "Ach höchster Gott, wie können wir" (D Nr. 18, HM Nr. 925). In Sohrs *Musicalischer Vorschmack*: "Jesu meine Lust und Wonne" (D Nr. 3, Sohr S. 148).

37 Lehms, 1715 (s. Amn. 3, oben); Christian Franz Paullini, *Das Hoch- und Wohl-gelahrte Teutsche Frauen-Zimer* (Erfurt: Stöszeln, 1705); Johann Casper Eberti, *Eröffnetes Cabinet Deß Gelehrten Frauen-Zimmers* (Frankfurt u. Leipzig: Rohrlach, 1706).

3.

INGEBORG H. SOLBRIG

"PATIENCYA IST EIN GUT KREUTLEIN:"
MARIA SIBYLLA MERIAN (1647-1717):
NATURFORSCHERIN, MALERIN, AMERIKAREISENDE*

"Es ist mir lieb das der herr mit meinem buch con-
dentiret ist," heißt es bescheiden in einem Brief
Maria Sibylla Merians vom Juli 1704 aus Amsterdam an
den Nürnberger Arzt Johann Georg Volkammer.[1] Sie
berichtet vom Fortgang der Arbeit an dem Werk, das
ihren Ruhm als Naturforscherin und Künstlerin bis in
unsere Zeit lebendig erhalten hat: *Metamorphosis
insectorum Surinamensium*.[2] Maria Sibylla hofft,
"künftigen January, das gansse werck gethan zu habn,
wan Gott mir, und den blaatschneidern gesundtheit und
leben gibt, ich hatte wohl gewünscht das noch mehr
einschreiber [aus Südamerika] kommen wehren, als biss
hirher geschehen ist, aber patiencya ist ein gut
kreutlein...." Mit Recht hat Elisabeth Rücker die
letzten Worte dem Lebensabriß über diese außergewöhnliche Frau als Leitsatz vorangestellt.[3] Geduld,
Gottvertrauen, Liebe zu den Mitmenschen und unermüd-
liche Tätigkeit kennzeichnen die Persönlichkeit der
Merian ebenso wie ihr unabhängiges Denken und Handeln.
Ihr Wirken geschah an der Schwelle des komplexen
Zeitalters im Schnittpunkt der ausgehenden Renaissance, des Barock und der beginnenden Aufklärung.
Neue Denkmethoden wurden in den Naturwissenschaften
und Künsten entwickelt, und man begann, die neuen,
auf genauer Beobachtung gegründeten Kenntnisse durch
Quantifizierung und Qualifizierung beobachteter Daten,
mathematischer Kalkulationen und Wiederholung des
Experiments auszuwerten. In weniger als zweihundert
Jahren wurde eine Synthese in den Naturwissenschaften,
der Technik und der Kunst erreicht und ein neues
Weltbild entworfen.[4]
Als Maria Sibylla Merian in Frankfurt geboren
wurde, ein Jahr vor dem Friedensschluß von Münster
und Osnabrück, lag Deutschland an den verheerenden

Auswirkungen von fast dreißig Jahren Krieg und Seuchen danieder. Selbst angesehene Patrizier wie Maria Sibyllas Vater, der Verleger Matthäus Merian d. Ä., gerieten immer wieder in Schulden.[5] Anders verhielt es sich mit den Niederlanden, die zur zweiten Heimat der Merian werden sollten. Der erfolgreiche Befreiungskampf der Niederländer hatte eine unabhängige Bürgerschaft entstehen lassen, die sich dem ökonomischen und kulturellen Fortschritt widmete und eine Blütezeit von Kunst und Wissenschaft bewirkte. Tuchhandel und Industrie machten das Land reich und brachten einen ungeheuren Aufschwung. Auch die Familie Merian pflegte rege geschäftliche Verbindungen zu den Niederlanden.

Aber noch eine andere Eigenart des Landes sollte zu dem Entschluß der Merian beitragen, aus Nürnberg nach Holland zu ziehen und dort bis zu ihrem Lebensende zu bleiben. Die widersprüchlichsten Geister und konfessionellen Strömungen fanden in dem freiheitsliebenden Land Asyl; im Laufe des siebzehnten Jahrhunderts hatte sich das protestantische Holland zum Mittelpunkt der europäischen Kultur entwickelt. Den Kern des Bürgertums bildeten seit dem späten Mittelalter hier wie auch in Deutschland die Zünfte und Gilden. Kunsthandwerk und "freie Künste" hatten sich noch nicht vom Handwerk abgespalten. Der Orientierungspunkt für diese Bürgerklasse, zu der auch Maria Sibylla gehörte, war der christliche Glaube, an dem seine Geistigkeit erwachte.[6] Gegen den Luxus und Wohlstand und als Gegenbewegung zu der dogmatisch erstarrten Orthodoxie traten besonders in den Niederlanden im Laufe des siebzehnten Jahrhunderts in steigendem Masse asketische Sekten auf, unter deren Einfluß auch Maria Sibylla Merian vorübergehend geraten sollte. Die betrachtenden Schriften über Glaubensfragen zur privaten religiösen Erbauung und Pflege innerlicher Religiosität, die sich im siebzehnten und achtzehnten Jahrhundert bei allen Ständen fanden, berührten auch das Leben Maria Sibyllas, etwa Johann Arndts *Paradiesgärtlein* (1612). Die Schriften der seit 1675 "Pietismus" genannten Strömung, die von den Niederlanden ausging und sich durch Tersteegen und Spener in Deutschland ausbreitete, waren weiter verbreitet als die pietistische Bewegung selbst. Und doch war es auch die Epoche eines Jan Vermeer van Delft, Jakob van Ruisdale und Rembrandt van Rijn.

Auch die Literatur der Niederlande erlebte im
siebzehnten Jahrhundert einen Höhepunkt mit den Lehr-
dichtungen für das bürgerliche Haus von Jacob Cats,
die der Merian bekannt waren, und den Bühnenspielen
Joost van den Vondels und P. C. van Hoofts. Das 1638
gegründete Amsterdamer Schauspielhaus war das erste
Nationaltheater Europas. Wieviel der mit künstlerischen Arbeiten und naturkundlichen Beobachtungen
tätigen Hausfrau, Mutter, kunstgewerblichen Lehrerin
und verantwortungsbewußten Mitarbeiterin des häuslichen Betriebes vom Schaffen ihrer Zeitgenossen Hars-
dörffer, Spee, Gryphius, Lohenstein, Dach, Hoffmans-
waldau, Grimmelshausen, Zesen, Birken und Beer bewußt
war, ist schwer zu sagen. Vielleicht erreichte der
Weltruhm der großen Franzosen oder doch des Autors
des *Paradise Lost* den Lebenskreis der Patrizierstoch-
ter und späteren bürgerlichen Frau. Durch ihren
Lieblingsbruder, Caspar Merian, der einer holländischen Pietistengruppe nahestand, während ihres Auf-
enthaltes bei den Labadisten in Westfriesland und bei
ihrem Umgang mit ähnlich Gesinnten in Amsterdam
könnte sie die Namen und Gedanken Czepkos, Silesius',
Paul Gerhardts, Kuhlmanns, Knorr von Rosenroths und
der Catharina Regina von Greiffenberg kennengelernt
haben; mit Gewißheit dürfen wir annehmen, daß sie mit
Philipp Jacob Speners Werk *Pia Desideria*, dessen
Erscheinen im Jahr 1675 Aufsehen erregte, vertraut
war.
Die Lebensdaten des größten Zeitgenossen der
Merian, Leibniz (1646-1716), decken sich bis auf ein
Jahr Unterschied mit ihren eigenen (1647-1717). Ohne
sich seiner Existenz und Bedeutung bewußt zu sein,
stand ihre schlichte Weltanschauung der Naturerkennt-
nis dieses großen Denkers näher als den naturfernen
Spekulationen der meisten zeitgenössischen Professo-
ren und konfessionell erstarrten Theologen. Offenbarung und Vernunft sind für sie niemals ein Gegensatz gewesen; sie verband eine Art pantheistische
Frömmigkeit mit einer Neigung zu nüchterner Beobachtung und exakten, empirisch begründeten Naturforschungen. Ihrer starken Persönlichkeit gelang es,
die Dialektik des Jahrhunderts in einer echten *com-
plexio oppositorum* in sich zu vereinigen. Was jedoch
allein die Erhaltung der schwer errungenen Freiheit
und Selbständigkeit für eine alleinstehende Frau zu
ihrer Zeit bedeutete, können wir kaum ermessen.[7] Den

60

adligen und wohlhabenden Italienerinnen standen die
Universitäten und Akademien längst offen, und durch
das Aufblühen der Städte im späten Mittelalter und
den Aufschwung des Handels begannen nun auch die
Frauen Mitteleuropas, immer aktiver am Wirtschaftsleben teilzunehmen. Den Frauen adliger Herkunft fiel
eine neue historische Rolle zu. Sie vergaben mit
ihrer Hand den oft erheblichen Reichtum ihrer Erblän-
der und wurden zu Stammüttern neuer Geschlechter die,
gestützt auf ihre bedeutende Hausmacht, eine weitaus-
greifende Politik einschlagen konnten. Allerdings
darf man dabei nicht vergessen, daß diese Privilegien
der adligen Frau ohne Rücksicht auf Begabung und Persönlichkeit genossen wurden, ganz im Gegensatz zu den
hervorragenden Frauen aus bürgerlichem Stand, die
sich nur durch außergewöhnliche Leistungen einen
Platz in der Kulturgeschichte erobern konnten.[8] Zu
diesen Frauen gehörte Maria Sibylla Merian, deren
Leben sich in Frankfurt am Main, Nürnberg, Westfriesland, Niederländisch-Guayana (Surinam) und Amsterdam
entfaltete und erfüllte.

Maria Sibylla Merian wurde am 2. April 1647 in
Frankfurt am Main geboren. Ihre Mutter, Johanna
Catharina Merian geb. Heim, war die zweite Frau des
älteren Merian, der drei Jahre nach der Geburt Maria
Sibyllas starb. Das Verhältnis zwischen der Mutter
mit ihrer naturfeindlichen Frömmigkeit und der unabhängig denkenden Tochter soll nicht immer harmonisch
gewesen wein, obwohl der große merkantile Kunstbe-
trieb der Merians in der Handels- und Hafenstadt
Frankfurt Maria Sibylla in den ersten Lebensjahren
ein Leben des Wohlstands und der Repräsentation bot.
Die Internationalität der Familie muß sich jedoch
positiv auf die Persönlichkeitsentfaltung des begabten Mädchens ausgewirkt haben. Nach dem Tod des
Vaters setzten die Stiefbrüder Matthäus Merian d. J.
und Caspar Merian zunächst das Verlagsunternehmen in
Frankfurt erfolgreich fort; Maria Sibyllas Mutter
erhielt eine Abfindung für sich und die beiden Kinder
aus erster Ehe.[9] Als Maria Sibylla vier Jahre alt
war, heiratete die Mutter den Blumenmaler Jacob
Marell,[10] was für den weiteren Lebensverlauf Maria
Sibyllas von entscheidender Bedeutung wurde. Der ihr
besonders nahestehende Stiefbruder Caspar ging 1660
nach Amsterdam. In unermüdlichem Fleiß widmete sich

das junge Mädchen der Pflege ihrer Begabungen und
Neigungen. Ein Hausgenosse, Lehrer und Mitarbeiter,
Abraham Mignon,[11] verließ den Verlag im Jahr 1664 und
heiratete bald darauf. Der andere Schüler Marells,
Johann Andreas Graff, der sich 1658 auf Wanderschaft
begeben hatte, hielt sich mehrere Jahre in Rom und
Venedig auf. Als er 1665 aus Italien zurückkehrte,
heiratete er Maria Sibylla.[12] Aus der Ehe gingen
zwei Töchter hervor, die später ihre Mutter, von der
sie eine gründliche Ausbildung erhielten, in ihren
künstlerischen und naturwissenschaftlichen Belangen
tatkräftig unterstützten. Graff, der vor allem als
Architekturmaler bekannt wurde, zog 1670 mit Maria
Sibylla nach Nürnburg, wo er sich einen günstigeren
Boden für seinen Kunsthandel erhoffte. Seine Erwartungen sollten sich allerdings nicht erfüllen; seine
Frau wurde die Hauptverdienerin der Familie.
   Die Ausbildung Maria Sibyllas war recht sporadisch
und geschah vor allem aus eigener Initiative. Wahrscheinlich erlernte sie an einer der im ausgehenden
Mittelalter entstanden Stadtschulen etwas "Schreibe-
kunde."[13] Eine allgemeine Schulpflicht für Mädchen
gab es in Deutschland zur Zeit Maria Sibylla Merians
und ihrer Töchter nicht, dagegen war es selbstverständlich, daß ein junges Mädchen, das in einem Handwerk oder Gewerbe betreibenden Haus aufwuchs, dieses
Handwerk auch erlernte.[14] So wuchs Maria Sibylla in
die Formen des elterlichen Hauses hinein, wie es im
siebzehnten Jahrhundert üblich war. In der Einleitung zu ihrem Hauptwerk, dem Surinamesischen Insektenbuch, berichtet sie, daß sie sich von früher
Jugend an mit der Beobachtung von Insekten beschäftigt habe, sehr zum Kummer ihrer Mutter, die ganz
unter der abergläubischen Auffassung stand, in den
Fliegen, Mücken, Motten, Käfern, Raupen und Spinnen
"Teufelsungeziefer" zu sehen, das aus faulendem
Schlamm gezeugt ist. Die offizielle Bezeichnung dieser Tiere lautete "Excremente."[15]
   Ihr Stiefvater Marell unterwies sie in den Grund-
kenntnissen des Zeichnens und Malens der Tiere und
Pflanzen, die sie beobachtete. Der Tradition gemäß
besaß er eine Anzahl von Studienblättern und Gemälden
seiner Lehrmeister, an denen sich nun auch Maria
Sibylla nach der damals üblichen Methode des Kopie-
rens schulte. Zunächst unterrichtete Marell sie in
der Blumenmalerei. Dabei hatte sie auch Gelegenheit,

alles, was sie bei ihren botanischen und zoologischen Studien auf den Pflanzen entdeckte, nachzuzeichnen. Auch die Bücher des Merian-Verlags standen ihr zur Verfügung, vor allem das 1641 von ihrem Vater Matthäus Merian d. Ä. herausgegebene *Florilegium renovatum*.[16] Als Marell auf Reisen ging, überließ er die weitere Ausbildung der talentierten Stieftochter seinen Schülern und Mitarbeitern Mignon und Graff. Mignon war wohl der wichtigste Lehrer Maria Sibyllas; sie studierte sieben Jahre lang unter seiner Anleitung die Öl- und Aquarellmalerei und die Kupferstich- und Radiertechnik.

Der beginnende Pietismus sollte einer der Wegbereiter zur Emanzipation der Frau werden. Unter den sich um den Sektirer Jean de Labadie[17] sammelnden Frauen trat zum Beispiel eine Generation, bevor sich Maria Sibylla dieser Gruppe vorübergehend anschloß, die legendär gewordene, geniale Anna Maria Schürmann hervor, die seit 1623 in Utrecht lebte und sich dort durch ihre hohen geistigen und erstaunlichen künstlerischen Fähigkeiten Beinamen wie "Stern von Utrecht" und "Zehnte Muse" erwarb.[18] Die Schürmann war in Utrecht Mitglied der St. Lukas-Gilde, einer Malergilde, gewesen, die ihre eigenen Statuten hatte. Maria Sibylla Merian gehörte keiner Gilde oder Zunft an, aber im Jahr 1685 wurde ihr "Blumenkranz" in das Meisterbuch der Gold- und Silberschmiede in Frankfurt aufgenommen.[19] Während in Deutschland noch im ausgehenden Mittelalter viele zum Teil namenlose Klosterfrauen malten, dichteten, komponierten und zuweilen auch Chroniken schrieben und von adligen Nonnen und Patrizierinnen bürgerlicher Herkunft reiche Schenkungen berichtet werden, traten die Frauen zwischen dem fünfzehnten und siebzehnten Jahrhundert als selbständige Persönlichkeiten zurück und verschwanden als Auftraggeberinnen und Künstlerinnen fast ganz, obwohl sie zum Teil als Meisterinnen in den Zünften und Gilden einen Rolle spielten. Nur wenige Frauen kamen durch handwerkliche und künstlerische Tätigkeit innerhalb der Zünfte und Familientradition zur Geltung, wie Maria Sibylla Merian und die eine Generation jüngere Nürnberger Malerin Regina Dietzsch (1706-83). Das Streben der Merian ging jedoch weit über die Konventionen ihrer Zeit hinaus. Später lernte Maria Sibylla im Privatunterricht Latein, um ihre Arbeiten zur Buchveröffentlichung vorbereiten zu

können. Aus ihren eigenen Bemerkungen zu den Vorwor-
ten ihrer Werke geht hervor, daß sie besonders während ihrer Amsterdamer Jahre viel Naturwissenschaft-
liches gelesen hat.

Das künstlerische Schaffen der jungen Maria Sibylla ist zum Teil eher der Geschichte des Kunstgewerbes
zuzuordnen als der Geschichte der Malerei.[20] Noch
heute besitzen wir Exemplare kunstgewerblicher
Erzeugnisse, die uns die häusliche Umgebung der
Merian verlebendigen, wie zum Beispiel Gegenstände
der Emailmalerin Suzanne Court aus Limoges, signierte
Glassmalereien Adelheid Schraders aus Wienhausen,
Wachsbossierungen und kalligraphische Meisterwerke
der Schürmann, ferner Ätzungen auf Glas, Scheren-
schnitte, Stickereien, Zeichnungen, Malereien und
vieles mehr. Nachdem Maria Sibylla mit ihrem Mann
von Frankfurt nach Nürnberg umgesiedelt war, half sie
mit ihren vielseitigen Begabungen, die finanzielle
Existenz der Familie zu sichern. Vor allem die Tech-
niken, die sie von Mignon gelernt hatte, kamen ihr
bei den Auftragarbeiten sehr zustatten. Für diese
Arbeiten hatte sie Lehrmädchen zur Hilfe eingestellt
und ausgebildet. Zur Aufrechterhaltung des häuslichen Betriebes unterhielt sie einen lebhaften Handel
mit Farben und Firniß, womit sie auch die Töchter von
Patriziern, Malern und Kupferstechern versorgte, die
sie in ihrem Hause in der Gouache- und Seidenmalerei
und -stickerei unterrichtete. Für die Seidenmalerei
verwendete sie selbst hergestellte, waschechte "Saft-
farben." Zu Frau Merians "Jungfern-Company" gehörten
unter anderem Clara Regina Imhoff (1664-1740), Magda-
lena Fürst (1652-1717), die später selbst eine bekannte Koloristin wurde, und die "Jungfer Auerin,"
die nach Maria Sibyllas Weggang aus Nürnberg für sie
dort den Farbenhandel weiter betrieb.
Die Tafeltücher und Seidendecken der Merian, die
sie mit Blumen, Kräutern, Vögeln und Insekten bemalte
oder auch bestickte, fanden beim Adel reißenden Absatz. Für einen General soll sie ein ganzes Gezelt
mit Naturmotiven bemalt haben. Als Vorlagen für diese Malereien und Stickereien dienten Kupferstiche.
Joachim von Sandrart, ein alter Freund ihres Vaters,
berichtet in seiner *Teutschen Academie* über diese
vielfältige Betriebsamkeit, worin sich die Eigenarten
und Talente Maria Sibyllas entfalteten.[21] Das von

ihr herausgegebene Blumenwerk *Florum Fasciculi Tres*,
das in mehreren Lieferungen zu je zwölf Tafeln erschien, diente als Vorlage für ihre kunstgewerblichen
Schöpfungen.[22] Der zweiten Auflage dieses Werkes,
das unter dem Titel *Neues Blumenbuch* (Nürnberg, 1680)
erschien, gab Maria Sibylla eine Vorrede und ein In-
haltsverzeichnis bei. Das Vorwort hat durch die Bemerkungen zur Tulpomanie jener Jahre einen besonderen
kulturhistorischen Wert. Es heißt darin unter anderem:

> Eine Blume/ von den Tulpenhändlern *Semper Augustus*
> genant/ habe man für 2000. Niederländische Gülden
> verkaufft; welche ums Jahr 1637. für kein Geld
> mehr zu kauffen gewest/ dieweil derer nur zwo/
> eine zu Amsterdam/ die andere zu Harlem/ vorhanden
> waren....Auf diesen Handel/ weil er anfangs so wol
> trug/ begaben sich die Leute so gar/ dass die We-
> ber ihre Stühle zu Geld gemacht/ und an die Blumen
> gelegt: Ihrer viel haben schöne/ köstliche Häu-
> ser/ Landgüter/ und alles/ was sie gehabt/ ver-
> kaufft/ auch grosse/ auf Zinst ausgeliehene Geld-
> summen wiederum eingezogen/ ...nur dass sie mit
> einer flüchtigen Augenweide lüsterne Hertzen eine
> kurtze Zeit ergötzten.[23]

Auch von dem "Sineser...Blumenkönig" Metang und einer
chinesischen Rosenart ist die Rede. Man spürt bei
den Worten etwas von dem nüchternen Sinn, mit dem sie
die Extravaganzen ihrer Zeit beobachtete und beur-
teilte, und diese Gabe der objektiven Beobachtung bestimmte auch ihre Naturforschungen.

Während die Merian in ihren Nürnberger Ehejahren
vor allem mit geldeinbringenden kunstgewerblichen
Tätigkeiten beschäftigt war, begann sie mit den sys-
tematischen Vorbereitungen zu dem Werk, das ihr
erstes bedeutendes naturkundliches Buch werden sollte: *Der Raupen wunderbare Verwandelung/ und sonder-
bare Blumen-nahrung/ worinnen/ durch eine gantz neue
Erfindung/ Der Raupen/ Würmer/ Sommer-vögelein/ Mot-
ten/ Fliegen/ und anderer dergleichen Thierlein/
Ursprung/ Speisen/ und Veränderungen/ samt ihrer
Zeit/ Ort/ und Eigenschaften/ Den Naturkündigern/
Kunstmahlern/ und Gartenliebhabern zu Dienst/ fleis-
sig untersucht/ kürtzlich beschrieben/ nach dem Leben
abgemahlt/ ins Kupfer gestochen/ und selbst verlegt*

von Maria Sibylla Gräfin/ Matthaei Merians/ des Eltern/ Seel. Tochter. In Nürnberg zu finden/ bey Johann Andreas Graffen/ Mahlern/ in Frankfurt/ und Leipzig/ bey David Funken. Gedruckt bey Andreas Knortzen/ 1679.[24] Dieser barocke Titel gibt vielerlei Aufschlüsse. Von philologischem Interesse ist die zeitgenössische biologische Terminologie in dem Buch, die Maria Sibylla nach eigener Angabe später nach Thomas Mouffet änderte, d. h. auf den neuen Stand brachte.[25] In den frühen Veröffentlichungen hatte sie die Eier "Samen," die Larve manchmal "Raupe," die Puppe "Dattelkern," die Fühler "Hörner," die Tagfalter oder Schmetterlinge "Sommer-vögelein" und die Nachtfalter "Motten" oder "Schaben-vögelein" genannt. Auch die angegebene Darstellungsmethode ist von Bedeutung. Der verhältnismäßig plumpe Holzschnitt wurde vom Kupferstich abgelöst, der zur Grundlage der wissenschaftlichen Buchillustration des siebzehnten und achtzehnten Jahrhunderts wurde und künstlerisch wie wissenschaftlich einen Höhepunkt der wissenschaftlichen Buchillustration in den Spätwerken der Merian und in dem Werk des von ihr beeinflußten Rösel von Rosenhof erreichte.[26] Schließlich betont die Autorin, daß sie nach der Natur male und nicht, wie bei den naturwissenschaftlichen Buchillustrationen des Hochbarock zumeist üblich, nach den getrockneten Vorlagen aus den Naturalienkabinetten und Herbarien.

In der Einleitung zu ihrem Spätwerk über die surinamesischen Insekten berichtet sie, daß sie ihre Naturbeobachtung in der Jugend in Frankfurt am Seidenspinner begann[27] und bald beobachtete, wie die Tag- und Nachtfalter auch aus anderen Raupen entstehen. Um sich ganz dem Studium dieser Tiere widmen zu können, habe sie sich so weit wie möglich von gesellschaftlichem Umgang ferngehalten. Mit Zeichnen habe sie sich beschäftigt, um die Insekten naturgetreu darstellen zu können. Die Kunst stand also bei ihr voll und ganz im Dienst ihrer Naturbeobachtungen.

Als Naturforscherin ist die Merian der Entomologie, der Wissenschaft von den Insekten, zuzuordnen. Daß eins der Pionierwerke der Insektenkunde aus dem Mittelalter von einer Frau stammte, mag sie später in ihrem Amsterdamer Freundeskreis erfahren haben. Das Kompendium der heiligen Hildegardis (1099-1179), Äbtissin von St. Ruprecht bei Bingen, *Physica*, stellt, eine aus der Überlieferung des Volkes hervorgegangene

Heilmittellehre dar. Im vierten Buch finden sich Angaben über die therapeutische Verwendung von neun Insekten.[28] Aber die Wissenschaft verfiel in Aberglauben, Teufels- und Hexenwahn. Natürlich war Maria
Sibylla mit dem naiven Naturalismus der vorhergehen-
den Jahrhunderte den Insektenkalamitäten gegenüber
vertraut. Einerseits wurden die Insekten als Strafe
Gottes für Sünde und Vergehen gedeutet, andererseits
zog man die Tiere in Gerichtsverfahren zur Rechen-
schaft.[29] Die Grundlage der Insektenprozesse war der
weltliche Tierprozeß, der auf der Vorstellung beruhte,
daß die Leiber der Insekten als Wohnstätten von Seelen galten. Noch 1602 riet der bedeutende Wissen-
schaftler Ulysse Aldrovandi in dem ältesten, ausschließlich der Entomologie gewidmeten Werk *De ani-
malibus insectis Libri VII* (Bologna) bei Insektenpla-
gen zu kirchlichen Exorzismen; das Werk war der
Merian bekannt. Zu ihren Lebzeiten gab es solche
Prozesse noch. Der letzte Tierprozeß vor kirchli-
chem Forum fand 1733 in Boumanton statt und der letzte
weltliche Tierprozeß Europas um 1830 in Dänemark. In
der Literatur waren Laus, Floh, Biene und Ameise be-
liebte Protagonisten; einer der bedeutendsten Tier-
dialoge des sechzehnten Jahrhunderts ist Johann Fi-
scharts *Floh-Hatz*. Diese Plagemeister wurden als
Teufelsbrut betrachtet. Im siebzehnten Jahrhundert
war der Glaube, daß Käfer und Insekten schlammgebo-
rene Satansbrut seien, sehr weit verbreitet. Die
Erkenntnis eines Francesco Redi, wonach Raupen und
Maden aus Eiern hervorgehen, verbreitete sich erst
nach 1671, und das erste wissenschaftliche Werk über
den Bau und die Entwicklung des Seidenspinners von
dem Bologneser Marcello Malpighi erschien erst 1669.
Auch Maria Sibylla Merian bekam bis in ihr Alter den
Spott einiger ignoranter Zeitgenossen zu spüren.
Diese Daten beweisen, wie weit sie ihrer Zeit in ihrem unabhängigen Denken und Fühlen voraus war.
    Um die naturwissenschaftliche Bedeutung der Merian
recht würdigen zu können, gilt es, ihren Ort in der
Geschichte der Biologie zu bestimmen. Der "zweiten
Renaissance des Aristoteles," die mit den Namen Bacon,
Descartes, Harvey, Francesco Redi und Aldrovandi ver-
bunden ist, folgten die bahnbrechenden Vorarbeiten
zur modernen Systematik und Morphologie, wie zum Beispiel das Werk Thomas Mouffets, das Maria Sibyllas
Spätwerk beeinflußte, Johnston, Charleston und Sper-

ling. Einen weiteren Anstoß zu neuen Erkenntnissen
gab die Erfindung des Mikroskops, wodurch die Begründung der Insektenanatomie durch Malpighi, das Studium
der Samenfäden durch Anthony van Leeuwenhoek und die
Arbeiten Jan Swammerdams über die Metamorphose der
Insekten ermöglicht wurden. Maria Sibylla hatte später im Amsterdam die Möglichkeit, eines dieser frühen
Linsensysteme zu benutzen. In der Einleitung zum
Surinamesischen Insektenbuch nennt Maria Sibylla als
ihre Vorläufer, deren Werke sie studierte, neben
Mouffet vor allem Goedaert, Swammerdam, Blankaart
"etc."--ihr Leseeifer muß beträchtlich gewesen sein.
   Eine andere glanzvolle, dem "bionomischen Zeital-
ter" zugeordnete Reihe von Forschern, die den Grund
zu den vorlinnéschen bionomischen Kenntnissen legte,
studierte und beobachtete die Entwicklung einzelner
Arten bis ins letzte Detail hinein: von Jean Goedaert und der Merian führt diese Reihe zu René An-
toine Ferchauld de Réaumur, Charles Bonnet, August
Rösel von Rosenhof und Johann Leonhard Frisch; die
Schaffenszeit Maria Sibylla Merians fält etwa in die
Mitte dieses wichtigen Abschnitts in der Geschichte
der Entomologie. Von dem Wissensstand der damaligen
Zeit gibt Réaumur (1683-1756) im Vorwort zu seinem
Werk *Mémoirs pour la service à l'histoire des In-
sects*[30] kurz Aufschluß. Aldrovandi und Mouffet,
schreibt er, lehrten in einem Zeitalter, in dem kein
Mensch Besseres als die Wiedererweckung der Kenntnis-
se der Alten leisten zu können glaubte. Malpighi,
Swammerdam, Redi, Leeuwenhoeck, Goedaert und Maria
Sibylla Merian seien die ersten, die wieder mit der
Betrachtung der Natur selbst begannen. Maria Sibyllas Arbeiten wirkten auch noch auf den großen schwedischen Systematiker Carl von Linné (1707-78), der
zwei Jahre nach dem Erscheinen des letzten und bedeutendsten Werkes der Merian geboren wurde und einen
Schmetterling ihr zu Ehren *Tinea Merianella* nannte.[31]

   Die Neigung Maria Sibyllas zur exakten Naturbeobachtung kam ihr zugute bei der aus der holländischen
Tradition stammenden Methode der Zeit, gemalte Blu-
mensträuße mit Käfern, Raupen, Vögeln und Schmetter-
lingen zu zieren. Hier liegt auch eine der Wurzeln
ihres Doppeltalents als Naturbeobachterin und Malerin
begründet. Die Malerei war für sie entweder ein Mittel zum Zweck ihrer zoologisch-botanischen Forschun-

gen oder Auftragsarbeit; das Bild als künstlerischen Selbstzweck hat es bei der Merian kaum gegeben.

Der großen Anzahl bedeutender Maler steht in der Kunstgeschichte nur eine verhältnismäßig geringe Anzahl von Malerinnen gegenüber. Dieses Verhältnis sollte sich erst mit der beginnenden Emanzipation der Frauen im neunzehnten Jahrhundert ändern.[32] Zur Zeit der Renaissance wurden die Bemühungen begabter Künstlerinnen nicht nur in Italien mit seiner alten Tradition bedeutender Frauen in Kunst und Wissenschaft gefördert, sondern auch in Flamen, wo im fünfzehnten und sechzehnten Jahrhundert eine Anzahl begabter Miniaturmalerinnen und Stickerinnen wirkte. Die Mutter Pieter Breughels war eine bekannte Stickerin, und ihr Vorbild wirkte entscheidend auf die Entfaltung der künstlerischen Fähigkeiten des Sohnes. Ich betonte bereits, daß die Ausbildung Maria Sibyllas in ihrem Elternhaus an sich in den meisten Gegenden Europas zur Zeit der Renaissance und des Barock keine allzu große Ausnahme darstellte. Man darf wohl annehmen, daß sie im Elternhaus auch die Namen der großen italienischen Renaissancemalerinnen kennenlernte, wie zum Beispiel Propertia de Rossi (1491-1530), Sophonisbe Anguiscola (1527-1623) und Lavinia Fontana (1532-1640).[33] Aber wieviel Maria Sibylla über diese Frauen und andere Künstlerinnen der Renaissance wußte, ist schwer auszumachen. Die Blumenmalerin Rachel Ruysch (1664-1750), die wegen ihrer ausgefeilten Technik und überragenden Qualität gerühmt wird, hat Maria Sibylla in Amsterdam kennengelernt, und der Name der italienischen Portraitmalerin Rosalba Carriera (1675-1757), deren Werke an den europäischen Höfen ein höchst begehrtes Kunstgut darstellten, war um die Zeit, als die Merian starb, überall wohlbekannt. Aus dieser Epoche also ragt der Name der Merian als Malerin hervor.

Fünfzehn Jahre ihres Lebens verbrachte sie in Nürnberg, "wo die Kunst seit Albrecht Dürers Zeiten stets groß im kleinen war."[34] Die von einer alten Tradition geprägte Künstlergemeinde der Reichsstadt erhielt neue geistige und künstlerische Impulse, als 1674 die erste Kunstakademie, die jedoch keine Frauen aufnahm, dort von Joachim von Sandrart gegründet wurde. Der Begründer nahm neben seinen Schülern auch Laien auf; ihm lag vor allem daran, nach dem Leben malen und zeichnen zu lassen.[35] In welcher Form Ma-

ria Sibylla mit dieser Malschule des alten Familien-
freundes etwa verbunden war, konnte ich nicht feststellen. Die Vorliebe Maria Sibyllas für ovale Blu-
menkränze ist auf Marell zurückzuführen, der von der
Utrechter Malschule und deren mit Insekten belebten
Blumenstilleben stark beeinflußt war und seiner
Stieftochter die niederländisch-flämische Maltradi-
tion vermittelte; auch Sandrart hatte in Utrecht begonnen. Wie viele Auffassungen und Richtungen Maria
Sibylla jedoch beeinflußt haben mögen, sie war von
keiner sklavisch abhängig. Die breite Grundlage ihrer künstlerisch-technischen Fähigkeiten bewirkte
eine hochentwickelte artistische Individualität. Mit
unendlicher Geduld scheinen ihre Darstellungen von
Blüten, Pflanzen und Insekten gefertigt zu sein.
Helle, zarte Töne herrschen bei ihren Rosen, Tulpen
und anderen Gartenblumen vor, etwas kräftiger getönt
sind die tropischen Pflanzen und Tiere in ihrer Fülle
und Farbigkeit wiedergegeben.
   Im Bildschema des Werkes über die europäischen
Raupen stellt sie alle Entwicklungsstadien des In-
sekts in seinem natürlichen Lebensraum, der Nähr-
pflanze, dar. Jedes Gebilde der Natur ist nach Form,
Farbe und natürlicher Umgebung getreu und bis ins
kleinste Detail ausgearbeitet. Die künstlerische
Bildgestaltung diente zum Zweck der genauen, einfüh-
lenden Beobachtung der organischen Gebilde. Die Art
der aus dem Boden wachsenden Pflanzen weist auch auf
die Utrechter Schule hin. Die früh geübte Manier des
Bildaufbaus sollte sie für alle weiteren künstle-
risch-wissenschaftlichen Studienblätter beibehalten.
Sie verstand es, aus dieser naturwissenschaftlich
belehrenden Absicht harmonische, ausgewogene Bildkom-
positionen zu machen. Die Pflanze behält dabei ihre
natürliche Struktur, das Tier seine eigene Form, die
oft in einer typischen Bewegung festgehalten ist.
Kunstwerk und naturwissenschaftliche Illustration
werden bei ihr zu einer vorher nie dagewesenen Einheit verwoben, die in diesem hohen Qualitätsgrad für
beide Belange, Kunst und Wissenschaft, nur noch bei
Rösel, der ihr nacheiferte, übertroffen wurde.
   Mit ungewöhnlicher Sorgfalt und Naturtreue und mit
feinem Geschmack hat Maria Sibylla alle Abbildungen
gezeichnet, in Kupfer geätzt und mit Wasserfarben il-
luminiert. Sie kombinierte Linien und Punkttechnik
und erzielte unter Anwendung der Crayontechnik eine

deutliche Licht- und Schattenwirkung.[36] Die Kompositionen sind leicht auf holländischen Bütten gesetzt
oder auf das samtweiche, schlohweiße Pergament, das
man aus dem Fell neugeborener Lämmer gewann. Das
Weiß des Papiers oder des Pergaments scheint durch
und verleiht den harmonischen Zusammenstellungen etwas zart Schwebendes.[37] Im letzten Band des Buches
über die europäischen Raupen wird der Einfluß Georg
Flegels in der diagonalen Bildkomposition besonders
häufig deutlich.[38] Aber schon aus der ersten Tafel
des Raupenbuches, welche den Maulbeerbaum und Seidenspinner darstellt, ist dies ersichtlich. Unten befindet sich die Raupe auf dem Maulbeerblatt, rechts
daneben sind die Eier und kleine, eben ausgekrochene
Raupen. In der Mitte des Blattes liegen die frei-
liegenden Kokons, die einen kurzen Schatten werfen,
darüber sind die Schmetterlinge.

Den Höhepunkt der Bildkomposition erreichte sie
jedoch in dem Hauptwerk ihres Schaffens, *Metamorphosis insectorum Surinamensium*, das zu den besten alten
naturwissenschaftlichen Bildwerken gehört. Dort ist
den Darstellungen zuweilen eine bewegte Szene mit
Eingeborenen oder schwarzen Sklaven beigegeben. Auch
hier lag der besondere Gewinn in den eigenhändig mit
noch größerer Virtuosität kolorierten Exemplaren.
Ein solches Prachtexemplar erstand der Gelehrte Za-
charias Conrad von Uffenbach, der Frau Merian auf einer Reise im Jahr 1711 aufsuchte, für zwanzig Gulden,
während die von anderen Künstlern illustrierten Bände
für fünf Gulden verkauft wurden.[39] Dieser Bibliophi-
le berichtet, daß die Künstlerin für die von ihr
selbst kolorierten Exemplare nicht die üblichen Kup-
ferstich-Vorlagen verwendete, sondern Umdrucke, die
sich wegen ihrer zarten grauen Linien besser als die
scharfen, kräftig dunklen Abdrucke der Kupferstiche
zum Kolorieren eigneten.[40] Das Verfahren selbst ist
keine Erfindung der Merian; ihre Innovation war die
bewußte Anwendung der Umdrucktechnik zum Zweck der
Kolorierung. Schon beim Raupenbuch hatte sie diese
Methode gelegentlich angewendet. Alle Umdruckexem-
plare des Surinamesischen Insektenbuches sind auf Im-
perialfolio von ca. 50-55 cm Höhe ausgeführt; einige
unkolorierte Umdruckblätter sind erhalten geblieben.

So irdisch das Getier und das pflanzliche Leben
auf den Bildern der Merian im Grunde ist, es scheint

diesen Lebewesen ein fast unirdischer Schimmer anzu-
haften; die Blätter strahlen die Freude der Künstlerin an der Herrlichkeit der Schöpfung aus. Diese
schlichte Frömmigkeit fand immer wieder in ihren Na-
turbeschreibungen Ausdruck. So regte sie die Beobachtung der Metamorphose der Raupen zu frommen, beinahe apologetischen Betrachtungen über ihr Tun an.
"So oft nun solches geschehen," schreibt sie im Raupenbuch,

> hat man Gottes sonderbare Allmacht und wunderbare
> Aufsicht auf so unachtbar Thierlein und unwerthe
> Vögelein [gemeint sind Schmetterlinge] gerühmt und
> hoch gepriesen. Welches dann auch mich so weit
> gebracht, und endlich dahin bewogen, zumal ich
> oftmals von gelehrten und fürnehmen Personen darum
> ersucht und gebeten worden, der Welt in einem
> Büchlein solches Göttliche Wunder vorzustellen:
> Suche demnach hierinnen nicht meine, sondern al-
> lein Gottes Ehre, Ihn als einen Schöpfer auch die-
> ser kleinsten und geringsten Würmlein zu preisen;
> alldieweil solche nicht von ihnen selbst ihren Ur-
> sprung haben, sondern von Gott.[41]

Damit weist sie den alten Aberglauben der "Teufelsbrut" zurück. Sie gibt sich ihren Betrachtungen
nicht nur mit dem kritisch-analytischen Blick der Forscherin hin, sondern wird durch das Wunderbare und
einen schlichten Gottnaturglauben zu einer einfachen
Naturfrömmigkeit geführt, eine Haltung, die sie
schließlich auf eine Weile den Labadisten nahebrach-
te. "So nun jemand all diesem weiter nachzusinnen
beliebt und seyne Gedanken ein wenig anwenden will,
wie Gott oft manches gantz unachtbares und (wie wir
vermeinen) auch unnützes Ding so wunderbar und schön
durch seine Magd, die Natur, ausziere," schreibt sie
weiter, "der hat allerseits genugsam Anlass hierzu,
seine Andachts-Gedanken dadurch besser auszuüben."
Diese Zitate lassen den pietistischen, Paul Gerhardt
verwandten Geist spüren; darin ist sie ein echtes
Kind ihrer Zeit gewesen. Auch darin, daß eine gewisse Freude an der Allegorie bei ihren Bildkomposi-
tionen offenbar wird, verrät sich der Geist ihres
Zeitalters. So sachlich und genau Maria Sibylla auch
arbeitete, das Fluidum, das noch heute von ihren
Blättern ausgeht, kommt aus der gläubigen Freude an
die Schönheit der Schöpfung und aus dem Glauben an

die Kraft der Verwandlung eines bitteren Erdendaseins
in ein himmlisches Leben. Ab und zu findet sich
durch die Beigabe toter Tiere zu den Bildkomposi-
tionen der Verweis auf das barocke Thema der Vergäng-
lichkeit. Was hätte der betrachtenden Künstlerin den
Gedanken des "Stirb und werde" besser veranschaulichen können, als die Metamorphose der Insekten?

Über solche und ähnliche Gegenstände mag Maria Sibylla mit ihrem Bruder Caspar gesprochen haben, als
er sie 1672 in Nürnberg besuchte und ihr von seinen
Erlebnissen in den Niederlanden berichtete. Sie
teilte die Naturfrömmigkeit mit ihm, aber solche Gedanken führten bei ihr nie zur Wissensverachtung,
sondern bildeten eine natürliche Ergänzung ihres
Strebens nach Erkenntnis und künstlerischem Ausdruck.
Im selben Jahr als William Penn auf seiner Reise
durch Deutschland und Holland die Labadisten besuchte, 1677, schloß sich Caspar Merian der Labadistensekte auf Schloß Waltha-State bei Wieuwerd in Westfriesland an. Die vorpietistische Kommune, deren Anhänger sich "Lichtkinder" nannten, orientierte ihr
Gemeinschaftsleben an der Urchristengemeinde. Die
Beziehung der Merian zu den Niederlanden, besonders
zu der Stadt Utrecht, reichten bis in die Zeit ihrer
Kindheit zurück. In Utrecht sammelte sich auch eine
frühpietistische Gemeinde um den Professor der orien-
talischen Sprachen Gisbert Voetius. Seine Antritts-
vorlesung dort über die notwendige Verbindung von
Wissenschaft und Frömmigkeit spiegelte den Geist, der
auch Maria Sibylla mit ihrem Streben inspirierte.

Bald nach dem Tod ihres Stiefvaters Marell trennte
sich Maria Sibylla von ihrem Mann (1685) und folgte
mit der Mutter und den beiden Töchtern ihrem Bruder
Caspar nach Westfriesland. Der Sitz, auf dem die Labadisten Asyl gefunden hatten und wo Maria Sibylla
nun einige Zeit leben und wirken sollte, lag zwischen
Leuwarden und Franeker; er besteht heute nicht mehr.
Der Besitzer, Frans van Aarssen, Lord von Sommelsdijk,
stand unter dem Einfluß seiner streng labadistischen
Schwestern. Sein Bruder Cornelius war Gouverneur von
Niederländisch Guayana (Surinam) und hatte dort Mis-
sions- und Siedlungsversuche der Labadisten beför-
dert.[42] Der fanatische Nachfolger Labadies, Pierre
Yvon, hatte zunächst alle Eigenmächtigkeiten seiner
Anhänger streng geahndet, aber als die vier Frauen
Merian auf Waltha eintrafen, begannen sich die stren-

gen Lebensregeln der auf dem Schloß lebenden Gruppe
zu lockern. Maria Sibylla zeigte sich auch hier
recht unabhängig. Unbeirrt betrieb sie ihre kunstgewerblichen und naturwissenschaftlichen Interessen
weiter und leitete auch ihre Töchter dazu an. Sie
hatte auf dem friesländischen Sitz Gelegenheit, die
naturkundlichen Sammlungen des Besitzers zu studieren
und die Bibliothek zu benutzen. Mehrere bahnbrechen-
de Werke auf dem Gebiet der Insektenkunde waren in
den letzten Jahren in den Niederlanden erschienen.[43]
    Ein Jahr nach der Übersiedlung der Frauen Merian
nach Westfriesland starb Caspar Merian in Wieuwerd
(1686). Daraufhin besuchte Graff noch einmal seine
Frau, aber die Trennung der Ehe wurde aufrechterhal-
ten und einige Jahre später vom Rat der Stadt Nürnberg bestätigt--eine damals höchst seltene Situation.
1688 wurde Cornelius van Sommelsdijk bei einem Solda-
tenaufstand in Niederländisch Guayana ermordet, was
die Familie in wirtschaftliche Schwierigkeiten
brachte und die beginnende Auflösung der Labadisten-
gemeinde auf Schloß Waltha zur Folge hatte. Als im
Jahr 1690 Maria Sibyllas Mutter starb, verließ Frau
Merian mit ihren Töchtern, die inzwischen dreizehn
und dreiundzwanzig Jahre alt waren, die Abgeschieden-
heit Westfrieslands und zog 1691 nach Amsterdam.
    Die reiche Handelsstadt mit ihren vielfachen Anre-
gungen gab dem Leben Maria Sibyllas neuen Aufschwung.
Eine ihrer wohlhabenden Auftraggeberinnen wurde Agnes
Block, die einige Gewächshäuser voll exotischer
Pflanzen besaß. Labadie hatte auch in Amsterdam Anhänger gehabt, als er dort lebte. Persönlichkeiten
wie der Chiliast Kuhlmann, die Schürmann, der Pädago-
ge Comenius und die Ärzte Swammerdam und van Deventer
hatten der Sekte nahegestanden. Maria Sibylla geriet
jedoch nie in ein sklavisches Abhängigkeitsverhältnis
zu solchen Gruppen. Das beweist zum Beispiel ihre
Zusammenarbeit mit Petrus Dittelbach, der sich von
den Labadisten distanziert hatte und die Sekte
schließlich bekämpfte; mit seiner Hilfe befestigte
Maria Sibylla ihre Lateinkenntnisse, um ihre entomo-
logischen Studien vertiefen zu können. Einen regen
Gedankenaustausch pflegte sie mit dem Optiker Anthony
van Leeuwenhoek, bei dem sie das kürzlich erfundene
Mikroskop benutzen konnte. Die Naturalienkabinette
des Bürgermeisters Nicolaas Witsen, des Stadtsekre-
tärs Jonas Witsen und des Anatomieprofessors Frederi-

cus Ruysch, des Vaters der berühmten Malerin, standen ihr offen.[44] In dieser Atmosphäre konnten Maria Sibylla und ihre Töchter ihre intellektuellen und künstlerischen Fähigkeiten voll entwickeln.

Die älteste Tochter Johanna Helena, heiratete 1697 in Amsterdam den aus Bacharach stammenden Kaufmann Jacob Hendrik Herolt, den sie in Westfriesland kennengelernt hatte und der Geschäftsverbindungen nach Südamerika hatte.[45] Das junge Paar unternahm eine Reise nach Surinam und bestärkte nach der Rückkehr Maria Sibylla in dem Wunsch, die exotische Fauna und Flora an Ort und Stelle zu studieren. Der Ethnologe Nicolaas Witsen warnte sie zunächst vor den Gefahren eines solchen Unterfangens, unterstützte dann aber die fest entschlossene Frau bei den Reisevorbereitungen; vor allem erwirkte er ein Reisestipendium der Generalstaaten und versorgte die mutige Frau Merian mit Empfehlungsbriefen. Am 23. April 1699 hinterlegte sie bei dem Notar Wijmer ihr Testament, worin sie die Töchter als Universalerben einsetzte, und im Juni 1699 reiste die Zweiundfünfzigjährige mit der jüngsten Tochter, Dorothea, auf einem Kauffahrteisegler nach Südamerika.[46] Im August trafen die Frauen in Surinam ein.

So ungewöhnlich und einzigartig der kühne Entschluß Maria Sibyllas auch war, ist er doch aus dem ungeheuren Drang des Zeitalters in die Weite verständlich. Adlige und Patrizier schickten ihre Söhne auf die akademische Bildungsreise, Kaufleute sandten ihre Beauftragten in ferne Erdteile, um Kolonien zu gründen und neues Handelsgebiet zu erschließen, zu dem Missionseifer der Labadisten und ähnlicher Gruppen gesellte sich die beginnende geologische und ethnologische Erschließung Westindiens, und kühne Entdecker stießen auf der Suche nach vermeintlichen Goldschätzen in unerforschte Territorien vor. Das Besondere an dem Unternehmen der Merian war nicht nur die Tatsache, daß sie eine Frau war, sondern auch die Motivierung ihrer Reise. Niemandem wäre es damals eingefallen, ausschließlich zur Erforschung von Insekten in ferne Erdteile zu reisen.

Niederländisch Guayana, das seit 1954 als autonomer Teil der Niederlande wieder seinen alten Namen Surinam trägt, liegt am Nordrand Südamerikas. Im Innern des noch heute wenig erschlossenen Landes ver-

mutete man das sagenhafte Goldland El Dorado, das
hier besonders von Sir Walter Raleigh gesucht worden
war.[47] Im Frieden von Breda (1667) trat England Surinam an die Niederländer im Austausch gegen Hollands
nordamerikanische Kolonie Neu-Amsterdam ab. Die Bevölkerung konzentriert sich noch heute, wie zur Zeit
Maria Sibylla Merians, in der tropisch feuchtheißen
Tiefebene des Küstengebietes.

Maria Sibylla hatte nicht nur die herrlichen
Schmetterlinge bei den Sommelsdijks gesehen und mit
lebhaftem Interesse die phantastischen Berichte ihrer
Tochter Johanna Helena und des Schwiegersohnes ange-
hört, sondern sie erfuhr auch von dem mörderischen
Klima und den schwierigen Lebensumständen, an denen
die Bemühungen der Labadisten-Missionare gescheitert
waren. Aber das konnte sie nicht von ihrem Vorhaben
abhalten, die an dem Werk über die europäischen Raupen erprobte Methode nun auch in den Tropen auszupro-
bieren. Réaumur schrieb später: "Elle affronte les
vents, elle brave les flots, Sibylle à Surinam va
chercher la nature, avec l'esprit d'un sage et le
coeur d'un héros....Ç'a été une espèce de phenomène,
de voir une dame traverser les mers pour aller peindre les insectes de l'Amérique."[48] Auch die sozialen
Umstände, unter denen sie inmitten der Zuckerplanta-
genbesitzer leben und arbeiten mußte, erforderten allen Mut der unabhängig denkenden Frau.[49] Später berichtete sie: "De menschen hebben aldaar ook geen
lust iets diergelijke te onderzoeken, ja sy bespot-
tende my, dat ik iets anders in het land ging opzoe-
ken als zuiker."[50]

Maria Sibylla wagte mit ihrer Tochter mehrere Ex-
kursionen etwa fünfundsechzig Kilometer flußaufwärts
zu den Überbleibseln der Labadistenkolonie Providen-
tia, um die Flora und Fauna dieses unwirtlichen Ter-
ritoriums unterwegs und dann auf dem Grund und Boden
der Plantage Frau van Sommelsdijks zu ergründen. Der
Besuch wird in einer der Tafel-Legenden der *Metamorphosis insectorum Surinamensium* erwähnt:

> Den Monat April des Jahres 1700 verbrachte ich auf
> einer Farm in Surinam, die Eigentum der Frau Som-
> melsdijk war und den Namen Providentia [Fürsorge]
> trug. Hier sammelte ich mannigfache Beobachtungen
> über Insekten und entdeckte eine grosse Menge von
> Gummibäumen, die an dieser Stelle wild wachsen:

einen Zweig eines dieser Bäume zeige ich hier im
Bilde. - Eine grosse schwarz und grün gestreifte
Raupe der dargestellten Art fand ich auf diesem
Baume, mit dessen Laub ich sie bis Ende April füt-
terte. Nachdem sie sich dann in ein kugelförmiges
holzfarbenens Gespinst eingeschlossen hatte, ver-
wandelte sie sich in eine Puppe und aus dieser am
3. Juni in einen prächtigen Schmetterling, wie er
hier fliegend und auf einem Zweige sitzend dargestellt ist.[51]

Ähnlich schlicht und persönlich sind alle Beschreibungen zu den Bildtafeln formuliert; sie demonstrie-
ren auch die ausgesprochene Gabe Maria Sibyllas zur
präzisen Beobachtung und empirischen Arbeitsmethode.
Für uns sind sie vor allem von kulturhistorischem
Wert, denn sie bilden eine reiche Quelle von Informationen über das Land und Kolonialleben um 1700. Besonders zahlreich sind Angaben über die Verwendung
der Pflanzen als Heilmittel aller Art, die sie vor
allem von den eingeborenen Indianerinnen und importierten schwarzen Sklavinnen erfragte. Sie beschränkte ihre Beobachtungen und Experimente nämlich
nicht auf die Lebenszyklen und Nährpflanzen der Insekten, sondern dehnte ihre Forschungen auch auf Kro-
kodile, Eidechsen, Affen und andere Tiere aus.
    Außerdem kann sie wegen ihrer anthropologischen
Interessen als eine ferne Ahnin von Forscherinnen wie
Margaret Mead betrachtet werden. Sie berichtete über
allerlei Lebensgewohnheiten und Gerätschaften der
Indianer und Neger und verrät immer wieder ihre huma-
ne Haltung den eingeborenen Helfern gegenüber. Ihr
Mitgefühl galt vor allem dem Los der Sklavinnen und
geht zum Beispiel aus den Bemerkungen zur *Flos Pavonis*-Pflanze hervor, welche die Negerinnen zur Geburtenkontrolle benutzten. Auch die Indianerinnen, die
bei den Plantagenbesitzern Dienste tun mußten und den
Männern völlig ausgeliefert waren, aßen die Samen-
körner der *Flos Pavonis* um, wie Maria Sibylla berichtet, den Ungeborenen das Sklavendasein zu ersparen.
Unter den aus Angola und Guinea importierten Sklavinnen gab es häufige Fälle des Selbstmords. Frau
Merian erfuhr, daß die Sklavinnen glaubten, als freie
Menschen in ihrer afrikanischen Heimat wiedergeboren
zu werden. Es wäre interessant zu ergründen, ob diese Annahme auf religiösen Vorstellungen der afrikani-

schen Kulturen beruhte, oder ob es sich um Reste miß-
verstandener Wiedergeburtslehren aus der Zeit der
(zweimaligen) labadistischen Missionsversuche handelte.[52]

In ihrem Briefwechsel berichtet die Forscherin im
einzelnen über die Schwierigkeiten und Gefahren, die
den beiden Frauen immer wieder neue Aufgaben stell-
ten. Unermüdlich suchte Maria Sibylla neue Lösungen
zu den Erfordernissen des Behelfslaboratoriums, etwa
für den Transport der Raupen, die Versendung von Samen nach Holland, zur Eigenhilfe bei der toxischen
Wirkung beim Berühren gewisser Raupen und Pflanzen,
zur Behandlung der schmerzhaften Insektenstiche und
des Fiebers. Am wichtigsten ist jedoch der Beitrag,
den sie auf dem Gebiet der Entwicklung neuer Methoden
der Präparation von Insekten leistete.[53] Schließlich
beklagt sie sich, daß niemand in Surinam Lust habe,
die Pflanzenwelt zu erforschen, die doch so reich,
üppig und lehrreich sei.

Nach etwa zwei Jahren wurde die Vierundfünfzigjäh-
rige von einem heftigen Malariafieber ergriffen. Mit
reicher Ausbeute an Präparaten, Pflanzensamen und
Blumenzwiebeln, Zeichnungen und lebenden Specimen
versehen, trat sie die Heimreise an. Noch auf dem
Schiff setzte sie ihre Experimente mit gewissen Rau-
penarten fort, und die Schwerkranke mußte ja auch für
die Fütterung der lebenden Insekten und Pflege der
Futterpflanzen auf dem Schiff sorgen. Am 23. September 1701, nach fast viermonatiger Reise, traf sie in
Amsterdam ein und begann mit der Auswertung der Forschungsreise. Da Dorothea, ihre Assistentin, im selben Jahr heiratete, bat sie ihre ältere Tochter Johanna Helena, noch einmal nach Surinam zu reisen, um
die Arbeiten dort abzuschließen. Nicolaas Witsen unterstützte sie bei den Vorbereitungen zu einer aufse-
henerregenden Ausstellung ihrer Forschungsergebnisse
im Amsterdamer Stadthaus. Maria Sibylla ließ dann
die wichtigsten Zeichnungen in Kupfer stechen, nahm
die alten Geschäftsverbindungen wieder auf, verkaufte
eine Anzahl der Präparate, die sie nicht mehr benötigte, um ihre Kosten zu decken, und besorgte mit
Caspar Commelin (1638-1731) die lateinische Ausgabe
des Insektenbuches, die 1705 im Selbstverlag und bei
Gerard Valk in Amsterdam unter dem Titel *Metamorphosis insectorum Surinamensium* erschien und bald in
mehreren Sprachen aufgelegt wurde.[54] Maria Sibylla

begann noch die Bearbeitung der holländischen Ausgabe des Werkes über die europäischen Raupen. Ein Jahr später erlitt sie einen Schlaganfall, der sie fast völlig lähmte. Am 13. Januar 1717, im Alter von siebzig Jahren, starb sie in Amsterdam. Ihre Tochter Dorothea besorgte noch die Herausgabe des letzten Teils der holländischen Ausgabe des Raupenbuches, bevor sie nach Rußland zog.

Maria Sibylla Merian, die als Künstlerin in der glanzvollen Reihe der großen Meister der Naturdarstellung, wie sie im siebzehnten und achtzehnten Jahrhundert geübt wurde, einen hohen Rang einnimmt, war wohl die erste Europäerin, die mit Recht als Pionier- und Forschungsreisende bezeichnet werden kann. Ihr ganzes Leben hindurch bildete sich die außergewöhnliche Frau durch ihre Arbeiten und Studien weiter, ohne sich durch die Vorurteile ihrer Zeit beirren zu lassen. Sie erwarb sich die nötigen Kenntnisse auf jede sich bietende Weise, sei es durch Selbststudium oder mit Hilfe von Freunden. Unermüdlich fand und suchte sie Erlebnisse und Stoffe, an denen sie ihr Denken schulte, ihr Urteil klärte und ihren Willen aktivierte. Um dies erreichen zu können, mußte sie den Mut aufbringen, ihre Heimat zu verlassen und ihr Leben als alleinstehende Frau zu meistern. Naturbeobachtung, geschäftliche Tüchtigkeit und Kunstschaffen bildeten eine harmonische Einheit in ihrem wirkungsreichen Leben, wie es der schlichte Schlußvers der Vorrede zu ihrem ersten Buch ausdrückt:

> So muss Kunst und Natur stets mit einander ringen/
> bis dass sie beederseits sich selbsten so bezwin-
> gen/
> damit der Sieg besteh' auf gleichen Strich und
> Streich:
> Die überwunden wird/ die überwindt zugleich!
> So muss Kunst und Natur sich hertzen und umfangen/
> und diese beederseits die Hand einander langen:
> Wol dem/ der also kämpft! dieweil/ auf solchen
> Streit/
> wann alles ist gethan/ folgt die Zufriedenheit.

　* Für finanzielle Unterstützung zu diesem Projekt danke ich dem American Council of Learned Societies und dem Deutschen Akademischen Austauschdienst.
　Nach Abschluß der Arbeit erschienen zwei wichtige Nachdrucke bez. Neuausgaben zu Merians Werken:
1) Wolf-Dietrich Beer, Hrsg., unter Mitarbeit von Irina Lebedeva, Gerrit Friese und Margitta Beer: *Schmetterlinge, Käfer und andere Insekten: Leningrader Studienbuch/* Maria Sibylla Merian. Faksimile-Ausgabe. Edition Leipzig und Luzern: Reich, o.J. [1980].
2) *The Origins, Food and Marvellous Transformation of Caterpillars. Erucarum Ortus Alimentum et Paradoxa Metamorphosis.* By Maria Sibylla Merian. Introduction by William T. Stearn. (Published in association with The Royal Horticultural Society from the copy in the Lindley Library.) London: Scolar Press, 1979.

ANMERKUNGEN

1　Zitiert nach Elisabeth Rücker, *Maria Sibylla Merian.* Ausstellungskatalog (Germanisches Nationalmuseum Nürnberg, 1967), S. 24.

2　*Metamorphosis insectorum Surinamensium/ Omnia in America ad vivum naturali magnitudine picta atque descripta* (Amsterdam: G. Valck, 1705).

3　Ausstellungskatalog, S. 7.

4　Vgl. Shephard B. Clough, "Science, Technology, and the Early Industrial Revolution," in *European Economic History* (London, New York, Toronto: McGraw Hill, 1968).

5　Matthäus Merian d.Ä., (1592-1650), bedeutender Kupferstecher. Sein Schaffen hatte mit den berühmten Illustrationen zur Bibel begonnen; die bis in unsere Zeit viel beachtete, zehnbändige *Topographia* wurde durch seine Söhne bis 1688 fortgeführt; sie zeigt zahlreiche Ansichten Europas vor den Zerstörungen des Dreißigjährigen Krieges.

6　Vgl. Rudolf Stadelmann und Wolfram Fischer, *Die Bildungswelt des deutschen Handwerks* (Berlin: Duncker & Humblot, 1955).

7　Siehe Helmut Deckert, *Maria Sibylla Merians Neues Blumenbuch,* Nürnberg, 1680. Faksimileausgabe (Leipzig: Insel, 1966), S.

80

19.

8 Siehe *Lexikon der Frau* (Zürich: Encyclios, 1964), Bd. 1,
Sp. 771, und H. J. Mozans [John Augustine Zahm] *Women in Science* (1913, Repr. Cambridge, Mass., London: M.I.T. Press,
1974).

9 Matthäus Merian d.J., Kupferstecher und Portraitmaler,
(1621-1687), Schüler J. von Sandrarts, der ihn nach Amsterdam
mitnahm; Caspar Merian d.J. (1621-87).

10 Jacob Marell (1614-1681), aus Frankenthal, wo sich eine vor
der spanischen Inquisition geflohene holländische Malerkolonie
befand. 1669-79 bei Jan Davidsz de Heem in Utrecht. In erster
Ehe mit einer Utrechterin verheiratet, vermählte sich nach deren Tod mit der Witwe Merian; eröffnete in Frankfurt ein eigenes Atlier, ohne den Utrechter Kunsthandel aufzugeben.

11 Abraham Mignon, 1651-64 als Schüler und Mitarbeiter Marells
in Frankfurt. 1669-72 mit Marell in Utrecht.

12 Die Trauung fand am 16. Mai 1665 statt. Johann Andreas
Graff, geb. 1737 in Nürnberg, gest. 1701 daselbst. 1653-57 bei
Marell in der Lehre. Nach 1685 amtliche Trennung seiner Ehe
mit Maria Sibylla Merian; verheiratete sich 1694 wieder.

13 Von Interesse ist in diesem Zusammenhang der Briefwechsel
der Merian mit der Nürnbergerin Clara Regina Imhoff (1664-1740);
dazu siehe Rücker, Ausstellungskatalog (Anm. 1), S. 24. Die
wenigen überlieferten Briefe zeigen eine auch für damalige Verhältnisse etwas großzügige Orthographie.--Die Anfänge einer
allgemeinen Mädchenerziehung blieben jahrhundertelang trotz der
Bemühungen einiger Männer der Reformation und des Humanismus
sowie der Schul- und Visitationsordnungen des 16. Jahrh. und
der Forderungen J. A. Comenius' bescheiden und vor allem auf
die Abhängigkeit des weiblichen Geschlechts vom Mann bezogen.
1717, im Todesjahr Maria Sibyllas, wurde in Preußen die allgemeine Schulpflicht eingeführt.--Das Werk von J. Stuldreher-
Nienhuis, *Verborgen Paradijzen. Het leven en de werken van Maria Sibylla Merian 1647-1717* (Arnhem, 1944) stand mir leider
noch nicht zur Verfügung.

14 Auf diese Tatsache weist Rücker im Ausstellungskatalog (S.
16) ausdrücklich hin. Sie stützt sich auf zahlreiche Hinweise
bei Johann Gabriel Doppelmayr, *Historische Nachricht von den
Nürnbergischen Mathematicis und Künstlern*...(Nürnberg, 1730),
S. 255, 268-70.

15 So z.B. bei Joachim von Sandrart, *Teutsche Academie der Ed-
len Bau-, Bild- und Mahlerey-Künste*...(Nürnberg, Frankfurt,

1675), S. 339, im Abriß über Maria Sibylla Merian.

16 Johann Theodor de Bry, *Florilegium renovatum et auctum: Das ist ernewertes und vermehrtes Blumenbuch* (Frankfurt a.M.: Matthäus Merian, 1641). 143 Hochformat-Tafeln von J. T. de Bry, der sie 1612-14 unter dem Titel *Florilegium novum* in Oppenheim herausgebracht hatte.

17 Jean de Labadie (1610-74) gründete 1659 in Amsterdam eine separatistische Sekte; 1674 Kolonie der Labadisten in Wieuwerd, Westfriesland, unter der Leitung Pierre Yvons. Güter- und Lebensgemeinschaft, Ehe nur zwischen Gemeindegliedern, 1735 löste sich die Labadistensekte auf.

18 Anna Maria Schürmann, geb. 1607 in Köln, gest. 1768 in Wieuwerd; schrieb 1673-78 die Geschichte der Labadisten. Caspar Merian hat noch ein Jahr im Umkreis der Schürmann gelebt.

19 Die Frage nach der Rolle der Frau in den Gilden und Zünften ist ein komplexes Thema, das eine eingehende Untersuchung verdient.

20 Der Begriff "Kunstgewerbe" und die Aufgaben des Tätigkeitsbereiches, der diesen Begriff einschließt, sind erst um die Mitte des 19. Jrh. festgelegt worden.

21 Siehe Anm. 15.

22 *Florum Fasciculus Primus*, 1675; *Florum Fasciculus Alter*, 1677; *Florum Fasciculus Tertius*, 1680, alle in Nürnberg erschienen.

23 Die "Vorrede/ an den/ Natur- und Kunst-liebenden Leser" wurde zitiert nach Deckerts Ausgabe des Faksimiledruckes des *Neuen Blumenbuches* (Anm. 7).

24 Der Name ihres Mannes findet sich im Impressum der Bücher der Merian zwischen 1675 und 1683; nach der Scheidung signierte sie nur noch mit ihrem Mädchennamen.--Die ersten Werke der Merian haben durch ihre Seltenheit bis heute den Charakter von Privatdrucken bewahrt. Weitere Ausgaben des Werkes über die europäischen Raupen: 1683, *Der Raupen wunderbare Verwandelung*, Frankfurt, Teil 2. 1713 und 1714 ersch. die von Maria Sibylla selbst besorgten Teile 1 und 2 der holländischen Ausgabe, im Selbstverlag und bei Valk in Amsterdam, unter dem Titel *Der Rupsen Begin, Voedzel, en wonderbare Verandering*. 1717 ersch. im Selbstverlag in Amsterdam posthum der 3. Teil, herausgegeben von ihrer Tochter Dorothea (Merian) Gsell. 1718 ersch. bei Oosterwijk in Amsterdam eine lateinische Ausgabe: *Erucarum Ortus, Alimentum et paradoxa Metamorphosis*; 1730 eine franz.

82

Übersetzung von Jean Marret: *Histoire des insectes de l'Europe,* und eine holländische unter dem Titel *De Europische Insecten,* beide in Amsterdam bei Jean Fédéric Bernard.

25   Thomas Mouffet, *Insectorum sive minimorum animalium theatrum* (1634).--Die meisten älteren Bezeichnungen sind nicht nur typisch für das Frühwerk der Merian, sondern waren damals allgemein üblich.

26   Rösel von Rosenhofs *Insekten-Belustigungen,* ein künstlerisches wie sprachliches Meisterwerk, ersch. ab 1740. Rösel konnte kein Latein und war daher auf die Lektüre von Merian, Derham, Lesser und Frisch beschränkt.

27   Die Metamorphose des Seidenspinners wurde zuerst bekannt.

28   Max Beier, "The Early Naturalists and Anatomists during the Renaissance and Seventeenth Century," in *History of Entomology,* hrsg. von Ray F. Smith et al. (Palo Alto, Calif.: Entomological Society of America, 1973). In diesem neuen Standardwerk wird Merian ausführlich kommentiert.

29   Über Insektenprozesse und -Beschwörungen, K. v. Amira, "Thierstrafen und Thierprozesse," *Mitth. Inst. f. Oesterr. Geschichtsforschung,* 12 (1891), 545-601.

30   Paris, 1734-42, 6 Bde.; und Amsterdam, 1734-48, 12 Bde.

31   Siehe F. Lobell: "Die Malerin der Tropenwunder," *Orion. Zeitschrift für Natur und Technik,* 1 (1952), 38-39.

32   Aus der Antike bestizen wir nur wenige sichere Quellen über Malerinnen. Während des Mittelalters blieben die Namen einzelner Künstlerinnen oft ungenannt. Das 19. und 20. Jahrhundert verzeichnet mehrere bedeutende Künstlerinnen, aber im 19. Jh. kam in Deutschland auch der pejorative Ausdruck "Malweib" auf, der auf den Lebensstil der Malerinnen anspielte.

33   Beispiele dafür, daß die Leistung bedeutender Malerinnen im Schatten des großen Namens oft ein kunsthistorisch schwer zu analysierendes Werk darstellt, sind z.B. die Arbeiten Marietta Tintorettos (1550-90). Die Gemälde Judith Leysters (1610-60) sollen nicht leicht von denen des Malers Frans Hals (1580/81-1666) zu unterscheiden sein.

34   Vgl. Ausstellungskatalog, Vorwort.

35   Nikolaus Pevser, *Academies of Art, Past and Present.* (London: Cambridge Univ. Press, 1940), 115-17. Der Frankfurter Sandrart hatte seine Ausbildung in Utrecht erhalten und wirkte in London, Rom, Amsterdam, Augsburg und (seit 1674) Nürnberg.

36 Deckert (Anm. 7), S. 26.

37 Erhard Göpel, "Von der Schönheit der Schöpfung. Maria Sibylla Merian und ihr Werk," *Westermanns Monatshefte*, 95 (1954), 10, 17-20.

38 Georg Flegel (1563-1638) kam von der flandrischen Malschule her. Seit 1594 in Frankfurt; war Marells Lehrer gewesen, und Maria Sibylla studierte seine Blätter. In Gegensatz zu der barocken Üppigkeit seiner Zeitgenossen zeichnen sich Flegels Kompositionen durch Sparsamkeit der ausgewählten Objekte aus.

39 Mitarbeiter an den 60 Kupfern: Pieter Sluyter (35), Joseph Mulder (21), Daniel Stoopendael (1). Die Texte schrieb Maria Sibylla selbst, unterstützt durch ihren Freund Prof. C. Commelin.--Z. C. von Uffenbach, *Merkwürdige Reisen durch Niedersachsen, Holland und Engelland* (1754 Rpt., Ulm: Gaumisch, 1975), 552-54.

40 Beim Umdruck wird von dem eben hergestellten Kupferstich ein Druck abgenommen, der dann im Vergleich zum Kupferstich seitenverkehrt ist, also der Vorzeichnung wieder entspricht und keinen Plattenrand hat. Man druckt also von Papier auf Papier.

41 Zitiert nach Ausstellungskatalog, S. 12.

42 Ich kann nicht umhin, an dieser Stelle auf den 1978 so makaber fehlgeschlagenen "Siedlungsversuch" der amerikanischen Sekte des "Volkstempels" in dem benachbarten (Britisch)-Guayana hinzuweisen.

43 1662-68 erschien Jean Goedaerts *Metamorphosis insectorum* in Middelburg, 1669 Jan Swammerdams *Historia generalis insectorum* in Utrecht, 1671 in Amsterdam Francesco Redis *Experimenta circa generationem insectorum*, und 1688 Stephen Blankaarts *Schou-Burg der Rupsen, Wormsen, Magden en vliegende Dierkens* in Amsterdam.

44 Die Blumenmalerin Rachel Ruysch zog auch 10 Kinder auf!

45 Johanna Helena, geb. 1668 in Frankfurt, hielt sich mehrere Male in Surinam auf. Über den weiteren Verlauf ihres Lebens ist wenig bekannt.

46 Dorothea Maria Henriette, geb. 1678 in Nürnberg, 1699-1701 mit der Mutter in Surinam, heiratete 1701 in Amsterdam den Chirurgen Philip Hendriks, der 1711 starb. 1717 heiratete sie den Maler Georg Gsell. Wohnsitz bis zu ihrem Tod (1743) in Petersburg, wo Gsell Hofmaler war. Dorothea beherrschte auch die hebräische Sprache.

47 El Dorado: Sagenumwobenes Goldland im Innern des nördlichen

Südamerika, das auf der Suche nach dem vergoldeten Kaziken mehrfach durchquert wurde, auch von Deutschen. W. Raleigh fuhr 1595 nach Guayana, um El Dorado zu suchen.

48 Siehe Anm. 30.

49 Die Pflanzerpartei besetzte alle Verwaltungskörperschaften und hielt die Indianer und Negersklaven in strenger Zucht. Sie hatte das Monopol für die Sklavenzufuhr ganz Guyanas.

50 Deckert, S. 25.

51 Textzitat nach Friedrich Schnack, *Die Reise nach Surinam 1699* (Stuttgart, 1956), S. 10.

52 Erst 1735 konnten die Herrnhuter Brüdergemeine, Quäker und ähnliche Gruppen etwas erfolgreicher auf die sozialen Missverhältnisse der Indianer und Neger in Surinam einwirken.

53 Briefwechsel Maria Sibylla Merian mit dem Mediziner Johann Volkammer in Nürnberg; Ausstellungskatalog, 17-25.

54 *Dissertatio de generatione et metamorphosibus insectorum Surinamensium* (1719) und *Over de Voorteeling en Wonderbaerlijke Veranderingen der Surinamsche Insecten*, bei Oosterwijk in Amsterdam (erweiterte Auflagen). 1726: *Histoire des insectes de l'Amérique*, bei Peter Gosse im Haag.

4.

HERBERT A. ARNOLD

DIE ROLLEN DER COURASCHE: BEMERKUNGEN ZUR WIRTSCHAFTLICHEN UND SOZIALEN STELLUNG DER FRAU IM SIEBZEHNTEN JAHRHUNDERT

Versucht man, sich anhand von wirtschafts- und sozialgeschichtlichen Studien ein Bild über die Stellung der Frau in Deutschland im siebzehnten Jahrhundert zu verschaffen, so wird man lediglich auf die
Unmöglichkeit verwiesen, darüber allgemein gültige
Aussagen zu finden: Über die Stellung der Frau und
ihre sozio-ökonomischen Rollen herrscht allgemeines
Schweigen.[1] So mag der Versuch erlaubt sein, sich
ein Bild von den wirtschaftlichen und gesellschaftlichen Möglichkeiten einer Frau unter den Bedingungen
dieses Krieges durch eine Untersuchung des detail-
liertesten und verbreitetsten Barockromans zu verschaffen, der eine einigermaßen realistisch gezeich-
nete Frau zur Hauptfigur hat,[2] Grimmelshausens *Courasche*. Die Heranziehung anderer, ebenso populärer
Werke aus den sogenannten Simplicianischen Schriften
kann dazu einen Einblick in die Beurteilung weiblicher Aktivität vermitteln, welche nicht im Sinne
einer höfischen Idealisierung verfremdet und kompliziert wurde.[3] Es geht hier also um die Untersuchung
und Darstellung der gesellschaftlichen und wirtschaftlichen Möglichkeiten einer Frau im Dreißigjährigen Kriege und die vom Autor implizit oder explizit
mitgelieferte Beurteilung ihrer Betätigung.
Vier Bereiche lassen sich deutlich erkennen, die
alle von Courasche durchexerziert und von Grimmelshausen beurteilt werden: Courasche als Ehefrau, als
Prostituierte, als Soldat und als kriegsbezogene Unternehmerin. Im Roman sind diese Rollen natürlich
nicht fein säuberlich getrennt, und wir werden daher
zumindest an einer Stelle ihre Verbindung kritisch
betrachten müssen. Da die Rollen der Courasche als

Ehefrau und Prostituierte in der Forschung vielfach
untersucht wurden, können wir auf die vorhandene Sekundärliteratur gestützt die bislang unbeachteten
sozio-ökonomischen Aspekte dieser Rollen hervorheben.
Das eigentlich Neue tritt uns erst in der Untersuchung der Soldaten- und Unternehmerrolle entgegen.
Diese wurden im allgemeinen wenig beachtet und nirgends
ausführlich behandelt. Eine kritische Betrachtung
der hier angeführten Rollen der Courasche soll ein
weitverbreitetes Bild der Frau aus der sozio-ökono-
misch wichtigen Übergangszeit von Frühkapitalismus
und erwachsendem Bürgertum zum merkantilistischen Absolutismus aufzeigen.

In der Behandlung von Courasches Ehen finden sich
zwei deutlich unterschiedene Interpretationsansätze.[4]
Die Mehrheit der Kritiker liest die sieben Ehen der
Courasche als Stationen auf ihrem Abstieg von gesellschaftlicher Respektabilität zu dem Zigeunerdasein
des Schlusses; dieser Abstieg wird zugleich als allegorische Aussage über ihre moralische Entwicklung gesehen. Durch ihre Versuche, die göttliche oder natürliche Ordnung auf den Kopf zu stellen und in der
Ehe den Ton anzugeben oder--um Grimmelshausens Bild
zu gebrauchen, die Hosen zu tragen--erweist sich
Courasche als moralisches Negativbild. Dies wird un-
terstrichen durch ihre Unfruchtbarkeit, den Tod aller
ihrer rechtmäßig angetrauten Gatten, ihren Kampf mit
dem Leutnant und schließlich ihren pervertierten Ehe-
kontrakt mit Springinsfeld. Während Simplicissimus
trotz aller Irrungen und Schwächen im Endeffekt zu
Gott findet, bleibt Courasche--diesen Interpretationen nach--in ihrer verstockten Sündhaftigkeit befangen und somit verdammt. Ja, nicht nur als Trutz-
Simplex ist sie zu verstehen, sondern für zumindest
einen Interpreten ist sie die Verkörperung des mis-
ogynen Frauenbildes bei Grimmelshausen schlechthin.[5]
Für unsere gegenwärtige Diskussion gilt festzuhalten,
daß Grimmelshausen in der Tat eine moralische Verurteilung seiner Hauptfigur intendiert und durchführt,
welche durchwegs auf den moralischen Kategorien
christlicher Sünden- und Heilslehre beruht.

Ebenso deutlich ist jedoch--und von allen Kriti-
kern bemerkt--, daß Grimmelshausen seiner Heldin so-
viel an attraktiven Zügen mitgegeben hat, daß man zumindest von einer Ambivalenz ihr gegenüber sprechen
darf, wenn nicht gar von Haßliebe oder Bewunderung.[6]

Diese Beobachtung hat zu einer Minderheit kritischer
Stimmen geführt, die auf wesentliche Einzelheiten in
Courasches Ehen hinweisen, welche der Mehrheitsinter-
pretation widersprechen.[7] Zugleich gilt es auch,
eine allgemeine Ambivalenz Grimmelshausens den Frauen
gegenüber zu berücksichtigen, die ihre Bedeutung für
seine Ansichten zur Ehe hat.[8] Bei einer detaillierten Überprüfung der Ehen Courasches ergeben sich tatsächlich einige wichtige Befunde. Immer wieder wird
gezeigt, daß die Ehe lediglich ein möglicher Schutz
der hilflosen Frau im Kriege ist; mehrfach hat sie
die 'Wahl,' sich entweder von einer ganzen Horde ver-
gewaltigen zu lassen oder aber einen ihrer Bedränger
auszuwählen und als Beschützer und Gatten zu akzeptieren. Ihre wiederholten Versuche, dem Krieg zu
entrinnen und sich selbständig, permanent irgendwo
niederzulassen, scheitern an einer Kombination von
äußeren Umständen und persönlicher Neigung; in den
meisten Fällen spielt jedoch eindeutig mit, daß sie
ohne Ehemann auch ohne rechtlichen Schutz dasteht.
   Noch bedeutsamer ist die Tatsache, daß es ursprünglich keineswegs Courasche ist, welche die Ober-
herrschaft in der Ehe, d.h. im moralischen Sinne
deren Verdrehung, anstrebt. In ihrer dritten Ehe mit
dem jungen Leutnant ist *er* es, der nach der Hoch-
zeitsnacht sie zu einem Duell um die "Hosen" fordert;
sie ist versöhnlich, vernünftig und macht sich sogar
zum Sprachrohr der gängigen Meinung nach der "das
Weib nicht aus des Manns Haubt/ aber wol aus seiner
Seiten genommen worden" (42), der Mann demnach dem
Weibe übergeordnet sei. Allerdings fährt sie fort,
"habe ich gehofft meinen Herzliebsten werde solches
auch bekand seyn/ und er werde derowegen sich meines
Herkommens erinnern/ und mich nicht/ als wann ich von
seinen Fußsohlen genommen worden wäre/ vor sein Fuß-
Thuch/ sondern vor sein Ehe-Gemahl halten" (42).[9]
Erst als er dennoch auf dem Prügeln besteht, schlägt
sie zu und besiegt ihn. Dabei zeigt sich, daß er
versucht hatte, seiner sozialen Rollenerwartung gerecht zu werden und deshalb nicht nur den Streit vom
Zaune gebrochen, sondern sich sogar Zeugen seines
vermeintlichen Sieges geladen hatte. Beide Aspekte
dieser typischen Szene sind von Bedeutung und werden
im Werk wiederholt; Courasche dringt lediglich auf
Gleichberechtigung, während ihr Mann zu dominieren
versucht, wobei er dem Gehänsel seiner Kameraden zum

Opfer fällt, welche damit ihre männliche Rollenerwartung ausdrücken.

Auch im Falle des Springinsfeld, wie in der Ehe mit ihrem zweiten Hauptmann zeigt sich, das Großzügigkeit und Gleichberechtigung Voraussetzungen für ein Zusammenleben mit ihr sind. Der Versuch sie zu unterdrücken führt dagegen zu ihrer erfolgreichen Gegenwehr und Dominanz (III, 36 ff.).[10] Zusammenfassend läßt sich daher festhalten, daß Grimmelshausen in den Ehen der Courasche durchaus eine moralisch-didaktische Tendenz verdeutlicht, die auf eine negative Beurteilung Courasches hinausläuft; dies ist von den meisten Interpreten dieses Romans klar erkannt und dargelegt worden. Zugleich gilt es jedoch, die Details der Ehen im Auge zu behalten, will man nicht die Ambivalenz Grimmelshausens vereinfachen.

Es gibt noch weitere Elemente, welche die Beurteilung Courasches auf Grund ihrer Ehen problematisch machen und zusätzlich komplizieren. Diese seien kurz angedeutet. Die allgemeinen Auffassungen Grimmelshausens zur Natur und Rolle der Frau sind in sich selbst ambivalent.[11] So sieht er sie einerseits als Frau Welt, deren gleisnerische Hülle nur ihre eigentliche Korruption verbirgt--ein mittelalterlicher Topos, dessen moralische Bewertung offensichtlich ist. Andererseits aber betont er, daß Frauen eine feinere Natur besäßen als die Männer, mehr Witz, große Tapferkeit und Beständigkeit (S.P., 76-81). So wie er in seinem *Satirischen Pilgram* mit dialektischen Gegenüberstellungen arbeitet, so zeigt sich sein gesamtes Denken über Frauen und Ehe doppelgängig. Für unseren Zusammenhang ist bedeutsam, daß die Beurteilung der Ehen Courasches nicht nur auf Grund der dieser Romanfigur spezifischen Eigenschaften und Taten getroffen, sondern überlagert wird von ihrer allegorischen Bedeutung als Frau Welt und dem dialektischen Verständnis der Ehe und der wechselseitigen, gleichwertigen Verantwortung von Mann und Frau füreinander.[12] Berücksichtigt man zudem die Verwendung von Schwankmotiven mit den diesem Genre inhärenten Vor- und Werturteilen, die als Motiv des Ehe- und Geschlechterkriegs allgemein bekannt und hier verwendet worden sind, so wird deutlich, wie kompliziert die Aussage über selbst ein so scheinbar eindeutig festlegbares Phänomen wie Courasches Ehen wird. Dies gilt in verstärktem Maße für die noch zu untersuchen-

den wirtschaftlichen Betätigungen der Courasche. Es
ist daher nützlich, sich dauernd an diese mehrfache
Art der Aussage und Beurteilung zu erinnern.

Der Dichter beschreibt zunächst eine Tätigkeit
seiner Heldin. Durch Bild- und Wortwahl und Erzähl-
struktur verweist er auf eine moralisch-didaktische,
von ihm intendierte Interpretation. Diese wird jedoch überlagert von Formelementen, direkten Aussagen
und allgemeinen Werturteilen, die--auf einer dialektischen Schau der betrachteten Phänomene basierend--
die moralisch-didaktische Interpretationsebene relativiert und als Ambivalenz der Beurteilung des Hand-
lungsablaufes durch den Dichter erfahren wird. Diese
Ambivalenz wird auch in der Beurteilung von Courasche
als Prostituerte, als Soldat und als Unternehmerin zu
untersuchen sein. Es ist eine der Thesen dieses Auf-
satzes, daß diese Ambivalenzen in der Beurteilung der
Frau zeittypisch sind und zu einem beträchtlichen
Teil von der gesellschaftlichen und wirtschaftlichen
Verunsicherung des Mannes im Dreißigjährigen Kriege
mitgeformt werden.

Ein interessantes Beispiel solcher Ambivalenz und
ihrer wirtschaftlichen Komponente findet sich in Courasches Rolle als Prostituierte oder Hure, wie Grimmelshausen sie nennt. Es ist eigenartig, wie fest
verbunden mit Courasche die Vorstellung ihrer Promiskuität ist. Sowohl im Roman *Courasche*, als auch im
Rathstübel Plutonis, gilt Courasche als sexuell frei-
zügig und daher gottlos.[13] Doch gibt es zwei Faktoren, die selbst hier, im Bereich eindeutiger moralischer Ablehnung zu berücksichtigen sind und zu einer
für unseren Zusammenhang höchst interessanten Ambivalenz führen. Es sind dies männliche Mitverantwortlichkeit für weibliches Fehlverhalten im sexuellen
Bereich einerseits und die bedeutsame, bislang völlig
unbeachtete wirtschaftliche Komponente von Courasches
Hurerei andererseits.

Der Aspekt männlicher Mitverantwortlichkeit ist in
der Forschung bereits behandelt worden und sei daher
hier nur kurz referiert.[14] Er beruht im Wesentlichen
auf der bereits erwähnten dialektischen Schau Grimmelshausens von der Gleichwertigkeit und notwendigen
gegenseitigen Ergänzung von Mann und Frau in der Ehe.
Was dort als positive Erwartung angesprochen wurde,
gilt im Bereich der Prostitution ebenso, nur mit moralisch negativem Vorzeichen. So wie ein frommer

Mann sich eine fromme Frau erzieht, so sagt unser Autor eindeutig "wann kein leichtfertiger Bub wäre/ daß alsdann auch keine Huren seyn würden" (V., II, 209). Die Nachstellungen der Männer sind demnach ebenso wichtig für Courasches Beurteilung wie ihre "Natur," ihre ungewöhnliche Schönheit und sexuelle Anziehungskraft auf Ehemänner oder Liebhaber. Wenn es wohl auch etwas übertrieben ist, die "Verantwortlichkeit der Männer für Charakter und Lebenswandel der Frau als barocke Binsenwahrheit" zu bezeichnen, so ist die dialektisch-ambivalente Haltung selbst der Prostitution Courasches gegenüber hier richtig erfaßt.[15] Die Frau kann als Verführerin nur dem Verführbaren gegenüber Erfolg haben. So wie der Mensch von der Welt und ihren Schönheiten verführt und betrogen wird, so auch die Männer von Courasche als Frau-Welt Figur. Dies bedeutet aber, daß die Frau als Verführerin bereits in sich selbst ambivalent erscheint; sie verführt nicht nur andere, sondern auch sich selbst. Ebenso sind diejenigen, die ihr verfallen, selbst dafür mitverantwortlich.

Ähnlich vieldeutig sind die bisher völlig vernachlässigten finanziellen und wirtschaftlichen Aspekte von Courasches Buhlschaften. Diese Vernachlässigung dürfte kaum überraschen. Nicht nur ist die gesamte literarische Forschung zur *Courasche* nur am Symbolwert von Geld und Prostitution interessiert, soweit beide überhaupt beachtet werden;[16] selbst wirtschafts- und sozialgeschichtliche Studien ignorieren vielfach den "ältesten Beruf" der Welt. Obschon auch hier das Quellenmaterial sehr spärlich ist, lassen sich dennoch einige Feststellungen mit Sicherheit treffen. Im siebzehnten Jahrhundert, vor allem um 1650, schwillt die Zahl der Prostituierten in den großen Handelszentren dramatisch an; die befestigten Großstädte, wie Wien, Prag oder Hamburg, wurden vom Kriege verschont und ziehen sie ebenso an, wie der Troß der Heere.[17] An beiden Orten finden wir Courasche als Prostituierte tätig. In Wien erlernt sie das Gewerbe und erwirbt sich durch sorgfältige Auswahl finanzkräftiger, gesellschaftlich hoch gestellter Freier beträchtliche Sach- und Geldwerte. Ein Stück Atlasstoff und hundert Dukaten von einem Grafen, sechzig Pistolen von einem Abgesandten für eine Nacht; für Arme ist hier kein Zutritt. Ihre eigenen Worte drücken die wirtschaftliche Seite ihrer Aktivi-

täten so lebendig wie deutlich aus: "Solcher Gestalt
richtete ichs dahin/ daß meine mühle gleichsamb nie
leer stunde/ ich maltzerte auch so Meisterlich/ daß
ich inner Monats Frist über 1000. Ducaten *in specie*
zusammen brachte/ ohne das jenige/ was mir an Klein-
odien/ ringen/ Ketten/ Armbändern/ Sammet/ Seiden und
Leinen Gezeug (mit Strümpfen und Handschuhen dorffte
wol keiner aufziehen/) auch an *Victualien*, Wein und
anderen Sachen verehrt wurde/" (34). Eine Kurtisane
oder Mätresse hochgestellter Persönlichkeiten gebot
also über beträchtliches Kapital, welches sie in den
Augen vor allem der männlichen Mitwelt relativ billig
und einfach zu erwerben schien. Dieser Erwerb von
Grundkapital ist zum Verständnis Courasches und für
ihre negative Beurteilung durch den Autor wichtig.
Zusammen mit den erblich erworbenen Gütern eines ihrer verstorbenen Gatten bietet dieses Kapital und die
Möglichkeit, es immer wieder zu erwerben, solange sie
noch anziehend und "glatthärig" ist, die Gelegenheit
für Courasche, relativ unabhängig zu handeln oder zumindest nach dieser Handlungsfreiheit zu streben (44
f., 54).

Beim Heer verfolgt sie diese Unabhängigkeit sowohl
sexuell als auch finanziell in ihren diversen Ehen
und Verhältnissen, am deutlichsten in ihrem Kontrakt
mit Springinsfeld, welcher ihr alle Freizügigkeit
verstattet, die sie auszuüben wünscht, während Springinsfeld lediglich als Aushängeschild fungiert. Dies
ist ihr völlig klar: "Ich wuste wol/ daß der Mann/
welchen mir Spring-ins-felt aber nur *pro forma re-*
praesentieren muste/ das Haubt meiner Marquedenterey
darstellte/ und daß ich unter dem Schatten seiner
Person in meiner Handelschafft agirte; auch daß ich
bald ausgemarquedentert haben würde/ wann ein solches
Haupt mir mangelte/" (112). Was dies und andere Details ihres Ehekontraktes noch bedeuten, ist andern-
orts bereits untersucht worden.[18] Hier sei nur auf
eine Eigenart von Courasches "Hurerei" verwiesen. In
den meisten Fällen wird sie als Mittel zum Zweck des
Kapitalerwerbs verwendet (44 f., 54) oder um einen
potentiellen Ehemann in die Netze zu locken (52, 68).

Daraus ergibt sich aber eine interessante und neu-
artige Perspektive auf das bekannte Grimmelshausen-
sche Thema von der *vanitas mundi* und ihrem betrügerischen Wahn. Unbeschadet der üblichen metaphysischen
Interpretation, welche diesen Vorstellungen durchaus

zukommt, beziehen sie sich doch wohl auch ganz konkret auf die wirtschaftliche Unsicherheit des Zeitalters allgemein und die zusätzlichen Gefährdungen durch den Dreißigjährigen Krieg im besonderen. Wie alle Wirtschaftshistoriker betonen, ist das Wirtschaftsleben, wie das physische Leben, der Menschen im Europa des vorindustriellen Zeitalters (zumindest also bis etwa 1700) von einer für uns heute unvorstellbaren Unsicherheit bestimmt. Drastische Schwankungen der Produktivkräfte (wie Kapital, Bevölkerung) kombiniert mit Katastrophen (in Form von Seuchen, Mißernten) und Zerstörung von Handelsräumen durch den Krieg schaffen eine große Unsicherheit im Wirtschaftsbereich, welche auch auf dem Gebiet des Glaubens (Reformation, Religionskriege) und der Politik (Auflösung des Reiches, absolutistisches Fürstentum) erfahren wird.[19] Wie diese diversen Faktoren einander beeinflussen, steht hier nicht zur Debatte; es geht lediglich darum, festzuhalten, daß der große Krieg neben ungeheurem Elend Vieler auch die Bereicherung gewisser Einzelner oder Gruppen mit sich brachte, daß der Krieg sowohl Bedrohung wie auch Erwerbs- und Aufstiegschancen bedeutete.[20] Ein solcher Erwerbszweig ist die Prostitution und Courasche zeigt uns deutlich deren Vor- und Nachteile. Die großen wirtschaftlichen und politischen Veränderungen der Zeit bleiben den Zeitgenossen weitgehend undurchschaubar. Ihre Auswirkungen auf den Einzelnen oder auf bestimmte Gesellschaftsgruppen wurden jedoch von allen wahrgenommen. Was lag näher, als alles, was man weder wußte, noch verstand, in den vertrauten Kategorien moralischer Beurteilung zu fassen oder völlig Unverständliches übernatürlichen Kräften und Mächten zuzuschreiben? Dabei konnte man durchaus ganz präzise die Erscheinungsform des Beurteilten festhalten, ohne seine Bedeutung in der gleichen Form zu erfassen wie der rückblickende Betrachter späterer Zeit.

So ist wohl auch Grimmelshausens wiederholte, präzise Beschreibung von Courasches wirtschaftlichem Erfolg als Kurtisane und Lagerhure zu verstehen, die er stets im Lichte sexueller, ungebührlicher Freizügigkeit sieht und welche er, als gegen die Gesetze Gottes und der Gesellschaft verstoßend, negativ beurteilt. Für uns ist es keineswegs abwegig, hier an Motive der Verurteilung zu denken, die Grimmelshausen

so sicher nicht bewußt waren. Für einen unter häufi-
gem Gelddruck stehenden Familienvater sind es sicher
nicht nur moralische Erwägungen, die ihn der Buhlerei
gegenüber kritisch stimmen. Zu oft betont er, wieviel Courasche besitzt (134) und daß ihre "alte Hand-
thierung die allerbequemlichste sey/ Gelt zusammen
zuraspeln und reich zuwerden" (R.P. 63). Auch hier
also Ambivalenz in der Beurteilung einer der Rollen,
welche die Frau zu Grimmelshausens Zeiten spielen
konnte, wenngleich nunmehr ausgedehnt auf den wirtschaftlichen Bereich.

Dies gilt in noch wesentlich stärkerem Maße für
die nächste Rolle der Courasche, der wir uns nun zu-
wenden wollen. Konnte die Rolle der Prostituierten
noch im Rahmen überkommener umfassender Wertvorstel-
lungen verarbeitet werden, indem man sie eingliederte
in die universalen Beurteilungskategorien der wandelbaren Welt und des wandelbaren Weibes, von Frau Welt
und ihrer Unbeständigkeit, von Lust und Todsünden,[21]
ohne daß man sich notwendigerweise mit den wirtschaftlichen und sozialen Konsequenzen der Prostitution *bewußt* auseinanderzusetzen hatte, so drängen
sich diese bei der Soldaten- und Unternehmerinnen-
rolle unübersehbar in den Vordergrund. Bei den Ehen
der Courasche konnte die Gleichberechtigung von Mann
und Frau noch, durch christliche Vorstellungen gerechtfertigt, mit einbezogen werden in die Beurteilung der Courasche; bei ihren Buhlschaften übernahm
die Mitverantwortlichkeit der Männer für das Verhalten der Frauen eine ähnliche Erklärungsfunktion. Wie
aber ist es zu beurteilen, wenn Courasche nun als
Soldat auftritt? Die direkten Bezüge zu christlich
fundierten Werturteilen treten hier zurück gegenüber
einer Vielfalt von sich komplex überlagernden Nega-
tivurteilen, wobei die Ambivalenz Grimmelshausens
nicht mehr als lediglich abschwächend zu einem klaren
moralischen Aburteilen hinzutritt, wie dies bei den
besprochenen Ehen und Buhlschaften der Fall war.

Dort vollzog sich Courasches Aktivität noch im
Rahmen historisch vertrauter Rollen, die als der Frau
durchaus angemessen verstanden wurden. Hier aber
usurpiert sie eindeutig--und stärker als im Ehekriege--
eine Rolle, die dem Manne vorbehalten schien. Courasches Beschreibung als Amazone und Hermaphrodit (46),
wie auch ihre Kleidung und Art zu reiten (38, 59) belegen diesen Befund.[22] Die Ambivalenz in der Beur-

teilung solch ungebührlichen Auftretens einer Frau
äußert sich zunächst in der Tatsache, daß Courasche
nicht nur tapfer und erfolgreich ist, sondern sich
auch ritterlich verhält--was durchaus mit dem Verhalten anderer Soldaten kontrastiert (45, 59, 61). Sie
wird ergänzt und überlagert durch die weitere Mehr-
deutigkeit, mit der das Soldatentum insgesamt bei
Grimmelshausen beurteilt wird, eine ambivalente Beurteilung, die hier auf Courasche als Soldat mit übertragen wird. So finden sich in Grimmelshausens Werk
eine deutliche Ablehnung des Soldatenstandes neben
seiner Bewunderung für den Aufstieg eines Johann von
Werth (R.P. 43 f.).[23] Dies bringt uns zum zentralen
Punkt in der Beurteilung von Courasches Soldatenrolle: es ist der durch Beutemachen und Lösegeld zu er-
zielende wirtschaftliche Erfolg und der vergebliche
Versuch, diesen in gesellschaftliche Respektabilität
umzumünzen, an welchem die Ambivalenz Grimmelshausens
und ihre mehrfache Bedingtheit deutlich zum Ausdruck
kommt. Der Krieg ist, wirtschaftlich gesehen, nicht
nur als Zerstörung von Produktionskräften, sondern
auch als wesentlicher Ansporn zu verstehen; seine
wichtigste direkte Funktion ist die Umverteilung vor-
handener Güter.[24] Dies kann auch zu dramatischen
gesellschaftlichen Konsequenzen führen, wie die Son-
derfälle Johann von Werth oder Wallenstein zeigen.
Courasche hat nur am meist kurzfristigen wirschaftli-
chen Erfolg Anteil; ihr Soldatentum ist dafür Voraussetzung. Der gesellschaftliche Aufstieg bleibt ihr
jedoch, zum Teil aus dem gleichen Grunde, versagt.
Denn trotz Courasches Großmut und Tapferkeit (38 ff.,
44 f.), hält sich beim Heer und ihren Neidern und
Gegnern die Vorstellung, sie sei mit dem Teufel im
Bunde; ja, sie wird sogar für den Tod ihres ehemaligen Mannes verantwortlich gemacht, in einer Verknüp-
fung von Verteufelung und wirtschaftlichem Erfolg,
die uns noch eingehender beschäftigen wird (44-47).

Da ihr Wunsch, ein Mann zu sein, nicht erfüllbar
ist (46) und sie sich überall von Feinden umringt
sieht (50), zieht sie sich schließlich aus dem Krieg
zurück in eine Stadt, um durch eine erneute Ehe Sicherheit und relative Freizügigkeit zu erlangen (52).
Sie kann sich dies leisten, "dann ich brauchte mein
Gelt/ so ich hie und dort in den grossen Städten hat-
te/ den Kauff- und Wechselherren zuzeiten beyzu-
schiessen/ darauß ich so ein ehrlich Gewinngen er-

hielte/ daß ich ziemliche gute Tag davon haben konte/
und nichts von der Haubtsumma verzahren dorffte"
(52). Hier zeigt sich deutlich die wirtschaftliche,
frühkapitalistische Komponente von Courasches Solda-
tendasein und deren Bedeutung. Sie hat ihre Beuteer-
löse gewinnträchtig in festen Städten angelegt, wo
sie zusammen mit ihren durch Prostitution erworbenen
Kapitaleinlagen den Grundstock bilden für alle Versuche Courasches, entweder durch Heirat sich gesellschaftlich zu verbessern oder durch Landerwerb und
-bewirtschaftung Ehrbarkeit und Sicherheit zu erlangen. Beide Versuche schlagen fehl. Der erste wegen
der strikten ständischen Gesellschaftsstruktur und
der moralischen Verurteilung von Courasches Vergangenheit, die in engem Verbund mit ihrer Art und ihrem
Namen zu verstehen ist; der zweite wegen ihrer Buhl-
schaft mit dem alten Susannenmanne zu Offenburg (52;
131 f.).

Das bestätigt jedoch die bekannte Tatsache, daß
die gesellschaftliche Mobilität zur Zeit des Dreißigjährigen Krieges hinter den wirtschaftlichen Möglichkeiten, sich zu verändern, klar zurückblieb. Von daher ergibt sich auch eine neue Lesart der bekannten
Beschreibung der Courasche, nach der sie eine Dame
"mehr mobilis als nobilis" sei (S.S. 391). Was Männern gelegentlich gelingen mochte, war offensichtlich
Frauen völlig unmöglich: die Umwandlung von soldati-
schem oder anderem wirtschaftlichen Erfolg in gesellschaftliche Stellung, deren äußere Form das Adelspa-
tent ist. Die von Grimmelshausen gelieferte Begründung der moralischen Unzuläglichkeit, hergeleitet aus
der Hurerei und dem "unnatürlichen" Soldatentum der
Courasche, ist wohl nur zum Teil akzeptabel. Der
Neid und die Mißgunst der anderen, vor allem der
männlichen Romanfiguren weist in eine andere Richtung. Hier wird nicht nur eine männliche Berufsbas-
tion von einer Frau usurpiert; dies wurde ja in Form
der höfischen Amazone durchaus akzeptiert. Was in
Courasches Fall erschwerend hinzutritt, ist doch die
Tatsache ihres wirtschaftlichen Erfolges, der bereits
im Falle ihrer Prostitution eine wesentliche Rolle
spielte, und der ihr nur in der relativen Abgesi-
chertheit einer Ehe vorübergehend gestattet wird.

Solange Courasche mit großer Tapferkeit und
gleichberechtigt neben ihrem zweiten Hauptmann ficht
und Beute macht, ist sie gesichert (59 f.). Kaum ver-

liert sie ihren Mann, so wird sie der bestialischen
Rachsucht und dem verletzten Stolz des Majors, ihres
ehemaligen Gefangenen, preisgegeben. Dessen Sprache
und Verhalten stehen in krassem Kontrast zur Ritter-
lichkeit Courasches ihm und ihrem dänischen Grafen
gegenüber (45 f., 58 f., 61 f.). Der Major bezeichnet sie als "Blut-Hex!" ist besonders darüber erbost,
daß sie Waffen führte und sich unterstand "einen Ca-
vallier gefangen zu nehmen" (61), und veranlaßt
schließlich die längste und ausführlichst beschrie-
bene Massenvergewaltigung und körperliche, wie gesellschaftliche Erniedrigung der Courasche (62 ff.).
Es bedarf keiner besonderen Anstrengung, die Mischung von psychologischen und sozialen Motivationen
zu durchschauen, die sich hier mit dem religiös-
abergläubischen Bereich verbinden. Wie schon zuvor
beim Heer wird auch hier impliziert, ihre Erfolge
müßten mit Hilfe des Teufels, also unter Aufhebung
der göttlichen und damit natürlichen Ordnung zustande
gekommen sein.

In der Soldatenrolle der Courasche verbinden sich
somit viele, z.T. ambivalente Vorstellungen. Persönlicher Neid und verletzte mänliche Ehrvorstellungen
vermischen sich mit gesellschaftlichen Rollenerwartungen und wirtschaftlichem Erfolg (und daraus er-
wachsender Mißgunst), um in der moralischen Verurteilung zu gipfeln, die sie als unnatürlich und im Bund
mit dem Teufel darstellt. Diese Vorstellungsbereiche
sind keineswegs vom Autor klar durchdacht oder gegen-
seitig systematisch angeordnet.[25] Sie entsprechen
der Tatsache, daß hier vertraute Ansichten und Rollenerwartungen verquickt werden mit Erfahrungstat-
sachen des Krieges, ohne daß ihre gegenseitigen Beziehungen für Autor oder Leserschaft des siebzehnten
Jahrhunderts durchsichtig wären. Nur auf allgemein-
ste Art wird die Verbindung hergestellt. So meint M.
Secundatus im *Rathstübel Plutonis*: "Weil die meiste
Schätz und Reichtumb/ ja gantze Königreich und Fuer-
stenthumb im Krieg gewonnen und verloren werden/ so
wer es eine Thorheit/ wann ein Armer der Reichtumb
verlangt/ solche anderstwo als in dem Krieg suchte"
(R.P. 14). Der Krieg gilt demnach für Arme--und wohl
auch für die den Armen wirtschaftlich und sozial
Gleichgestellten, wie Frauen--als *die* Möglichkeit des
Kapitalerwerbs.[26]

In dem gleichen Werk gibt sich Simplicissimus zum

selben Thema typisch ambivalent. Während er den
Krieg zuerst als gerechte mögliche Strafe für Geiz-
hälse beschreibt, gibt er im Anschluß daran die Geschichte vom Aufstieg des "Francisci Sfortiae" (Sfor-
za) zum Besten, (R.P. 52) die er als historische Pa-
rallele zum Aufstieg des "Jean de Werth" verstanden
haben will, welche von Herrn Secundatus als Beleg
seines allgemeinen Satzes erzählt worden war (R.P. 43
f.). Während also der gesellschaftlich höher stehende Secundatus in seiner oben zitierten Sentenz konsequent die Schlußfolgerungen aus den Erfahrungen des
Krieges und der damit verbundenen Wirtschaft zieht,
bleibt der einfachere Simplex den älteren moralisch-
ethischen Beurteilungskategorien verpflichtet, obgleich es ihn durchaus zu den neuen Verhaltensformen
hinzieht. Dieser Unterschied drückt sich auch aus in
der verschiedenen Haltung, welche Secundat und Simplex der Courasche gegenüber einnehmen. Der Letztere
verharrt in seiner vom Gesamtzyklus her angelegten
schroffen Ablehnung, während der überlegenere hohe
Herr der Courasche mit einer Mischung von Interesse,
Verachtung und Ironie begegnet. Der Übergang vom
religiös begründeten Ordogedanken zum rational fundierten Merkantilismus spiegelt sich hier gebrochen
und indirekt wieder.[27]
Dies gilt sachgemäß in noch stärkerem Maße für die
letzte der hier zu behandelnden Rollen der Courasche,
für ihre Rolle als Unternehmerin. Ging es bislang
vorwiegend um den Erwerb von gesellschaftlicher Stellung durch Eheschließung oder relativer finanzieller
Sicherheit und Unabhängigkeit durch Kapitalerwerb als
Prostituierte oder als Soldat, so gilt es nun zu untersuchen, in welcher Form Courasche das erworbene
Kapital nutzbar macht und wie sie in dieser Rolle beurteilt wird. Einige Formen der Nutzbarmachung haben
wir bereits gesehen, wenn auch nur andeutungsweise.
So wurde im Text des Romans immer wieder darauf verwiesen, daß Besitz und Schönheit zusammen gewissermaßen das Grundkapital Courasches auf dem Heirats-
markte darstellen (48, 52). Aber der erwünschte Erfolg stellt sich nicht ein, da sie beim Heere, wie in
der Stadt zu sehr als Regimentshure abgestempelt ist.
Viele stellen ihr zwar nach, erzählt sie an einer
paradigmatisch anmutenden Stelle, "die aber nicht Meinen, sondern Ihren Nutzen suchten; Theils suchten
ihre Wollüste/ Theils mein Geld/ andere meine schöne

Pferd; Sie alle aber machten mir Ungelegenheit mit
Schmarotzen/ und war doch keiner der mich zu heura-
then begehrte; entweder daß sie sich meiner schämten/
oder daß sie mir eine unglückliche Eigenschafft zu-
schrieben/ die alle meinen Männern schädlich wäre/
oder aber daß sie sich sonst/ ich weiß nicht warumb/
vor mir förchteten" (48 f.). Diese Stelle verweist
zusammenfassend auf die Ambivalenz Grimmelshausens
seiner Heldin gegenüber. Courasches körperliche und
finanzielle Vorzüge werden von allen begehrt, während
sie gleichzeitig gefürchtet sind.

Die gleiche Widersprüchlichkeit findet sich in
Grimmelshausens Beurteilung der Kaufmannschaft insgesamt und damit der kaufmännischen Betätigung der Courasche im Besonderen. Wir sehen dies ganz klar an
den Stellen im *Rathstübel Plutonis* wo entweder der
Kaufmann Collybius das Wort hat oder zum Thema Handel
deutliche Aussagen gemacht werden. So hören wir von
Collybius: "Ein jeder der etwas schlims zuverkauffen
hat/ bring solch boese Wahr mit suessen und betrieg-
lichen Worten an den Mann/ und solte er gleich darue-
ber Leib und Seel verschweren: dann wer sich vor dem
Teuffel foercht/ wird nicht reich" (R.P. 16). Da er
denselben Spruch später wiederholt, handelt es sich
hier wohl um eine Grundanschauung Grimmelshausens zum
Thema Handel (R.P. 54). Sie läßt sich noch allgemei-
ner ergänzen durch Simplicissimi Leitspruch: "Wer
sich ernstlich und einmal vor allemahl resolvirt hat/
reich zu werden/ und in solchem Vorsatz beständig
verharren will/ der muß das Gewissen nicht genaw beobachten" (R.P. 12). Dies erweitert er später zur
biblischen Ermahnung, man könne nicht Gott und dem
Mammon zugleich dienen und mit dem eindeutigen Hinweis, daß Christus und die Seinen stets arm gewesen
seien (R.P. 51). Diese Haltung ist in allen Werken
unseres Autors anzutreffen, sodaß man sagen kann:
"Armut und Reichtum erscheinen bei Grimmelshausen als
entgegengesetzte feindliche Mächte. Die eine ist
heilig und Gott lieb, aber mit der größten Bitterkeit
des irdischen Lebens verbunden, die andere ist von
Gott verflucht, doch besitzt sie große Macht bei den
Menschen. Der Dichter sucht keine Versöhnung beider
Pole...."[28] Zurückbezogen auf *Courasche* ergibt sich
somit die Notwendigkeit nachzuprüfen, ob er die Han-
delstätigkeit der Courasche eindeutig negativ beurteilt. Nach unseren bisherigen Ergebnissen wird es

nicht überraschen, auch hier eine Ambivalenz der Beurteilung zu finden, verbunden mit der ebenfalls bereits bekannten "Erklärung" ihrer Erfolge durch widernatürliche, teuflische Hilfe.

Courasches Stolz steht ihr am Anfang ihrer unternehmerischen Karriere noch im Wege; sobald sie aber erkennt, daß viele Offiziere hungern, während die Marketender Gewinne einscheffeln, entschließt sie sich, ihr Kapital ebenfalls zu vermehren und sich dem "Schinden und Schachern" zuzuwenden (78). Dazu braucht sie aber einen Mann, der offiziell ihrem Unternehmen vorsteht (112); sie findet ihn im gefügigen Springinsfeld (80) und nachdem sie "alles was ein Marquedenter haben solte" erworben hat, fängt sie "an mit dem Judenspieß zu lauffen/ als wann ich das Handwerck mein Lebtag getrieben hätte" (83). Dieses "Handwerk" ist recht vielseitig. Sie betätigt sich nach wie vor als Prostituierte (84), unterhält offenbar einen Ausschank, bei dem sie die schöne Kellnerin spielt, während die böhmische Ziehmutter die eigentliche Marketenderei führt. Zudem hält sie sich mehr Gesinde "als mancher Haubtmann" und es gelingt ihr, die Fleischversorgung des Regiments an sich zu ziehen, indem sie die "Commiß-metzger" durch allerlei Machenschaften und Schmiergelder beiseite schiebt (87). Sie fängt außerdem wieder an, Beute zu machen und faßt selbst ihre Tätigkeiten folgendermaßen zusammen:

> Indem ich dergestalt gegen den Feind mit Soldaten-Gewehr/ gegen den Freunden aber im Lager und in den Quartieren mit dem Judenspieß fochte/ auch wo man mir in aller Freundlichkeit offensivè begegnen wolte/ den Schild vorzusetzen wuste/ wuchse mein Beutel (156) so groß darvon/ daß ich bey nahe alle Monat einen Wexel von 1000. Cronen nach Prag zu übermachen hatte/ und litte samt den Meinigen doch niemahls keinen Mangel; dann ich beflisse mich dahin/ daß mein Mutter mein Spring-ins-felt/ mein übrig Gesind und vornemlich meine Pferde/ zu jederzeit ihr Essen/ Trinken/ Kleid und Fütterung hatten/ und hätte ich gleich selbst Hungerleiden/ nackend gehen/ und Tag und Nacht unter dem freyen Himmel mich behelffen sollen; hingegen aber musten sie sich auch befleissen einzutragen/ und in solcher Arbeit weder Tag noch Nach zu feyern/ und

solten sie Halß und kopff darüber verlohren haben.
(88)

Selbst wenn man hier die Übertreibungssucht der Courasche mit veranschlagt, so steht doch außer Zweifel,
daß sie beträchtliche Einnahmen erzielt haben muß.
Dies entspricht den historischen Tatsachen. Einige
Militärs und Militärlieferanten bereicherten sich an
einem Kriege, der mehr als je zuvor von wirtschaftlichen Faktoren bestimmt war. Die Militärs selbst
waren im wesentlichen Großunternehmer, deren Kapital-
kraft über die Stärke ihrer Heere entschied, welche
ihrerseits als wirtschaftliche Anlage mit Profiter-
wartung betrachtet wurden.[29]
Bedingungsloses Gewinnstreben und ein hemmungs-
loses Geschäftsgebaren kennzeichenen den Wirtschafts-
stil des Großhändlers der Zeit ebensowie den der Courasche und beide sind von der gleichen Unbeständigkeit bedroht, gegen die ein rastloses Horten von Kapital keineswegs Sicherheit garantierte.[30] Der Vergleich mit Johann Duve, einem Hannoverschen Kaufmann
zur Zeit des Dreißigjährigen Krieges, macht dies
deutlich.

> Duves Weg führte bergauf und -ab, wenn er wie die
> früheren Großgeldmächte Darlehen an seinen Landes-
> fürsten, zugleich aber auch an dessen Gegner gab
> und sich in allen möglichen Zweigen des Kram- und
> Großhandels umtat. Nach- oder nebeneinander be-
> tätigte er sich als Korn, Hopfen-, Juwelen-,
> Metall-, Pulver-, Tuch-, Woll- und Holzhändler,
> Bankier, Mühlenbesitzer und Bauunternehmer zäh und
> gerissen, erwarb ein Monopol für Heereslieferungen
> und handelte außerdem mit Bergwerkserzeugnissen,
> vor allem mit Silber. Trotz aller Geschäftigkeit
> und Geschäftemacherei und trotz aller Schlauheit
> gelang es ihm aber nicht, eine Firma von Dauer
> aufzubauen. Er verschwand und hinterließ der
> Wirtschaftsgeschichte nur seinen übel beleumunde-
> ten Namen.[31]

Die Analogien zu Courasches Karriere als Unternehmerin sind zu offensichtlich, um zufällig zu sein; sie
weisen auf einen rührigen Unternehmertyp hin, der
alles versucht, dessen rastlose Tätigkeit jedoch
letztlich ohne bleibenden Erfolg ist. Bei Courasche
wird dies moralisch interpretiert; an Duve konsta-

tieren wir lediglich die zeitbedingten ökonomischen
Faktoren und ihre Auswirkungen.

Blicken wir zurück auf Courasches Zusammenfassung
ihrer Tätigkeit (88), so fällt schließlich noch ihre
Fürsorge für ihre Produktionsmittel auf--für ihre
"Mutter," ihren "Mann," ihr Gesinde und ihre Pferde.
Das Possessivpronomen ist durchaus angebracht, wie
wir aus dem Text wissen. Als Gegenleistung erwartet
sie bedingungslosen Fleiß, um jeden Preis, selbst den
des Lebens. Dies mag--wenn auch etwas übertrieben--
dem Menschen der Industriegesellschaft als Leistungs-
prinzip vertraut sein. Für das siebzehnte Jahrhundert ist diese Haltung neu. Courasche huldigt somit
bereits dem frühen bürgerlichen Arbeitsethos, das
vielfach untersucht worden ist und dem zufolge steter
Fleiß und dauernde Betriebsamkeit zumindest wirtschaftlichen Erfolg garantieren, wenn nicht gar göttliches Wohlwollen bezeugen sollte. Dieses Arbeitsethos kontrastiert aufs Schärfste mit der weitverbreiteten und vielfach bezeugten Arbeitsscheu und der
damit verbundenen Bettelei zu Grimmelshausens Zeit.[32]

So ambivalent der Autor den Phänomenen Arbeit und
Bettelei gegenübersteht,[33] so widersprüchlich ist
auch seine Beschreibung und Beurteilung von Courasches wirtschaftlichem Erfolg und den dazu nötigen
Praktiken (94 f.). Deren ausführliche Beschreibung
ist natürlich vom moralischen Beurteilungsstandpunkt
zugleich als Verurteilung intendiert. Ebenso klar
ist jedoch, daß Courasche mit ihrem neuen Arbeitsethos, ihrem rücksichtslosen Einsatz aller Produk-
tionskräfte und mit der Streuung ihrer Geschäfte äußerst erfolgreich ist--vom wirtschaftlichen Standpunkt gesehen. Von unserer heutigen Warte betrachtet
ist Courasche in ihrem Wirtschaftsgebaren einfach
eine Vertreterin eines präkapitalistischen, frühmer-
kantilen Unternehmertyps, dessen Erfolge uns keineswegs verblüffen, wenn wir die wirtschaftlichen Bedingungen der Zeit im Auge behalten und ihre Aktivitäten primär wirtschaftlich beurteilen. Diese Schau
gilt natürlich nicht für Grimmelshausen und seine
Zeitgenossen, für die derartige Erfolge und solch
"unnatürliches" Verhalten einer anderen Erklärung bedürfen. So überrascht es denn auch nicht, daß diese
Aufzählung von Courasches erfolgreichem Geschäftsgebaren nahtlos übergeht in die Beschreibung des alten
Hühnerfängers, welcher ihr den berüchtigten *spiritus*

familiaris verkauft. Bildbereiche, Assoziationen,
Wortwahl zeigen die allegorische Bedeutung dieser
Transaktion; Courasches gewissenlose, überwältigende
Gottlosigkeit soll hier dargestellt und verurteilt
werden, wie die Kapitelüberschrift andeutet (94) und
wie diverse Untersuchungen nachgewiesen haben.[34] Aus
dem inzwischen vertrauten wirtschaftshistorischen
Blickwinkel läßt sich die gesamte Darstellung des
spiritus unschwer als Versuch deuten, die den Zeitgenossen unerklärlichen neuen wirtschaftlichen Vorgänge
und Verhaltensweisen mit religiös-moralischen Kategorien zu erfassen und zu beurteilen. Dies läßt die
gängigen allegorischen Interpretationen unangetastet,
erweitert sie jedoch um eine historische und sozial-
psychologische, wesentliche Nuance. So gesehen wird
dann das "Ding" in seinem Glase, das Courasche selbst
als Gleichnis einer "Ewigwährenden Bewegung" bezeichnet, unter anderem ein Symbol für die fieber-
hafte wirtschaftliche Aktivität der Courasche und für
das neue Arbeitsethos, welches sie verkörpert und von
den Ihrigen fordert. Es überrascht somit auch nicht,
den *spiritus* als "Kauffmann-Schatz" (96) bezeichnet
zu finden, dessen Kräfte neben anderem "zu jedwederer
Handelschafft genugsame Kauffleute" verschafft und
"die *prosperität* vermehret (97). Da dieser dienende
Geist zudem Glück bringt und den Eigner kugelfest
macht, sowie dazu führt, "daß seinen Besitzer fast
alle Welt lieben muß" (97), finden wir hier wieder
einmal die für diesen Roman charakteristische Verbindung von Sex, Wirtschaft und Soldatentum, welche das
ganze Werk durchzieht. Auf einen nur wenig verein-
fachenden Nenner gebracht: wer auf so vielen Gebieten so oft so viel Erfolg hat, bei dem kann es einfach nicht mit rechten Dingen zugehen. Da jedwede
irdische Dauerhaftigkeit sowohl der realen Erfahrung
des Krieges, als auch der metaphysischen Rahmenvor-
stellung einer unbeständigen und wandelbaren Welt wi-
derspricht, muß ihr Erfolg nicht nur teuflisch moti-
viert, sondern schließlich auch relativiert werden.
Courasche darf nicht den Sieg davontragen. Sie wird
somit am Ende fast alles verlieren--die alten Denkka-
tegorien siegen über die neue wirtschaftliche Realität.
   Wie kompliziert und für Grimmelshausens Zeitgenossen undurchschaubar dieser Zusammenhang von neuer
ökonomischer Realität und überkommenen Denk- und Ur-

teilskategorien ist, sei hier angedeutet durch den
Verweis auf die Beschreibung eines modernen Sozial-
und Wirtschaftshistorikers, der auf die soziologischen Besonderheiten hinweist, welche das hier neu
auftretende "Herreneigentum an Kapital" gegenüber dem
älteren "Herreneigentum an Menschen und Boden" aus-
zeichnet. Friedrich Lütge sieht die moderne Kapital-
herrschaft als Loslösung von wechselseitigen sittlichen Verpflichtungen, sodaß nunmehr persönliche Bin-
dungen und Beziehungen "im Prinzip" nicht mehr vorhanden sind. Schließlich "führt dieses Gebieten über
das Sachgut Kapital vielfach dazu, daß es nicht nur
zu Abhängigkeiten der herangezogenen Arbeitskräfte
kommt, sondern *daß der Gebieter selbst von dem Kapital "besessen" wird*. Das Kapital verselbständigt
sich, es wird gewissermaßen, bildlich gesprochen,
Träger wenn nicht eines eigenen Willens, so aber doch
einer eigenen Dynamik. Der Mensch als wirtschaften-
des Subjekt, der auch Herr über das Kapital sein
sollte, wird gegebenenfalls in nicht seltenen Fällen
zum bloßen Sachwalter, zum Funktionär der in das Objekt hineingelegten Eigendynamik."[35] Nach allem, was
wir über Courasches Beziehungen zu ihren Produktions-
mitteln und ihrem Kapital nachweisen konnten, ver-
blüfft die Angemessenheit dieser Analyse und vor allem die Wortwahl, welcher Grimmelshausen voll zustim-
men würde. Er hat diese Sachverhalte erahnt, ohne
sie verstehen oder erklären zu können; eine der Konsequenzen dieser Tatsache ist die für ihn typische
Verquickung der Rollen der Courasche und der Motive
für deren Beurteilung.
   Für die analytischen Zwecke dieser Untersuchung
mußten die Rollenbereiche getrennt und eingeschränkt
werden. Kompliziertere soziale und psychologische
Sachverhalte, die hier eindeutig mitspielen, konnten
nicht verfolgt werden. In der Schau Grimmelshausens,
wie auch der Courasche, stehen Themenkreise wie Ehe
und Hosenstreit aber nicht nur in engster Verbindung
mit und in Wechselbeziehung zu Prostitution, Solda-
tendasein und Marketenderei, sondern vor allem zur
Frage gesellschaftlicher und wirtschaftlicher Unabhängigkeit und Selbstbestimmung. Als Courasche aus
Offenburg verwiesen wird, meint sie, es sei den ehr-
baren Bürgern wohl weniger um Gerechtigkeit und Moral, als um die Beschlagnahmung von Courasches Geld
und Gut gegangen (136). Ähnliches zeigt sich, als

Springinsfeld sie im Schlafe schlägt. Alle meinen,
er "müste unsinnig worden seyn," d.h. er müsse seinen
Verstand verloren haben. Courasche ist anderer Meinung: "Ich aber glaubte/ er habe dieses Spiel aus
Anstifftung seiner Cammerathen und Sauffbrüder ange-
fangen/ um mir erstlich hinter die Hosen: zweytens
hinter die Oberherrlichkeit/ und letztlich hinter
meines vielen Gelts zu kommen" (114).

Gesellschaftliche Erwartungen über Geschlechterrollen, ausgedrückt durch Kleidungsstücke, als Motivation für den Kampf der Geschlechter in Ehe und Gesellschaft mit dem Ziel der Herrschaft und der Kon-
trolle des dafür entscheidenden Faktors, des Geldes.
Courasche erkennt und spricht deutlich aus, was in
ihrer Verteufelung alles mitspielt. Die Ambivalenzen des Autors deuten zumindest eine Ahnung der Sachverhalte an, die in diesem Roman zeitenthüllend vorhanden sind. Die krassen und rapiden Veränderungen,
welche der Dreißigjährige Krieg und seine Folgen auf
wirtschaftlichem, sozialen und ethischen Gebiet zum
Teil herbeiführte, zum Teil deutlich machte, bedeuteten eine Verunsicherung aller, die in dieser Zeit
vergeblich um dauerhafte Erfolge auf diesen Gebieten
bemüht waren. Da man viele der Vorgänge--vor allem
auf wirtschaftlicher Ebene--nicht verstand, lag es
nahe, halb scherzhaft und damit verhüllend, auf
volkstümlichen "Erklärungsversuchen" aufzubauen und
dort zu ethischer Beurteilung fortzuschreiten. Diese
Wertungsbasis war aber veraltet und den neuen Realitäten unangemessen. Ihre Verwendung in einem realistisch und konkret dargestellten Kontext mußte daher
notwendigerweise zu Ambivalenzen führen. Courasche
als erfolgreiche Aufsteigerin in der Gesellschaft zu
zeigen, hätte den alten ethischen Rahmen gesprengt;
sie trotz Schönheit, Tapferkeit, Unternehmergeist und
der erfolgreichen Ausnutzung aller vom Kriege gebote-
nen Rollen einfach untergehen zu lassen, hätte der
Erfahrung der Zeit widersprochen.

Die Undurchschaubarkeit--hier: wirtschaftlicher
und gesellschaftlicher Vorgänge--führt zu einer Beurteilung von Ergebnissen ohne Verstehen ihrer Vorstu-
fen. So sieht der moralisch urteilende Grimmelshausen nur die Auswirkungen des Krieges und verurteilt
sie: Ehen werden zerbrochen und pervertiert, Hurerei
ist an der Tagesordnung; das ist zwar schlimm, doch
verständlich und kann mit den traditionellen Katego-

rien von Volksweisheit und christlicher Moral bewältigt werden. Was dargestellt, jedoch nicht als Begründung gedacht ist, sind die Bedingungen, unter denen eine Frau in diesem Kriege existiert. Meist ist Ehe nur Flucht vor Vergewaltigung und Prostitution nur Vorbereitung oder wirtschaftlich notwendige Alternative zur Ehe. Da Darstellung und Bewältigungsschema im Roman auseinanderklaffen, bleibt der Leser auf die Ambivalenz des Autors verwiesen. Diese muß sich natürlich wesentlich verstärken, wenn das Thema nicht mehr Rollen sind, die der Frau als natürlich oder gottgewollt im Verständnis der damaligen Zeit zugeschrieben werden. Dringt sie in gesellschaftliche und wirtschaftliche Rollen vor, die als typisch männlich verstanden werden, so potenziert sich die bereits vorhandene Unsicherheit in der Beurteilung und führt--paradoxerweise oder wie zu erwarten?--zu verschärfter Verurteilung der Frau, die sich so exponiert. Denn nicht nur überlagern sich in ihrer Beurteilung die Negativurteile, welche die betreffende Rolle an sich bereits belasten, sondern die Bedrohung männlicher Vorherrschaft wird besonders empfindlich bestraft.

Das zeigt sich deutlich an der viehischen Behandlung der Courasche durch den Major, dessen sexuelle Rache für ihre Soldatenrolle für derartige unbewußte Motive und den Grad der Verunsicherung aufschlußreich ist: die unmittelbar folgende Episode mit dem schwedischen Grafen, der Courasche--ebenso unangemessen-- vergöttert, ist die Ergänzung im typischen abendländischen Doppelschema der Frau als Hure und Heilige, Vieh und Göttin, Eva und Maria. Strukturell ähnlich, wenngleich inhaltlich verschieden, liegen die Dinge im Falle der Unternehmerrolle. Überzeugt von der moralischen Verwerflichkeit des neuen Unternehmertums mit seiner Profitgier und unfähig, die grundlegende Wandlung im Wirtschaftsgebaren der Zeit zu verstehen, kann der Autor beide nur verurteilen. Er ist sich der wirtschaftlichen Realitäten seiner Zeit jedoch viel zu bewußt und einigen ihrer Aspekte zugetan, um nicht auch hier zu schwanken. Das überwiegend negative Urteil wird psychologisch-theologisch mit Habsucht und mit Rückgriff auf volkstümlichen Aberglauben durch den *spiritus familiaris* begründet. Nicht wirtschaftliche, der Sache angemessene Kriterien also werden hier zugrunde gelegt, sondern inadäquate,

106

sachfremde; kurz, Vor-Urteile im eigentlichen Wort-
verstande.

So vereinigen sich ein altes, überkommenes Wert-
schema, gesellschaftliche, wirtschaftliche und sexuelle Verunsicherung und eine Realität mit unabweisbar
neuen Verhaltensweisen zu einem überwiegend negativen, aber faszinierend aufschlußreichen Bild der Frau
in der Übergangszeit zwischen dem Frühkapitalismus
der Fuggerzeit und dem kommenden industriellen Zeitalter.

ANMERKUNGEN

1 Man vergleiche hierzu die kritischen Anmerkungen von J. V.
Polišenský, *The Thirty Years War* (Berkeley: Univ. of California
Press, 1971), S. 266-71; dort findet sich ein guter Überblick
über die einschlägige Literatur bis etwa 1968. Gegen allgemein-
gültige Aussagen ebenfalls Carlo M. Cipolla, *Before the Industrial Revolution: European Society and Economy 1000-1700* (New
York: Norton, 1976), S. 26, 51 and passim; ebenso Hermann Kel-
lenbenz, *Deutsche Wirtschaftsgeschichte*, Band 1: *Von den Anfängen bis zum Ende des 18. Jahrhunderts* (München: C. H. Beck,
1977), S. 291-97. Gelegentliche Versuche genereller Aussagen
finden sich, mit sehr knappen Bemerkungen zur Stellung der Frau
in Friedrich Lütge, *Deutsche Sozial- und Wirtschaftsgeschichte:
Ein Überblick*, 3. Auflage (Berlin: Springer, 1966), besonders
S. 254, 261 f., 297, 314.

2 Die Frage, ob und inwiefern Grimmelshausen realistisch ist,
steht hier nicht zur Debatte. Die Figur der Courasche sollte
lediglich abgesetzt werden von den andersgearteten Frauentypen
des höfischen Barockromans; vgl. Hansjörg Büchler, *Studien zu
Grimmelshausens Landstörtzerin Courasche* (Bern: Herbert Lang,
1971), S. 43-46 und Marian Szyrocki, *Die deutsche Literatur des
Barock: Eine Einführung* (Reinbek: Rowohlt, 1968), S. 233.

3 Zitate Grimmelshausenscher Werke nach *Gesammelte Werke in
Einzelausgaben*. Unter Mitarbeit von W. Bender und F. G. Zie-
veke hrsg. v. Rolf Tarot (Tübingen: Niemeyer, 1966 ff.); Zitate aus dem Roman *Courasche* nach der *Lebensbeschreibung der
Ertzbetrügerin und Landstörtzerin Courasche*, hrsg. v. Wolfgang
Bender (1967), Angabe der Seitenzahl in Klammern im Text. Zitate aus dem *Satyrischen Pilgram* erscheinen als (S.P.) mit Seitenzahl, aus *Rathstübel Plutonis* als (R.P.), aus dem *Wunderbar-
lichen Vogel-Nest* als (V, II), da nur aus dem zweiten Teil zi-

tiert wird, aus dem *Abentheuerlichen Simplicissimus Teutsch und Continuatio des abentheurlichen Simplicissimi* als (S.S.).

4 Die Mehrheit der Auslegungen betont die moralisch-didaktische Bedeutung der Courasche und gelangt damit letztlich zu einer negativen Beurteilung der Hauptfigur, bei aller Anerkennung vereinzelter, positiver Züge. Von den jüngeren, längeren Arbeiten vgl. Mathias Feldges, *Grimmelshausens "Landstörtzerin Courasche." Eine Interpretation nach der Methode des vierfachen Schriftsinnes* (Bern: Francke, 1969) und Herbert A. Arnold, "Moralisch-didaktische Elemente und ihre Darstellung in Grimmelshausens Roman 'Courasche,'" *ZfdPh*, 88 (1969), 521-60. Ein kurzer Überblick über die ältere Literatur in John W. Jacobson, "A Defense of Grimmelshausens Courasche," *German Quarterly*, 41 (1968), 42-54. Dieser Artikel stellt zugleich die prominenteste Verteidigung der Courasche dar und vertritt somit die Minderheitsinterpretation, wie schon in John W. Jacobson, "The Culpable Male: Grimmelshausen on Women," *German Quarterly*, 39 (1966), 149-61.

5 Feldges, *Courasche*, S. 44-46.

6 Feldges, *Courasche*, S. 77; Büchler, *Studien*, S. 51; ähnlich Renate Brie, *Die sozialen Ideen Grimmelshausens besonders über die Bauern, die armen Leute und die Soldaten*, Germanische Studien, 205 (1938; Rpt. Nendeln/ Liechtenstein: KTO Press, 1967), S. 8. Die Ergebnisse der Arbeit von Brie sind mit Vorsicht zu benutzen; ihre Beobachtungen zum Text sind jedoch von Wert, wie auch allgemeine Feststellungen, die nicht von nationalsozialistischer Warte aus verfärbt wurden.

7 Vgl. die Einführung von Hans Speier zu seiner englischen Übersetzung der *Courasche*, in H.J.C. von Grimmelshausen, *Courage, the Adventuress and the False Messiah*, übersetzt von Hans Speier, (Princeton: Princeton Univ. Press, 1964), S. 32-38 und in der Übersetzung von Robert L. Hiller und John C. Osborne, *The Runagate Courage* (Lincoln: Univ. of Nebraska Press, 1965), S. 18-27.

8 Aus den Simplicianischen Schriften siehe hierzu vor allem S. P., S. 76 ff. Eine gute Zusammenfassung bietet Büchler, *Studien*, S. 42.--Der in diesem Aufsatz mehrfach verwendete Begriff der Ambivalenz beinhaltet zumindest zwei Bedeutungen. Im Hinblick auf die behandelten Themen bezeichnet er Grimmelshausens intellektuelle Ambivalenz, d.h. die Darstellung und gleichzeitige Akzeptierung widersprüchlicher Vorstellungen; im Bezug auf die Hauptfigur, seine affektive Ambivalenz, d.h. seine Haßliiebe zur Courasche. Der Widerspruch bleibt dem Autor selbst unbewußt, kann jedoch vom Leser klar durchschaut werden. Der Nachweis dieser Tatsache wird hier auf die sozio-ökonomischen As-

pekte eingeschränkt; er müßte sich aber auch sozio-psychologisch führen lassen.

9 Alle Zitate aus dem Roman *Courasche* erfolgen nach der in Anm. 3 angeführten Ausgabe; die Seitenzahl erscheint in Klammern im Text.

10 Zur Frage der Gleichwertigkeit siehe vor allem Courasches vierte Ehe mit ihrem zweiten Hauptmann (59 f.), sowie Arnold, "Elemente," S. 532-33 und 538-40.

11 Neben den Hinweisen in S.P., S. 78-81 siehe auch in der Sekundärliteratur, vor allem Feldges, *Courasche*, S. 77 und Büchler, *Studien*, S. 42 und 51.

12 So Büchler, *Studien*, S. 66-68 und Jacobson, "Defense," S. 42-43; vgl. auch Günther Weydt, *Hans Jacob Christoffel von Grimmelshausen*, Sammlung Metzler, 99 (Stuttgart: Metzler, 1971), S. 74.

13 Aus den vielen Beispielen im Roman sei hier nur verwiesen auf S. 23-25, 30-35 und die berühmte Eröffnung, 13 ff.; im R.P. vor allem S. 61-63.

14 Jacobson, "The Culpable Male."

15 Büchler, *Studien*, S. 97, Anm. 49; vgl. ferner Arnold, "Elemente," S. 522, Anm. 3.

16 Weiter ausgeführt in Robert L. Hiller, "The Sutler's Cart and the Lump of Gold," *Germanic Review*, 39 (1964), 137-44. Neuerdings auch Martin Stern, "Geld und Geist bei Grimmelshausen," *Daphnis*, 5 (1976), 415-64.

17 Cipolla, *Before the Industrial Revolution*, S. 84-87.

18 Arnold, "Elemente," S. 538.

19 "The fundamental characteristic of preindustrial societies was their extreme vulnerability to calamities of all sorts," Cipolla, *Before the Industrial Revolution*, S. 151; Lütge, *Deutsche Sozial- und Wirtschaftsgeschichte*, S. 263 f., 321 f., 324 f.; Heinrich Bechtel, *Wirtschafts- und Sozialgeschichte Deutschlands* (München: Callwey, 1967), S. 301-303; *The Cambridge Economic History of Europe*, Bd. IV, hrsg. von E. E. Rich und C. H. Wilson (Cambridge: University Press, 1967), S. 514 stimmen diesem Urteil ebenso zu, wie C. V. Wedgwood, *The Thirty Years War* (Garden City: Anchor, 1961), S. 50 f.

20 So allgemein Hajo Holborn, *A History of Modern Germany 1648-1840* (New York: Knopf, 1966), S. 27 f. und speziell zu Wallensteins Aufstieg die aufschlußreichen Daten in Golo Mann, *Wallen-*

stein (Frankfurt: Fischer, 1971), S. 250-54.

21 Weydt, *Grimmelshausen*, S. 74 f. und die dortigen Verweise
auf Feldges.

22 Herbert Singer, *Der galante Roman*, Sammlung Metzler, M 10,
2. Auflage (Stuttgart: Metzler, 1966), S. 34 f. und Szyrocki,
Literatur des Barock, S. 238.

23 Vgl. dazu ausführlich, aber mit zeitbedingter Färbung Brie,
Die sozialen Ideen, 16 f., 105-120; mehrere Artikel in dem Grim-
melshausen-Sonderheft der Zeitschrift *Daphnis*, 5 (1976) berühren
diesen Themenkreis.

24 Cipolla, *Before the Industrial Revolution*, S. 24-26 spricht
von "compulsory transfers of wealth," worunter er neben Steuern
"plundering raids, highway robbery, and theft in the narrow
sense" ebenso rechnet wie Lösegelder. Die möglichen Erträge
sind erheblich: "Among the Swedish commanders who participated
in the Thirty Years' War, Kraft von Hohenlohe amassed war booty
of about 117,000 thalers, Colonel A. Ramsay about 900,000 thalers in cash and valuables, and Johan G. Baner, a fortune esti-
mated at something between 200,000 and a million thalers which
he deposited in banks in Hamburg." Vgl. auch Lütge, *Deutsche
Sozial- und Wirtschaftsgeschichte*, S. 230, 274.

25 Büchler, *Studien*, S. 42 and 68; ähnlich Brie, *Die sozialen
Ideen*, S. 8.

26 Lütge, *Deutsche Sozial- und Wirtschaftsgeschichte*, S. 254.

27 Lütge, *Deutsche Sozial- und Wirtschaftsgeschichte*, S. 277 f.
und 314.

28 Brie, *Die sozialen Ideen*, S. 64.

29 Holborn, *History*, S. 27 f.; Cipolla, *Before the Industrial
Revolution*, S. 41 f.; Golo Mann, *Wallenstein*, S. 229.; Stein-
berg, *Thirty Years War*, S. 99-103; Polišenský, *Thirty Years War*,
S. 181-184.

30 Vgl. dazu Cipolla, *Before the Industrial Revolution*, S. 41
ff.; Bechtel, *Wirtschaftsgeschichte*, S. 227 und 307; sowie Lütge, *Deutsche Sozial- und Wirtschaftsgeschichte*, S. 297 und 304.

31 Bechtel, *Wirtschaftsgeschichte*, S. 294.

32 Bechtel, *Wirtschaftsgeschichte*, S. 381 ff. und ebenso Richard S. Dunn, *The Age of Religious Wars, 1559-1689* (New York:
Norton, 1970), S. 99 und 117.

33 Brie, *Die sozialen Ideen*, S. 87-104.

34 Vgl. Feldges, *Courasche*, S. 101 f. und Arnold, "Elemente,"
S. 547 ff.

35 Lütge, *Deutsche Sozial- und Wirtschaftsgeschichte*, S. 297;
Hervorhebung durch Kursivdruck im Original.

5.

RICHARD CRITCHFIELD

PROPHETIN, FÜHRERIN, ORGANISATORIN: ZUR ROLLE DER FRAU IM PIETISMUS

Von Anfang an besuchten Frauen die privaten Erbau-
ungsstunden, die *Collegia Pietatis*, die Jakob Spener
seit 1670 in Frankfurt eingerichtet hatte. In diesen
Versammlungen der Frühpietisten waren die Frauen jedoch durch eine bewegliche Wand von den Männern getrennt. Während die Männer Lektüre aus Lewis Baylys
Praxis Pietatis und dem Neuen Testament diskutierten,
hörten die Frauen schweigend zu.[1] Diese schweigend
der Diskussion der Männer folgenden Frauen erinnern
unmittelbar an das frauenfeindliche Gebot Pauli:
"Lasset die Frauen schweigen in der Gemeinde; denn es
soll ihnen nicht zugelassen werden, daß sie reden" (1
Kor. 14:34-35). Doch täuscht dieses Bild der schwei-
genden Frau in den frühen pietistischen Versammlungen
über die Tatsache hinweg, daß gerade Frauen seit dem
Anfang des Pietismus um 1670 bis zur Blüte von Zinzendorfs Brüdergemeinde in Herrnhut, also bis in die
Mitte des 18. Jahrhunderts hinein, als Prophetinnen
und Agitatorinnen, als Gönnerinnen, Organisatorinnen
und Führerinnen in pietistischen Gemeinden eine bedeutende Rolle gespielt haben.
Solche Rollen hatten nicht zuletzt verheiratete
Frauen inne, deren aktive Beteiligung am pietistischen Leben oft, wie das Beispiel von Zinzendorfs erster Frau Erdmuthe veranschaulicht, durch den Begriff
der Streiterehe gerechtfertigt wurde, bei der dem
Dienst für die Sache des Heilands alles übrige unter-
zuordnen war.[2] Aber nicht nur als Mitarbeiterin ihres Mannes wurde die Frau im Pietismus geschätzt:
Pietisten glaubten schon seit dem Beginn der religiösen Erneuerung, daß nicht in erster Linie der Mann,
sondern die Frau die von Pietisten gewünschte Frömmigkeit in ihrer Einstellung zur Religion und in ihrem eigenen Leben verkörpere. Am Anfang des 18.
Jahrhunderts war man sogar davon überzeugt, daß der

Pietismus mit seiner Betonung der religiösen Wiedergeburt hauptsächlich von Frauen getragen zu sein schien. So konnte Johann Reitz in seiner *Historie der Wiedergeborenen* (1717) mit voller Überzeugung behaupten, daß mehr Frauen als Männer wiedergeboren und selig werden.[3]

Um 1700 wurden auch die quietistischen und mystischen Schriften der Antoinette Bourignon (1616-1678) und der Madame Guyon (1648-1717) in Deutschland bekannt und diese Frauen fanden wie keine anderen ihrer Zeit Widerhall und Anerkennung bei den Pietisten. Was an der Bourignon und der Madame Guyon fesselte, war deren fast göttliche Frömmigkeit sowie die quietistische Lehre der Selbstverleugnung, die man aus deren Lebensgeschichten und anderen Schriften schöpfen konnte. Diese Frauen wurden als religiöse Vorbilder hingestellt, denen man in seinem eigenen Leben nacheifern sollte. Der Frühpietist Gottfried Arnold sprach ausführlich über die Schriften der Bourignon und pries insbesonders *Das Licht der Welt*, das er als eine "der wunderbarsten ihrer Schriften" anderen Pietisten anempfahl.[4] Gleichzeitig behauptete Arnold, mehr von Madame Guyon gelernt zu haben als von den meisten Gelehrten.[5] Doch war Arnold keineswegs der einzige Pietist, der die Lehren der Guyon schätzte und lobte. Graf Casimir von Berleburg-Wittgenstein las am liebsten die religiösen Schriften der Guyon, deren Lehre der Selbstverleugnung ihn entscheidend beeinflußt hat.[6]

Die Verehrung frommer und seliger Frauen endete keineswegs mit der Bourignon und der Madame Guyon. Im Laufe der Zeit wurde der Glaube an selige Frauen weiterentwickelt und vor allem von Zinzendorf vertieft, denn Zinzendorf glaubte nicht nur, daß die Frauen in Herrnhut die religiös empfänglichste Gruppe bildeten, sondern auch, daß dem weiblichen Geschlecht durch die jungfräuliche Geburt Christi eine den Männern übergeordnete Rolle in der christlichen Heilslehre zugewiesen sei.[7] Wer aber waren diese wiedergeborenen und seligen Frauen, die nicht selten als Prophetinnen, Führerinnen und Organisatorinnen auftraten? Obwohl auf die Bedeutung der Frau im Pietismus oft hingewiesen wurde, ist eine zusammenfassende Darstellung, die die verschiedenen, sich verändernden Rollen der Frau von den Anfängen des Pietismus bis zur Blütezeit von Zinzendorfs Brüdergemeinde beleuch-

tet, noch immer ein Desideratum.[8] So soll in der
vorliegenden Studie versucht werden, die Rolle der
Frau im Pietismus näher zu beleuchten.

Schon zu Anfang des Pietismus traten Frauen als
Prophetinnen in Erscheinung. Daß solche Frauen wie
Adelheid Sybilla Schwarz (gest. 1703) und Rosamunde
Juliane von Asseburg (1672-1712), deren Offenbarungen
kurz umrissen werden sollen, von Persönlichkeiten wie
August Hermann Francke und dem Chiliasten Wilhelm
Petersen als Prophetinnen angesehen werden konnten,
hing zweifelsohne damit zusammen, daß insbesondere im
Frühpietismus der religiösen Inspiration eine zentrale Stellung zukam.[9] Was man unter Pietisten oft
beobachten konnte, war, wie schon Max Weber betonte,
eine besonders starke Pflege der Gefühlsseite der Religion. Das Gefühl konnte "dabei eine solche Steigerung erfahren, daß die Religiosität direkt hysteri-
schen Charakter annahm."[10] Das Primat des religiösen
Gefühls und nicht zuletzt der religiösen Inspiration
unter Pietisten war zum Teil auf die Ablehnung der
starren orthodoxen Theologie zurückzuführen, die in
der lutherischen Kirche des 17. Jahrhunderts vorherr-
schend war, und die insbesondere in Speners Programm-
schrift des Pietismus, der *Pia Desideria* von 1675
kritisiert und verworfen wurde.[11] Zur gleichen Zeit
forderte man eine "Rückkehr" zu einer gefühlsbetonten
Einstellung zur Religion, die sich aber als besonders
günstig für die Stellung der pietistischen Frau in
der sich entfaltenden Reformbewegung erweisen sollte.
So kam es, daß das stereotype Bild der Frau, wonach sie emotioneller als der Mann veranlagt sein
soll, im Pietismus im Gegensatz zu früheren und späteren Zeiten sich eher befreiend als diskriminierend
auf die Stellung der Frau auswirkte. Die Pietisten
waren davon überzeugt, daß Gott nicht zum Verstand
sprechen würde, sondern zum Herzen. Gottfried Arnold
betonte: "Es ist das Herz, das Gott spricht und
nicht die Vernunft."[12] Wendet man die Aufmerksamkeit
dem ausgehenden 17. Jahrhundert zu, dann stellt sich
in der Tat heraus, daß es eine ganze Reihe von pietistischen Frauen gab, an deren Religionsausübung das
Primat des Gefühls festgestellt werden kann. 1691
beobachteten Pietisten in der Stadt Quedlinburg eine
Frau, die von religiösen Gefühlen fast überwältigt
wurde: "Sie ist so inbrünstig, daß sie kaum den Na-

men Jesu oder die Erinnerung seiner Liebe und Gnade leiden kann; alsbald sie davon redet oder daran denket, wird sie hingezücket."[13] Aber nicht verlacht oder verachtet wurde diese Frau, sondern von hunderten von Pietisten besucht und bewundert. Im selben Jahr konnte ein Pietist in Halberstadt von einer anderen Frau berichten: "In einem wunderstillen seligen, freudigen Zustand befindet sich das liebe Kind Gottes. Ich weiß nicht, ob ich einen Menschen gesehen habe, da die Liebe der Welt und die Vernunft so getötet und die Liebe Jesu so inbrünstig sei als bei ihr....Sie rühmet die überschwängliche Freude, die ihr der Herr schenket."[14] Solche Frauen wurden aber nicht nur bestaunt und verehrt, sondern sie bereicherten auch die religiöse Inspiration einflußreicher Pietisten wie Francke.

So konnte Francke über eine gewisse Anna Maria Schuckhardtin berichten, daß, als er mit ihr betete, sie in ihre "ecstasin" gefallen sei und "...redete in solchem Zustande viele liebliche Verse, strophenweise, mit der außerordentlichen scansion, und recht zierlicher action mit den händen, welches mich dann mehr beweget, als alles so ich bisshero davon gehöret."[15] Die Schuckhardtin befand sich nicht nur immer in einem Entzückungszustand, sondern sie trat auch als Prophetin in Erfurt auf und hatte Visionen von einer Hölle, in der verdammte Geistliche gelegen hatten. Solche Visionen wurden zum größten Teil von den führenden Pietisten akzeptiert. Spener war bei der Schuckhardtin davon überzeugt, daß Gott "ihr und anderen Weisheit gibt zu tun, was vor ihm gefällig ist."[16] Am Beispiel der Anna Maria Schuckhardt kann man beobachten, wie Visionen und Prophetie von Frauen gegen die orthodoxen Geistlichen, die den Pietisten kritisch und ablehnend gegenüberstanden, benutzt wurden, um sie von ihrer kritischen Haltung abzubringen. So ein Fall war auch Adelheid Sybilla Schwarz, die Jugendfreundin Debora von Franckes, die später in den Häusern wichtiger politischer Persönlichkeiten Preußens, wie Dodo von Knyphausen und Georg Rudolf von Schweinitz verkehrte.[17]

1691 kam Adelheid nach Lübeck, wo sie als Prophetin auftrat, um die Sache der Pietisten zu verteidigen und zu fördern. Wieder wurde die religiöse Prophetie einer Frau gegen die feindliche Orthodoxie verwendet. Die Prophetin vermittelte eine göttliche Offenbarung, die dem Superintendenten D. August

Pfeiffer schriftlich überreicht wurde und die ihn von
seiner Kritik an den dortigen Pietisten abbringen
sollte: "Du, an welchem meine Seele einen Ekel hat,
siehe, ich werfe dich in ein Bett, das mit Pech und
Schwefel brennt, so du nicht umkehrest und wahre Buße
tust."[18] Hier wurde die Prophetin zur Agitatorin,
deren Engagement für den Pietismus als Wille Gottes
ausgegeben wurde. Francke schrieb über solche Frauen,
die die Verbreitung des Pietismus vorantreiben wollten: "Es mag solches dem Teufel oder der bloßen Natur zuschreiben, wer da will, ich halte, daß Gott auf
solche Weise anfange, seine Wunder kund zu thun...."[19]
Ob man nun diese Frauen als Prophetinnen, Schwärme-
rinnen oder als Agitatorinnen ansieht, die Pietisten
waren davon überzeugt, daß Gott gerade zum Herzen der
Frau spreche. Francke konnte sich bei ihrer Verteidigung immer auf ihre göttliche Inspiration berufen.
So betonte er in einem Brief an Spener, der von Visionen und Prophezeiungen von Frauen handelte, daß
ein frommes Herz der göttlichen Inspiration nicht wi-
derstehen könne: "Wer kann dem Herrn etwas wehren?
Er mag thun, was er will."[20]

In der Rosamunde Juliane von Asseburg, einer der
berühmtesten und umstrittensten Frauen im pietistischen Leben des ausgehenden 17. Jahrhunderts, wurde
wieder eine Frau zum Werkzeug des göttlichen Willens:
"Unser Haus ward durch die Gegenwart der auserwählten
Rosamunde wie Obed Edons gesegnet."[21] Diese begeisterte Aussage, die Rosamunde zu einer Heiligen hoch-
stilisiert, stammt aus Wilhelm Petersens Autobiographie. Seine Lebensbeschreibung spiegelt seine eigene
religiöse Entwicklung und Inspiration, und gibt Auskunft über seine wichtige und verhängnisvolle Begegnung mit der, wie er glaubte, auserwählten Rosamunde.
Petersen verteidigt in seiner Autobiographie die Prophetin und ihre Visionen der zukünftigen *fata eccle-
siae*. Entscheidend für die Rolle der Frau als ein
von Gott bevorzugtes Werkzeug seiner Offenbarung ist,
daß hier die Frau überhaupt nicht aus der Perspektive
des Mannes beschrieben wird, sondern von dem Standpunkt der Religion aus, wobei der Frau eine dem Manne
übergeordnete Rolle zugewiesen wird. Warum gerade
Rosamunde für die Rolle einer Prophetin auserwählt
wurde, versuchte Petersen dadurch zu erklären, daß
Gott ein keusches Herz haben wollte, in dem er wirkte.[22] Diese Erklärung deutet beispielhaft auf die

Rolle der heiligen Prophetin im Pietismus, die fromm, keusch und gelassen von Gott zur Verkünderin seines Willens und zukünftigen Reiches auserwählt worden war.

Rosamunde wurde als eine Prophetin angesehen, deren Visionen und Prophetie, wie Petersens Frau Eleonore betonte, "...aus einer extraordinären Gnade von oben herab"[23] kamen. Neben seiner Beschreibung der Prophetin in seiner Autobiographie verfaßte Petersen auch das *Sendschreiben...Species facti von einem adligen Fräulein, was ihr vom siebten Jahr ihres Alters bis hierher von Gott gegeben ist* (1691), das sich mit Rosamundes Visionen des Heilands befaßt und Petersens Lehre über das bevorstehende tausendjährige Reich unterstützte. Die Schrift ist auch deshalb interessant, weil sie Kritik an den kirchlichen und staatlichen Instanzen enthält, die Rosamunde als eine gefährliche Agitatorin ansehen, deren Visionen und Kritik unterdrückt werden sollten. Als Petersen wegen seiner Unterstützung der Rosamunde verhört wird, und deshalb schließlich seines Amtes als Superintendent zu Lüneburg enthoben wird, will man wissen, "ob die Realien in der Bezeugung der Rosamunde gegen die weltlichen Politien oder nur gegen die Kirche angingen." Petersens Antwort lautet: "Ich sagte, beydes würde darinne bezeuget, doch wäre die Bezeugung nicht gegen die Obrigkeit als Obrigkeit gerichtet, sondern diejenigen, die im Daniel unter den Bildern der Tiere wären vorgestellt, die ihr hohes Amt nicht recht administrierten."[24]

Daß die weltliche und kirchliche Obrigkeit als unmoralisch angeklagt werden konnte, wußte man längst. Daß aber eine Frau wie Rosamunde, die von vielen Menschen als eine heilige Prophetin angesehen wurde, diese beiden Instanzen kritisierte, wurde nicht nur als störend empfunden, sondern auch als politisch gefährlich. Obwohl sie verfolgt wurde, fand sie Unterstützung in adligen und kirchlichen Kreisen. Während ihres Aufenthalts bei Petersen und seiner Frau Eleonore besuchte sie die Kurfürstin von Hannover, die Rosamunde und Petersen finanziell unterstützt hat. Der Hofprediger der Kurfürstin von Heidelberg schrieb ihretwegen an Petersen.[25] Und Dodo von Knyphausen, der Kammerpräsident des Kurfürsten Friederich III. von Preußen, verschaffte Petersen und der Asseburg den Schutz des Kurfürsten und außerdem eine Pension von jährlich 700 Talern.[26] Aber nicht nur der deutsche Adel interessierte sich für die Prophetin. Wie Petersen berichtet, sollen auch der König von England und die Königin von Dänemark wegen Rosamunde nach Deutschland geschrieben haben.[27] Spener verteidigte sie ebenfalls, indem er auf das durch alle Zeugen festgestellte gottselige Wesen der Asseburg und ihrer Familie hinwies.[28] In Gottfried Wilhelm von Leibnitz fand sie ihren prominentesten Bewunderer und Verteidiger, der ihre Prophetie als göttlich inspiriert ansah, denn solche wie die Asseburg, "welche uns die besonderen Umstände der Zukunft lehren können, müssen übernatürliche Gnade haben."[29]

Den Zeitgenossen mußte die Rosamunde als eine Heilige und eine von den staatlichen und kirchlichen Behörden unerwünschte und nicht zuletzt gefürchtete Prophetin erscheinen. Der Fall von Rosamunde wurde eine *cause célèbre* in der Geschichte des Frühpietismus, doch läßt sich der Einfluß und die Wirkung der Rosamunde keineswegs mit Petersens Frau Eleonore (1644-1724) vergleichen, dem geborenen Fräulein von Merlau, von der Spener, mit dem sie zwischen 1672-1674 im Briefwechsel stand, glaubte, daß sie in "der Schule der Frömmigkeit heimisch war."[30] Verehrt wegen ihrer Frömmigkeit, trug Eleonore zum Bild der pietistischen Frau bei, die einer größeren Frömmigkeit als der Mann fähig sein sollte. Das ist auch das Thema der Vorrede zu Eleonores *Herzensgespräch mit Gott* (1694), die nicht von Eleonore selbst geschrieben wurde sondern von einem pietistischen Pfarrer zu Ehren der frommen Verfasserin, und in der die größere Frömmigkeit der Frauen hervorgehoben wurde.[31] Eleonore war so fromm, daß sie manchen fast wie eine Heilige erschien, in deren Gegenwart Menschen sich scheuten, Unrecht zu tun: "Du wunderbarer Gott! Wer hat diesen solche Furcht ins Herz gegeben, mit welcher Macht habe ich es doch zuwege gebracht, daß sich Grosse und Kleine in meiner Gegenwart scheuen Unrecht zu tun?"[32] Es war auch Eleonores Frömmigkeit, die sie zum Teil veranlaßte die Unmoral ihres eigenen Standes zu verwerfen und einen Mann aus dem Bürgertum wie Petersen zu heiraten, mit dem sie 1680 von Spener getraut wurde. Eleonores Heirat mit Petersen ist deshalb von Bedeutung, weil sie die Möglichkeit der Frau im Pietismus, ihren eigenen Willen in der Wahl des Mannes durchzusetzen, aufzeigt.

Eleonores Ehe mit dem Bürger Petersen bildete keineswegs eine Ausnahme unter adligen Pietistinnen.
Eleonore rechtfergite ihre Mesalliance mit Petersen,
der nicht ihr erster Freier war, indem sie behauptete, sie sei in ihrer Entscheidung gelassen dem Willen
Gottes gefolgt. Eleonore berichtete, ihr Vater habe,
obwohl er wegen Standesbedenken beunruhigt gewesen
sei, ebensowenig dem Willen Gottes widerstreben könne.[33] Wir wissen jedoch, daß der Vater sich wenig
für das Wohlergehen seiner Tochter interessierte und
Eleonore deshalb einfach die Entscheidung überließ.
Eleonore aber verwendete die quietistische Formel der
Motivation, um ihrer Wahl, Petersen zu heiraten, den
Anschein göttlicher Fügung zu verleihen.[34] Wenn man
Eleonores Entschluß näher betrachtet, dann wird klar,
daß sie den ihr zusagenden Mann selbst auswählte.
Ähnliches kann auch an vielen anderen Ehen beobachtet
werden, denn die Welt der pietistischen Gemeinden hob
oft die sozialen Unterschiede zwischen Adligen und
Bürgerlichen auf, was besonders die adlige Frau, die
sich von ihrem eigenen Stand distanzieren wollte, be-
günstigte. Die adlige Pietistin rechtfertigte ihre
Ehe mit einem Pietisten aus dem Bürgertum aus reli-
giösen Gründen. Bekannte Beispiele sind die Gräfin
Christiane Luise von Leiningen-Westernburg oder die
Gräfin Sophie zu Wittgenstein, die sogar einen ehema-
ligen Barbier und gräflichen Bedienten heiratete.[35]
Noch in Jung-Stillings Roman *Theobald oder die
Schwärmer* (1784) ruft der bürgerliche Theobald aus:
"Die Gottseligkeit ist doch etwas Herrliches, sie
macht die Menschen alle gleich!"[36] Er spricht be-
geistert davon, daß seine zukünftige Frau ihn mit
"Bruder" angeredtet hat. Diese rechtfertigt ihren
Entschluß, Theobald zu heiraten auch dadurch, daß
beide dieselbe Einstellung zur Religion haben. Die
Frau wird als die aktive, die die Bekanntschaft ein-
leitet, geschildert: "Nach einer Weile kam das Fräulein und setzte sich...fing an, freundlich mit Theobald zu reden; sie fragte nach seiner Seelenbeschaf-
fenheit; wie lange er schon erweckt wäre."[37] Auch
Eleonore Petersen war in ihrer Ehe die eigentliche
Initiatorin und hatte die führende Stellung inne.

Petersen, der bekanntere des Ehepaares, nannte
Eleonore ganz schlicht "meine so treue Gehilfin, die
Liebe und Leid mit mir ausgestanden hat."[38] So wird
diese Beschreibung der Bedeutung Eleonores für seine
religiöse Entwicklung nicht gerecht, denn ihre lei-

tende Rolle in der Ehe mit Petersen war unter Pietisten allgemein bekannt. Zinzendorf meinte sogar, daß Petersen wegen seiner Ehe mit Eleonore "kein formaler Ketzer geworden ist."[39] Überspitzt könnte man sagen, daß das Pietistische an Petersen seine Frau war. Denn die Innerlichkeit und die Gründlichkeit der Selbstbetrachtung und Selbstdarstellung, die in ihren Schriften und ihrer Autobiographie zu beobachten sind, fehlen fast ganz bei ihrem Mann. Die inbrünstige Liebe zu Gott, von der Eleonore in ihrer Autobiographie spricht, und die sie seit ihrem vierten Lebensjahr erfahren hat, führt nicht nur zu ihrem eigenen Engagement in der Erneuerungsbewegung, sondern auch zum dem ihres Mannes.[40]

Eleonores führende Rolle in der Ehe sprengte auch die von ihrem Verehrer, Jakob Spener vertretene traditionelle lutherische Eheauffassung, die den Spielraum der Frau in der Ehe eng begrenzen wollte.[41] Eleonore erlebte Visionen schon seit ihrem 18. Lebensjahr, als sie in einem göttlichen Traum die Stimme eines geheimnisvollen Mannes vernahm: "Siehe, zu der Zeit werden anfangen grosse Dinge zu geschehen und Dir soll etwas eröffnet werden."[42] Die Vision bezog sich auf das für die Hugenotten verhängnisvolle Jahr von 1685, in dem das Edikt von Nantes durch Ludwig XIV. aufgehoben wurde. 1685 war aber auch das Jahr, in dem Eleonore das "gesegnete tausendjährige Reich in der heiligen Offenbarung Jesus Christus"[43] entdeckte, eine Offenbarung, die eine zentrale Rolle in ihrer Auffassung der philadelphischen Kirche spielen sollte. Denn Eleonore war auch die Wegbereiterin der philadelphischen Sozietäten in Deutschland. Philadelphia hieß für Eleonore vor allem "Bruderliebe." Es war gerade das Ideal der Bruderliebe, die Eleonore zwischen Lutheranern und Reformierten verwirklichen wollte: "Ich sagte aber, man sollte in der wahren Nachfolge Jesu Christi einer den anderen zu helfen stärken. Ich flehte Gott an: er sollte sie in eine Liebesharmonie bringen, denn beide sind von Babel ausgegangen."[44]

Die neue Kirche der Bruderliebe sollte schon 1698 entstehen. In solchen Schriften wie *Anleitung zum gründlichen Verständnis der Offenbarung Christi* (1696) und *Der geistliche Kampf der berufenen, auserwählten, und gläubigen Überwinder* (1698) propagierte sie die Sache der neuen philadelphischen Kirche. Zu

120

Eleonores männlichen Anhängern zählte auch der Geistliche Johann Wilhelm Kellner, der unter ihrem Einfluß
schon 1690 eine philadelphische Gemeinde begründete,
in der Brüder und Schwestern "in aller Stille für
sich allein leben wollen...und ihren eigenen Gottes-
dienst nach erster rechter apostolischer Art einrich-
ten."[45] Die Grundsätze dieser philadelphischen Gemeinde, deren Gründer weitgehend von Eleonore beeinflußt worden war, finden sich auch in den philadelphischen Anfängen von Zinzendorfs Herrnhut wieder.[46]
Vor Herrnhut wurden jedoch noch mehrere philadelphische Gemeinden gegründet. Von Eleonores Schriften
gingen zusammen mit denen von Jane Leade (1623-1704),
der Organisatorin der philadelphischen Sozietät in
England, Impulse aus, die zur Etablierung von philadelphischen Gemeinden schon zu Anfang des Jahrhunderts geführt hatten, Gemeinden, die vorwiegend von
Frauen begründet und geführt wurden. So entstanden
in kurzer Zeit die Gemeinden von Frau Gebhard, Frau
Wetzel und Eva von Buttlar, um nur einige der bekann-
testen zu nennen.

Einige von Frauen geführte philadelphische Gemeinden kamen bekanntlich durch sexuelle Skandale und
Ausschweifungen in Verruf. Gottfried Arnold, der als
Verehrer und Verteidiger vieler umstrittener religiöser Frauen in seiner *Unpartheyischen Kirchen- und
Ketzer-Historie* (1699-1700) auftrat, stellte fest,
daß gerade die Frau in der neuen Epoche der religiösen Freiheit und Individualität moralisch gefährdet
werden konnte: "Ich sollte ein ganzes Buch schreiben
müssen, sollte ich alles beschreiben, was ich von den
Wundern Gottes an klugen, und Betrug des Satans an
den törichten Mägden, Jungfrauen und Weibern bei meiner kurzen Lebenszeit erfahren."[47] Er teilte die
Frauen des Frühpietismus in zwei Gruppen ein, zu deren zweiter auch Eva von Buttlar gezählt werden muß,
bei der die neugewonnene religiöse Freiheit und die
pietistische Sehnsucht nach spiritueller Erneuerung
des Christentums in Unmoral umgeschlagen war.

Eva von Buttlar wird als die "falsche" Prophetin
im pietistischen Leben des beginnenden 18. Jahrhunderts betrachtet, von der es in der Bibel heißt, sie
sagt "sie sei eine Prophetin und lehrt und verführt
meine Knechte Unzucht zu treiben" (Offb. 2:20-21).
Denn bei Eva wird die Religion zum Vorwand und Vehi-
kel einer ungebändigten Sexualität entgegen dem tra-

ditionellen Keuschheitsbegriff der christlichen Religion. Sie wird von ihren schwärmerischen Anhängern "zur Aufseherin des Priestertums, zur Führerin des grossen Gerichts, zur Regierenden der Gemeinde und zur Heerführerin des Volkes" ernannt.[48] Ihre begeisterten Anhänger sind wie das Beispiel des reformierten Theologen Justus Gottfried Winters zeigt, sogar davon überzeugt, daß Eva sie zur Weisheit, zur Gerechtigkeit und Heiligung führen wird.[49] Als "Sophia," als göttliche Weisheit pervertiert sie die Androgynenlehre, auf die im folgenden noch näher eingegangen wird. In der Nachfolge Jakob Böhmes hatten Vertreter des radikalen Pietismus argumentiert, daß der erste Mensch androgyn gewesen sei: ein männlichweibliches Wesen, in dem das weiblichle Prinzip als "Sophia" bezeichnet wurde, das nach dem ersten Fall Adams verlorengegangen war. Ihren Anhängern erscheint Eva jetzt als die göttliche Sophia in der Rolle der Führerin, die die geschlechtliche Gemeinschaft aller Mitglieder untereinander und insbesonders mit ihr selbst als rein und heilsbringend betrachtet. Der Libertinismus in der buttlarschen Gemeinde wird als die Vorbereitung auf den Eintritt in das tausendjährige Reich verstanden und dadurch gerechtfertigt.

Diese sexuelle "Frömmigkeit" kann einerseits als eine extreme Reaktion gegen die kalte orthodoxe Theologie der lutherischen Kirche verstanden werden, darüberhinaus auch als eine Reaktion auf die Unterdrückung der Sexualität in der christlichen Religion schlechthin.[50] Evas Libertinismus bildete einen extremen Gegensatz zur Lehre der sexuellen Askese, wie sie von Pietisten wie Gichtel vertreten wurde, der sich dann auch über Evas "fleischliches Lehr [sic] und unzüchtiges Leben..." beklagte.[51] Soziologisch stellen die sexuellen Ausschweifungen ein interessantes und aufschlußreiches Kapitel in der Geschichte der Frau im Pietismus dar: Die Frau emanzipierte sich unter dem Vorwand der Religion völlig auf sexuellem Gebiet. Das wiederum schadete dem Bild der Frau als Werkzeug göttlicher Offenbarung; die Idee der frommen und wiedergeborenen Frau und ihr Anspruch auf größere Frömmigkeit gegenüber dem Mann wurde damit in Frage gestellt. Eva wurde zu den sexuellen Ausschweifungen durch die Freiheit und Individualität im religiösen Leben ermutigt, die der Pietismus be-

sonders in den ersten sechs Jahrzehnten seines Beste-
hens mit sich brachte. Das neue Gefühl der Freiheit
wird in den Versen Gottfried Arnolds überzeugend ausgedrückt:

> Ich weiß endlich frei zu sein
> Und in das freie Feld hinein
> Mit dem, was ich erwählt, zu gehen.
> Ich gehe zur Freiheit auf güldenen Stufen
> Das Echo soll jetzo entgegen mir rufen.[52]

Arnold meinte die Freiheit der Seele, nicht die
Perversionen, zu denen die Bruderliebe in den Gemeinden ermutigte. Eva von Buttlar und ihre Gemeinde er-
regten viel Aufsehen, doch haben auch andere Frauen
die Aufmerksamkeit und das Interesse der Öffentlichkeit auf sich und ihre philadelphischen Gemeinden ge-
lenkt. Hier wäre auch Anna von Buchel (1702-1743) zu
erwähnen, die an der Spitze der Ronsdorfer Gemeinde
stand. Sie wurde wegen ihrer prophetischen Gaben und
wegen ihrer sexuellen Reize bewundert und vergöttert.
So hatte der Prediger von Ronsdorf, Petrus Wülfling,
Anna als "Schönste Jungfrau, Schönste der Weiber, als
Maria, deren Brust dient auch mir zur Herzenslust"
gefeiert.[53] Die Mischung religiöser Andacht und sexueller Lust ist auch in dieser Beschreibung der
schönen Anna zu spüren. Anna war eine Prophetin, der
Gott offenbart hatte, daß sie den neuen Heiland ge-
bären solle, und die durch körperliche Schönheit und
geistige Gaben ausgezeichnet war, die ihr dazu ver-
halfen, in ihrer religiösen Inspiration eine mächtige
Wirkung auf ihre Umgebung auszuüben.
Aber die Wirkung von Frauen in den philadelphischen Gemeinden war keineswegs auf die der Prophetin
beschränkt. Bei Eleonore Petersen hatten wir schon
eine Frau als Wegbereiterin philadelphischer Gemeinden kennengelernt. Man müßte auch hier insbesonders
die Gräfin Hedwig Sophie von Wittgenstein nennen, unter deren Schutz und dem ihres Sohnes, dem unter ihrem Einfluß stehenden Grafen Casimir von Berleburg,
eine beispielgebende philadelphische Gemeinde entstand, wo die von Eleonore Petersen geforderte Tole-
ranz verwirklicht zu sein schien. Sophies Ruhm ba-
sierte darauf, daß ihre Gemeinde zu einer Zuflucht-
stäte verfolgter Pietisten wurde, so daß Francke "die
teure Gnade rühmen konnte, welche Gott der Allmächti-
ge ihr und anderen ihres Ortes und ihrer Gegend er-

wiesen hatte."[54]   Sophie unterstützte auch Arnold und
Francke.   In Berleburg entstand die für die philadelphische Richtung des Pietismus wichtige *Geistliche
Fama* (1730), die von Johann Samuel Karl herausgegeben
wurde.   Noch wichtiger aber war zweifelsohne die *Berleburger Bibel* (1726-1742), deren Herausgeber (Johann
Friedrich Haug) und Mitarbeiter weitgehend von den
mystischen Schriften der Antoinette Bourignon und der
Madame Guyon beeinflußt worden waren.[55]

Die philadelphische Gemeinde in Berleburg wurde
seit etwa 1730 von der Brüdergemeinde in Herrnhut
überschattet.   Herrnhut, eine der wichtigsten und
faszinierendsten religiösen Gemeinden seiner Zeit
wird allgemein mit dem Namen ihres Begründers, dem
Grafen von Zinzendorf in Zusammenhang gebracht.   Aber
nicht Zinzendorf, sondern seinen erste Frau Dorothea
(1700-1756), war in erster Linie für das Bestehen von
Herrnhut verantwortlich.   Sie stammte aus einer Familie, die zur religiösen Erneuerung in Deutschland
beigetragen hatte, denn ihre Mutter Benigna, Gräfin
von Solms-Laubach, hatte eine wichtige Rolle in der
Verbreitung des Pietismus in ihren eigenen Landen gespielt.   Spener nannte die Mutter "eine Zierde der
Kirche und eine der vornehmsten Frauen, die ihn mit
ihrem Exempel ermunterte."[56]   Die Begabung ihrer
Tochter lag in erster Linie auf dem Gebiet der Organisation und Verwaltung.   Zinzendorf war sich weder
über die Talente seiner Frau im Klaren noch erahnte
er die praktischen, finanziellen Schwierigkeiten, die
sich in seiner Gemeinde ergeben würden, als er von
seiner zukünftigen Braut verlangte, daß ihr Leben die
gleiche Bestimmung wie das seine haben sollte.   So
schrieb er kurz vor der Hochzeit 1722 an seine Großmutter, die Frau von Gersdorf: "Die liebe Gräfin
Erdmuthe sich freilich nicht nur eine sehr verleug-
nende Lebensart bey mir müßte gefallen lassen: sondern der Hauptzweck meines Lebens: Christo unter
Schmach und Verachtung, die Seelen der Menschen wer-
ben zu helfen, auch ihre Funktion würde seyn müssen,
wo sie mir etwas nutzen wolte."[57]

Erdmuthe half ihrem Manne in erster Linie bei der
finanziellen Verwaltung von Herrnhut, so daß Zinzendorf nach ihrem Tode schreiben konnte: "Die Oecono-
mie, die wir bei ihrem Dasein gehabt, werden wir nie
wieder kriegen" (Jannasch, 306).   In einer anderen
Rede betonte Zinzendorf, daß Erdmuthe und nicht ihm

124

die zentrale Rolle für das Bestehen von Herrnhut zugewiesen war: "Mein Plan war nicht, ein Werkzeug
großer Dinge zu sein, aber sie hatte der Heiland dazu
destiniert...sie wagte sich aber und machte, und da
steht Herrnhut" (Jannasch, 307). Das war keine über-
triebene Huldigung, sondern entsprach den Leistungen
von Erdmuthe. Zinzendorf, der überhaupt nicht fähig
war, mit Geld umzugehen, wäre sicherlich ohne die
Hilfe von Erdmuthe in den meisten seiner Unternehmun-
gen gescheitert. In unserem Zusammenhang ist es weniger wichtig, daß Erdmuthe ihrem Ehegatten gegenüber
eine treue Frau war, die ihm eine schwierige Arbeit
abnahm. Das Beispiel von Erdmuthe, die imstande war,
die komplizierten und weitverzweigten finanziellen
Angelegenheiten von Herrnhut zu meistern, zeigt vielmehr, daß eine Frau die traditionell dem Mann über-
lassenen Aufgaben nicht nur meistern, sondern sogar
besser und effektiver ausführen konnte.
    Es wäre bestimmt falsch, Erdmuthe zu sehr als die
treue Ehefrau zu sehen, "für die der Kernpunkt des
Lebens doch in erster Linie in ihrer Ehe und Familie
liegen mußte" (Jannasch, 105), wie das in der von
Pietisten verfaßten Literatur geschieht. Dadurch
wird ihre Schlüsselstellung als Verwalterin in Herrnhut abgewertet, die eigentlich das interessanteste
und Wichtigste an ihrem Leben ist. Mehr noch als die
treue Ehefrau verkörpert sie die mit Vernunft begabte
Frau, die sich der religiösen Erneuerung in Deutschland anschließt. Aufschlußreich für den Charakter
von Erdmuthe ist ein Gedicht, in dem sie ihre Bekeh-
rung zum Pietismus beschreibt:

> Ich hörte mit Bewegung
> Und guter Überlegung,
> Es blieb auch was zurück,
> Ich fühlte eine Neigung
> Und eine Überzeugung
> Das drinnen zu sein ein großes Glück.
>   (Jannasch, 166)

Das Gefühl göttlicher Inspiration und die religiösen
Extasen, die man bei anderen Frauen der Zeit konsta-
tieren kann, fehlten ihr vollkommen. Obwohl sie mit
Bewegung der Predigt des Wanderapostels Hochmann von
Hochenau zuhörte, dachte sie sorgfältig über den Inhalt der Predigt nach, bevor sie sich von der darin
enthaltenen religiösen Botschaft überzeugen ließ.

Mit Vernunft führte sie das gesamte Finanzwesen von
Herrnhut. Es sollte auch darauf hingewiesen werden,
daß sie die für die Gemeinde wichtige Missionsarbeit
in Livland und Dänemark ausführte. Zinzendorf konnte
nur über die Vielseitigkeit von Erdmuthe staunen.
Zurückblickend fragte er mit Bewunderung in seinen
Naturellen Reflexionen: "Wer hatte zu Land und zu
See solche erstaunlichen Pilgerschaften übernommen
und souteniert?"[58] Ihre Begabung für Organisation
und Verwaltung trat auch bei mehreren Kinderanstalten
in England und Europa zu Tage, die sie erfolgreich
verwaltete. Die verschiedenen Funktionen, die Erdmuthe in Herrnhut und für die Sache der Brüdergemeinde ausübte, sind aber damit noch nicht erschöpft.
Erdmuthe trat auch als Dichterin hervor, deren Engagement in erster Linie der Förderung der Frömmigkeit
in der Gemeinde galt.

Es ist eine oft wiederholte Annahme, daß Erdmuthe
"so ganz im Geiste mit ihrem Mann zusammenstimmte,"[59]
während sie in Wirklichkeit ihrem viel berühmteren
Mann nicht selten Schwierigkeiten bereitete, die auf
ihr Selbstbewußtsein und ihre Selbständigkeit zurückzuführen sind. Zinzendorf versuchte oft ihre Selbständigkeit, ihr vernunftgemäßes Handeln--was er als
ihren Stolz betrachtete--zu verringern, ja zu brechen. Zehn Jahre nach seiner Heirat mit Erdmuthe
schrieb er:

> Herr Jesu, lehre doch
> Die Erdmuthe Dorothea
> An der ich Gnade sehe
> Geschicklichkeit ins Joch
> Und Lust zum heiligen Streite
> Und Muthe an meiner Seite.
>   (Jannasch, 166-67)

Dabei bedeutete "Geschicklichkeit ins Joch" besonders, daß Erdmuthe die traditionelle patriarchalische
Eheauffassung akzeptieren sollte. Danach sah Zinzendorf seine Frau als "Ehetochter" an, die ihrem Ehemann anvertraut ist und dabei ihrem Mann vollkommen
untergeordnet ist. Zinzendorf versuchte, aus seiner
selbstbewußten und unabhängigen Frau ein demütiges
Wesen zu machen; später kann man bei Zinzendorf eine
gewisse Wandlung feststellen, denn er sah im Laufe
der Zeit die Frau immer mehr als gleichberechtigt in
Herrnhut. Nur sechs Jahren vor dem Tode von Erdmuthe

behauptete Zinzendorf, daß die Schwestern stärker als
die Brüder seien und daher käme es, "daß sie viel
mehr ausstehen können."[60]
      Zinzendorfs Äußerungen zum Thema Frau in der Ge-
meinde stellen eine Art Zwiegespräch Zinzendorfs mit
sich selbst dar, bei dem er schließlich zu der Überzeugung kommt, die Tätigkeit der Frauen müsse gesteigert werden. So beschrieb er 1744 zunächst die Frau
als die Gehilfin des Mannes: Der eigentliche Beruf
einer Jungfrau bestünde darin, in die Ehe zu kommen,
damit sie ihrem Mann helfen könne (vgl. Uttendörfer,
36). Aber schon 1753 forderte Zinzendorf die Gleichberechtigung der Frauen in der Gemeinde bei aller
Verschiedenheit. Er wollte "den schmerzlichen Unterschied zwischen den Geschlechtern" abbauen (Uttendörfer, 52). In seinem Versuch die Stellung der Frau
in Herrnhut zu verbessern, argumentierte Zinzendorf,
daß wie Jesu "den ganzen Fluch des Menschentums abgetan hat,...[er] auch seiner Mutter zu Liebe die greu-
elhafte Geringschätzung eines ganzen Menschenteils
[Frauen] aufgehoben hat" (Uttendörfer, 47). Auch hat
Jesus nach Zinzendorf nicht zuletzt Frauen "als Evan-
gelisten...gebraucht" (Uttendörfer, 44).
      Zinzendorf wollte sogar dem Mann das alleinige
Vorrecht, ein geistliches Amt zu bekleiden, entziehen. Dieser Gedanke erscheint revolutionär, doch
geht er konsequent aus der pietistischen Auffassung
vom Wesen der Frau hervor. Es war zweifellos Zinzendorfs Meinung, daß die Frauen in Herrnhut die religiös empfänglichste Gruppe waren. Das implizierte,
daß eine Frau auch fähig sein mußte mit größerer
Überzeugung zu predigen. Hier sollte auch daran
erinnert werden, daß Zinzendorf seine eigene religiöse Inspiration weitgehend von einer Frau erhalten
hat: "Meine nahe Bekanntschaft mit dem Heiland kommt
daher, daß ich zehn Jahre in meiner Großmutter, der
Landvögtin von Gersdorf eigenem Kabinett in Henners-
dorf erzogen bin." Und mit aller Deutlichkeit betonte Zinzendorf im Zusammenhang mit der Entstehung von
Herrnhut: "Ich habe meine Prinzipia von ihr [Zinzen-
dorfs Großmutter]. Wenn sie nicht gewesen wäre, so
wäre unsere ganze Sache nicht zustandegekommen."[61]
Bei seinem Versuch zu beweisen, daß die Frauen mit
größerer Überzeugung predigen könnten, berief sich
Zinzendorf auf die Bibel. Dabei behauptete er, daß
das Vorrecht des Mannes zum geistlichen Amt überhaupt

nicht existieren könne, weil "in Christo...weder Mann
noch Weib [ist]" (Uttendörfer, 54). Das bedeutete,
daß vor Christus Mann und Frau gleich erscheinen. So
wurde nach den Worten des Heilandes auf die Gleichheit der beiden Geschlechter in Herrnhut hingearbei-
tet.

Wir haben schon festellen können, daß Frauen in
den philadelphischen Gemeinden oft an der Spitze der
Gemeinde standen. Eine ähnliche Situation enstand
auch vor Zinzendorfs Tode in Herrnhut. Zinzendorfs
zweite Frau Anna Nitschmann war, wie der Graf
schrieb, "unser aller, auch der Brüder...Vorgesetzte"
(Uttendörfer, 35). Anna und Zinzendorfs Tochter
Benigna hatten vor dessen Tode so viel Einfluß in
Herrnhut, daß es bald von den Männern als peinlich
und herausfordernd empfunden wurde. Aber mußten die
Männer nicht auch zugeben, daß die Schwestern von
Herrnhut auch als Rednerinnen in Ländern wie Norwegen
und Amerika begeistert von ihren Zuhörern gepriesen
worden waren? Ja, wie Zinzendorf in seinen Reden vor
der Gemeinde in Herrnhut betonte, solche Schwestern
hätten mit "höchster Bewunderung der Anwesenden ge-
predigt" (Uttendörfer, 27). Nach Zinzendorfs Tode
gelang es jedoch der männlichen Opposition, dem wachsenden Einfluß der Frau in der Brüdergemeinde Einhalt
zu gebieten. Auf der Synode von 1764 wurde im zweiten Satz der Beschlüsse festgelegt, den Schwestern
die Mitgliedschaft im Direktorium der Gemeinde zu
verbieten, denn die Frau sollte davor bewahrt werden,
das Opfer ihrer eigenen Herrschsucht zu werden. Der
Satz lautet: "Ein herrschsüchtiger Charakter schickt
sich für eine Magd Jesu am allerwenigsten" (Uttendörfer, 68). Die sogenannten herrschsüchtigen Frau-
en, zu denen die begabtesten Mitglieder von Herrnhut
gehörten, durften im Direktorium der Gemeinde nicht
vertreten sein.

Es gibt jedoch noch einen anderen Aspekt von Zinzendorfs Einstellung zu Männern und Frauen in Herrnhut, der hier erwähnt werden sollte. Zinzendorf war
davon überzeugt, daß Männer, bevor sie für Jesus gewonnen werden können, zuerst weiblich werden müßten.
Um seine Behauptung zu unterstützen, berief er sich
nochmals auf die Bibel, wonach Jungfrauen und nicht
Männer dem Lamme nachfolgten. Das hieß für Zinzendorf, daß der Heiland bloß Jungfrauen freien kann,
und daß vor Christus die Männer seelisch als Frauen

128

dastehen. Das wollte Zinzendorf dadurch erklären,
daß Adam vor dem ersten Fall androgyn gewesen sei.
Das ursprünglich Weibliche habe sich in den Männern
nur noch in einem Rest, in ihrer Seele, erhalten.[62]
In dieser Form steht die Androgynenlehre im Gegensatz
zur Lehre vom Sündenfall, an dem die Frau die Hauptschuldige war.

Zinzendorf steht hier am Ende einer ganzen Reihe
von Pietisten wie Gottfried Arnold, Johann Georg
Gichtel, Wilhelm Petersen und Ernst Christoph Hochmann von Hochenau, die sich alle in der Folge von
Böhme mit der Frage der androgynen Beschaffenheit des
ersten Menschen auseinandergesetzt hatten.[63] Schon
1700 hatte Arnold in *Das Geheimnis der göttlichen Sophia* argumentiert, daß der ursprüngliche Mensch androgyn gewesen sei. In dieser Vollkommenheit habe er
von Gott die Jungfrau, die göttliche Weisheit erhalten. Nach Arnold wollte der Mensch eine Gespielin
haben und diese Sehnsucht nach ihr, die dann in der
Scheidung Evas von Adam in Erfüllung ging, sei der
eigentliche Akt der Ursünde gewesen.[64] Das hieß
aber, daß die Frau nicht als die Schuldige am ersten
Fall angesehen werden konnte, denn Eva war das Pro-
dukt der Ursünde. Interessant ist in diesem Zusammenhang auch Hochmann von Hochenaus Deutung der Androgynenlehre. Er führte sie weiter, indem er behauptete, daß es nur eine kollektive Schuld zwischen
Mann und Frau geben könne, die einerseits auf Adams
ursprünglichen Fall und anderseits auf Evas Sünde
zurückzuführen sei.[65] Dadurch wird die Auffassung
der Frau als an der Erbsünde hauptschuldig relativiert und entkräftet. Bei Zinzendorf wird dann in
der Tat die Hauptschuld für den Verlust des Paradie-
ses eher dem Mann zugeschrieben, der sich zuerst gegen seine androgyne Natur aufgelehnt habe.[66]

Für viele Pietisten war auch Christus eine androgyne Natur, also eine männliche Jungfrau.[67] Gerade
das Bild von einem androgynen Heiland eröffnete neue
Möglichkeiten in der christlich-anthropologischen
Deutung der Frau. Dadurch wurde nämlich der Glaube
in Frage gestellt, daß Gott sich in einem Mann verkörpert habe. Auch der Mythos, der Mann und nicht
die Frau sei das von Gott bevorzugte Wesen, wurde damit aufgehoben. Denn Gott hatte sich letzten Endes
nicht in einem Mann, sondern in einem männlich-weib-
lichen Wesen verkörpert. Dabei muß auch darauf hin-

derer sektierischer und begeisterter Weibesperso-
nen"[75] verworfen. Aber die Kritik an Frauen im Pietismus und vor allem an ihrem Einfluß in den pietistischen Gemeinden stammte nicht nur von der Orthodoxie, sondern auch von pietistischen Männern. Man
braucht nur an die Brüder in Herrnhut zu denken, die
das Direktorium den Frauen verboten haben. Die heftige Kritik und die Ablehnung von Frauen, die eine
entscheidende Rolle im pietistischen Leben spielten,
unterstreicht eindeutig den wachsenden Einfluß der
Frau in der sich entfaltenden Reformbewegung.

Denn während der Pietismus seit dem letzten Jahr-
zehnt des siebzehnten Jahrhunderts aus einer rein religiösen Angelegenheit zu einer Massenbewegung wurde,
trat auch die Frau im pietistischen Leben immer aktiver hervor. Sie trat aus ihrer Rolle als Ehefrau und
Mutter hinaus und wurde oft zur Prophetin und Führerin. Daß sie sich solche Rollen in der Erneuerungsbewegung aneignen konnte, hing mit der Überzeugung
vieler Pietisten zusammen, daß Gott in erster Linie
zum Herzen der Frau spreche. Als Werkzeug göttlicher
Offenbarung gewann die Frau ein neues Wirkungsfeld im
religiösen Leben der Zeit. Anderseits verlor ihre
traditionelle Rolle als Ehefrau dadurch an Wichtig-
keit, weil ihre Hauptaufgabe im Leben nun die Verbreitung göttlicher Offenbarung war. Die Ehe selbst
wurde oft, wie die Beispiele Eleonore Petersens und
Erdmuthe Zinzendorfs veranschaulichen, zu einer Ehe
im Dienst der Religion. Mann sollte auch nicht vergessen, daß adlige Pietisten wie Eleonore Petersen
ihre Ehen mit Männern aus dem Bügertum aus religiösen
Gründen rechtfertigen konnten. Gleichzeitig gab aber
die Antipathie vieler Pietisten gegen die sogenannte
"fleischliche Ehe" Frauen auch die Möglichkeit, ja
die Rechtfertigung, ihre Männer zu verlassen. Hier
wäre wieder Eva von Buttlar zu erwähnen, die behauptete, sie habe ihren Mann verlassen, mit dem sie
siebzehn Jahre verheiratet war, weil sie die Ehe, die
tierisch und fleischlich sei, nicht länger akzeptieren könne.[76]

Während die Frau als Prophetin und Führerin erschien, trat sie auch als Wegbereiterin und Organisatorin auf, deren Arbeit für die Entstehung und Existenz pietistischer Gemeinden unentbehrlich war. In
der ersten Hälfte des 18. Jahrhunderts erfuhr auch
das christlich-anthropologische Bild der Frau eine

bedeutende Wandlung. Durch die Androgynenlehre der radikalen Pietisten konnte die Frau nicht mehr einfach als die Hauptschuldige am Sündenfall angesehen werden. Noch wichtiger war zweifelsohne der Glaube, daß Jesus androgyn sei. Von hier aus mußte der Glaube in Frage gestellt werden, daß Gott sich in einem Mann verkörpert habe. So hatten die radikalen Pietisten dazu beigetragen, die negativen Komponenten im religiösen Bild der Frau zur Zeit des Pietismus zu entkräften, indem sie durch ihre Schriften die zwei frauenfeindlichen Mythen von der "sündigen Eva" und vom Menschwerden Gottes in einem Mann entkräftet hatten. Ob nun die Frau als Prophetin und Agitatorin, als Wegbereiterin und Organisatorin wirksam wurde, Frauen haben geholfen, das pietistische Leben von den Anfängen des Pietismus bis weit in das 18. Jahrhundert hinein zu prägen.

ANMERKUNGEN

1 Albrecht Ritschl, *Geschichte des Pietismus in der lutherischen Kirche des 17. und 18. Jahrhunderts* (Bonn: Adolf Marcus, 1880), Bd. II, S. 136.

2 Fritz Tanner, *Die Ehe im Pietismus* (Zürich: Zwingli Verlag, 1952), S. 94.

3 Ritschl, *Geschichte des Pietismus*, Bd. I, S. 404. Zum Begriff der Wiedergeburt siehe Martin Schmidt, "Speners Wiedergeburtslehre," *Zur Neueren Pietismusforschung*, hrsg. von Martin Greschat (Darmstadt: Wissenschaftliche Buchgesellschaft, 1977), S. 9-34; Jürgen Büchsel, *Gottfried Arnold: Sein Verständnis von Kirche und Wiedergeburt* (Witten-Ruhr: Luther Verlag, 1970); August Langen, *Der Wortschatz des deutschen Pietismus* (Tübingen: Niemeyer, 1968).

4 Gottfried Arnold, *Unparteyische Kirchen- und Ketzer-Historie* (1725; Reprint, Hildesheim: Olms, 1967), Bd. II, S. 155.

5 Vgl. Max Wieser, *Der sentimentale Mensch. Gesehen aus der Welt holländischer und deutscher Mystiker im 18. Jahrhundert* (Stuttgart: Leopold Klotz, 1924), S. 118.

6 Vgl. Max Goebel, *Geschichte des christlichen Lebens in der rheinisch-westphälischen evangelischen Kirche* (Koblenz: Karl Bädeker, 1852), Bd. II, S. 91

7 Otto Uttendörfer, *Zinzendorf und die Frauen* (Herrnhut: Missionsbuchhandlung, 1919), S. 18, 43.

8 Adalbert von Hanstein, *Die Frauen in der Geschichte des deutschen Geisteslebens des 18. und 19. Jahrhunderts* (Leipzig: Freund und Wittig, 1899), erwähnt verschiedene weibliche Figuren aus dem Pietismus ohne eingehende Besprechung ihrer verschiedenen Rollen in den pietistischen Gemeinden. Otto Uttendörfer, *Zinzendorf und die Frauen*, bringt eher eine Ansammlung von Zinzendorfs Aussagen über die Frauen in Herrnhut als eine Auseinandersetzung mit unserer Fragestellung.

9 Vgl. Hans R. G. Günther, "Die Psychologie des deutschen Pietismus," *Deutsche Vierteljahrsschrift für Literatur- und Geistesgeschichte*, 4 (1926), S. 164-70.

10 Max Weber, *Gesammelte Aufsätze zur Religionssoziologie* (Tübingen: Mohr, 1972), Bd. I, S. 133.

11 Phillip Jakob Spener, *Pia Desideria*, hrsg. von Kurt Aland (Berlin: De Gruyter, 1955), S. 25.

12 Zitiert nach Walter Nigg, *Das Buch der Ketzer* (Zürich: Artemis, 1949), S. 396.

13 *Nachricht von drei begeisterten Mägden...zusammengetragen von A. H. Francke*, hrsg. von M. Marquart, 1692, zitiert nach Ritschl, *Geschichte des Pietismus*, Bd. II, S. 184.

14 Ebd.

15 Gustav Kramer, *Beiträge zur Geschichte August Hermann Franckes, enthaltend den Briefwechsel Franckes und Speners* (Halle: Buchhandlung des Waisenhauses, 1961), S. 263.

16 Ebd., S. 273.

17 Vgl. Klaus Deppermann, *Der hallesche Pietismus und der preußische Staat unter Friedrich III. (I.)* (Göttingen: Vandenhoeck & Ruprecht, 1961), S. 29.

18 Zitiert nach Ritschl, *Geschichte des Pietismus*, Bd. II, S. 189.

19 Kramer, *Beiträge zur Geschichte August Hermann Franckes*, S. 273.

20 Kramer, S. 264.

21 *Das Leben Jo. Wilhelmi Petersen...* (o.O., 1717), S. 153.

22 *Petersen*, S. 155.

23 *Leben Frauen Joh. Eleonora Petersen...Von ihr selbst mit*

eigener Hand aufgesetzet (o.O., 1718), S. 71.

24 *Petersen*, S. 174.

25 *Petersen*, S. 154.

26 Deppermann, *Der hallesche Pietismus und der preußische Staat*, S. 29.

27 *Petersen*, S. 206.

28 Vgl. Ritschl, *Geschichte des Pietismus*, Bd. II, S. 239.

29 Zitiert nach G. E. Guhrauer, *Gottfried Wilhelm Freiherr von Leibnitz* (1846; Reprint, Hildesheim: Olms, 1966), Bd. II, S. 44.

30 Ritschl, *Geschichte des Pietismus*, Bd. II, S. 231.

31 Ebd.

32 *Leben Eleonore Petersen*, S. 34.

33 Ebd., S. 25, 28, 51.

34 Vgl. Günther, "Die Pyschologie des deutschen Pietismus," S. 162.

35 Goebel, *Geschichte des christlichen Lebens*, Bd. II, S. 771.

36 Jung-Stilling, *Theobald oder die Schwärmer* (Stuttgart: J. Scheibels Buchhandlung, 1837), S. 48.

37 Ebd.

38 *Petersen*, S. 394.

39 Zitiert nach Uttendörfer, *Zinzendorf und die Frauen*, S. 61.

40 Vgl. Ritschl, *Geschichte des Pietismus*, Bd. II, S. 247-48.

41 Vgl. Tanner, *Die Ehe im Pietismus*, S. 184-85.

42 *Leben Eleonore Petersen*, S. 55.

43 Ebd. Zum Thema des Chiliasmus bei dem Ehepaar Petersen, W. Nordmann, "Die Theologische Gedankenwelt in der Eschatologie des pietistischen Ehepaares Petersen." Diss. masch. (Berlin: 1929).

44 *Leben Johanna Eleonore Petersen*, S. 61-62.

45 Zitiert nach Goebel, *Geschichte des christlichen Lebens*, Bd. III, S. 195-221.

46 Zu Zinzendorfs ursprünglich philadelphischer Richtung, Ritschl, *Geschichte des Pietismus*, Bd. III, S. 195-221.

47 Arnold, *Unparteyische Kirchen- und Ketzer-Historie*, Bd. II, S. 1110.

48 Zitiert nach Goebel, *Geschichte des christlichen Lebens*, Bd. II, S. 809.

49 Tanner, *Die Ehe im Pietismus*, S. 84.

50 Wolfgang Ronner, *Die Kirche und der Keuschheitswahn: Christentum und Sexualität* (München: List Verlag, 1971), S. 269.

51 Zitiert nach Tanner, *Die Ehe im Pietismus*, S. 84.

52 Zitiert nach Erich Seeberg, *Gottfried Arnold, die Wissenschaft seiner Zeit* (Meerane, 1923), S. 5.

53 Zitiert nach Goebel, *Die Geschichte des christlichen Lebens*, Bd. III, S. 464.

54 Ebd., S. 87.

55 Zur *Geistlichen Fama* und der *Berleburger Bibel*, Wieser, *Der Sentimentale Mensch*, S. 124-26.

56 Zitiert nach Wilhelm Jannasch, *Erdmuthe Dorothea Gräfin von Zinzendorf, geborene Reuss zu Plauen: Ihr Leben als Beitrag zur Geschichte des Pietismus und der Brüdergemeinde dargestellt* (Gnadau: Verlag des Vereins für Brüdergeschichte, 1915), S. 5. Weitere Zitate von Jannasch erscheinen im Text.

57 Zitiert nach August Gottlieb Spangenberg, *Leben des Herrn Nicolaus Ludwig Grafen von Zinzendorf und Pottendorf* (o.O., 1772-1775), Bd. I, S. 219.

58 Nikolaus Ludwig von Zinzendorf, *Ergänzungsbände zu den Hauptschriften*, hrsg. von E. Beyreuther und G. Meyer (1742; Reprint, Hildesheim: Olms, 1964), Bd. IV, S. 114.

59 Hanstein, *Die Frauen in der Geschichte des deutschen Geisteslebens*, S. 242.

60 Uttendörfer, *Zinzendorf und die Frauen*, S. 9. Weitere Zitate von Uttendörfer erscheinen im Text.

61 Zitiert nach Erich Beyreuther, *Der junge Zinzendorf* (Marburg: Francke-Buchhandlung, 1957), S. 54.

62 Vgl. Tanner, *Die Ehe im Pietismus*, S. 139-40.

63 Vgl. Goebel, *Geschichte des christlichen Lebens*, Bd. II, S. 719-26; Ritschl, *Geschichte des Pietismus*, Bd. I, S. 424-25, Bd. II, S. 245-46 und 295-96; Tanner bespricht eingehend Böhmes Position als Vermittler der Androgynenlehre, *Die Ehe im Pietismus*, S. 11-19.

64 Vgl. Goebel, *Geschichte des christlichen Lebens*, Bd. II, S. 726.

65 Vgl. Tanner, *Die Ehe im Pietismus*, S. 47.

66 Ebd., S. 139.

67 Dieser Gedanke kommt insbesonders bei Arnold vor. Vgl. Ritschl, *Geschichte des Pietismus*, Bd. II, S. 316.

68 Angelus Silesius, *Sämtliche Poetische Werke*, hrsg. von Hans Ludwig Held (München: Hanser, 1949), Bd. II, S. 117.

69 Vgl. Delburn Carpenter, *The Radical Pietists: Communal Societies Established in the United States Before 1820* (New York: AMS Press, 1975), S. 88.

70 Franklin H. Littel, "Radical Pietism in American History," *Continental Pietism and Early American Christianity*, hrsg. von Ernest Stoeffler (Grand Rapids: Eerdmanns, 1976), S. 173.

71 Ebd.

72 Siehe *Pietismus und Bibel*, hrsg. von K. Aland (Witten/Ruhr: Luther-Verlag, 1970).

73 Paul Gerhardt, *Dichtungen und Schriften*, hrsg. von Eberhard von Cranach-Sichart (München: Paul Müller, 1957), S. 352.

74 Zitiert nach Hanstein, *Die Frauen in der Geschichte des deutschen Geisteslebens*, S. 41.

75 Ebd.

76 Vgl. F. Dibelius, "Eva von Buttlar," *Realenzyklopädie für protestantische Theologie und Kirche* (1879), Bd. III, S. 602-603.

6.

SABINE SCHUMANN

Das "lesende Frauenzimmer:" Frauenzeitschriften im 18. Jahrhundert

I.

Das 18. Jahrhundert, die "galante Zeit," das "Jahrhundert der Frau"--so nennen es die männlichen Geschichtsschreiber und sprechen sogar von der Befreiung der Frau, die nun Wirklichkeit geworden sei. Doch die Wahrheit sieht anders aus. Die Zeit der Familienwirtschaft war endgültig vorbei, was zur Folge hatte, daß sich die Aufgaben der Frau auf den Haushalt reduzierten, im Gegensatz zur Arbeitswelt-- der Domäne des Mannes. Die Gemeinsamkeit von Hausarbeit und Erwerbstätigkeit war keine Einheit mehr, wie sie durch die Gesamtarbeit von Alten und Jungen, Mann, Frau und Kindern bestanden hatte. Die Trennung von Produktion und Konsumtion war vollzogen.

Auch die Aufklärung löste diese Reduktion der Frauen nicht, trotz ihres Postulats der Egalität. Sie brachte den Frauen zwar "Freiheiten," aber nicht Selbstbestimmung und Selbstverwirklichung, *die* Freiheit. Eher haften der Aufklärung frauenfeindliche Züge an, da mit einem höchst doppelbödigen Naturbegriff argumentiert wurde. Der Mensch wurde als Naturwesen definiert, frei und gleich geboren, doch die Frau wurde davon ausgenommen, da man sie nur innerhalb der hierarchisch-patriarchalischen Familien- und Gesellschaftsstruktur begriff. Der Aufklärung war es somit nicht gelungen, die soziale, rechtliche und politische Situation der Frau in die Theorie von der Befreiung des Bürgertums zu integrieren. Die "natürliche Unterordnung" der Frau unter den Mann in der Institution der Ehe wurde weiterhin nicht in Frage gestellt; nur innerhalb des Haus- und Familienrechtes wurde die Frage nach der Stellung der Frau diskutiert.

Was die "Freiheiten" betrifft, so hatten sich nun auch für die Frauen die engen Moralbegriffe gelockert, das Recht zum "Seitensprung" wurde auch ihnen konze-

diert; doch an den Herrschaftsverhältnissen insge-
samt--in Familie und Gesellschaft--änderte sich
nichts. Nutznießer dieses quasi-emanzipatorischen
Vorgangs waren ohnehin nur die Damen des Adels und
der bürgerlichen Oberschicht, für die Masse der Frau-
en war nicht einmal in dieser Hinsicht ein Wandel
eingetreten.[1] Sie blieben weiterhin Außenseiter,[2]
eine unterdrückte Klasse.[3]

"Bildung" wurde zu einem neuen Schlagwort, insbesondere für die Frau, das "lesende Frauenzimmer" eine
Lieblingsvorstellung. Dies bedeutete eine prinzi-
pielle Abkehr von den bisherigen Verhältnissen--der
absoluten Bildungslosigkeit der Frau zu Beginn des
18. Jahrhunderts. In der Tat wurden die Frauen als
Lesepublikum neu entdeckt: es entstand eine neue
Literaturgattung (schöngeistig und populärwissen-
schaftlich), die sich speziell an Frauen richtete.
Frauen griffen öfter als zuvor zur Feder, die "Frauenzimmer" wurden von einer wahren Lesewut ergriffen.

Wer waren diese Frauen, wo lebten sie, aus welchen
Schichten kamen sie? Wie hoch war ihr Anteil am Ge-
samt der lesenden Bevölkerung in der zweiten Hälfte
des 18. Jahrhunderts? So sehr bei der Beantwortung
dieser Fragen differenziert und zwischen den Verhältnissen in den Städten und auf dem Lande unterschieden
werden muß, so unterschiedlich die soziale und wirtschaftliche Struktur der einzelnen Städte--und damit
auch der potentiellen Leser--war, so können doch allgemeine Angaben über die Leserinnen der Frauenzeitschriften gemacht, einige spezifische Merkmale zutage
gefördert werden. Wenn hinsichtlich der moralischen
Wochenschriften festgestellt werden kann, daß sie am
Teetisch der Damen gelesen wurden, daß sie ins "gut-
bürgerliche Zimmer, nicht in die niedere Stube des
Handwerkers oder gar in die Hütte des Bauern" gelang-
ten,[4] so ist damit auch der gesellschaftliche Raum
umrissen, in dem die Frauenzeitschriften gelesen wurden. Die bürgerliche Frau war vornehmlich die Adressatin der Frauenzeitschriften, hier wurde die bürgerliche Kleinfamilie als Ideal propagiert. Auch die
adlige Frau (vorwiegend auf dem Lande) war Leserin
und Adressatin, wobei sich ihr Landleben allenfalls
in seinem glanzvolleren Rahmen von dem der Bürgerfrau
unterschied.

Wie und wo lebte jedoch die "Öffentlichkeit," die
in den Zeitschriften angesprochen wird? Um 1789 leb-

ten im Deutschen Reich von 23 Millionen Menschen 80%
auf dem Lande, weniger als 20% der Gesamtbevölkerung
konnten lesen und schreiben. Lektüre--eine vorwiegend städtische Beschäftigung. Der Rezipientenkreis
der Frauen war folglich sehr eingeschränkt; ihr pro-
zentualer Anteil wird weit unter 10% gelegen haben.
   Es kann in diesem Rahmen kein historischer Abriß
über die Genese des Frauenbildes und die reale Situation der Frau bis zum Beginn des 18. Jahrhunderts
gegeben werden. Es müßte viel von der christlichen
Tradition under der lutherischen Konkretisierung des
Frauenbildes die Rede sein: die Frau ist dem Manne
gegenüber unter den Aspekten des Werdens, des Seins,
und der Tätigkeit minderwertig.[5] Ebenso viel müßte
die Rede sein von Mädchenerziehung: ein wenig Lesen,
Schreiben und Rechnen, Erlernen der häuslichen Fertigkeiten; all dies legitimiert durch die "natürliche
Bestimmung des Weibes," nämlich Gattin und Mutter zu
sein.[6] Es müßte aber auch vor allen Dingen von Ge-
genbewegungen die Rede sein, die erstmals die Frau in
ihrer Individualität begriffen und dementsprechend
neue Erziehungs- und Bildungskonzepte entwarfen. Es
muß aber immerhin gesagt sein, daß "Bildung," wie sie
im Gegensatz dazu die Aufklärer bezüglich der Frauen
verstanden und postulierten, keine grundlegende Neu-
bestimmung der Frau darstellte, sondern allenfalls
als Ausdruck eines veränderten Frauenbildes angesehen werden kann, das mit der Wirklichkeit wenig über-
einstimmte. Die "andere Frau" sollte belesen sein,
die Früchte der nützlichen und schönen Wissenschaften
genießen, die schönen Künste sollten ihr nicht fremd
sein, sie solte vielmehr dem Manne durch ihr amnuti-
ges Wesen und ihre gebildete Art seine Sorgenfalten--
hervorgerufen durch die täglichen Geschäfte--von der
Stirn wischen. "Weibliche Gelehrsamkeit," ein oft
gehörtes Schlagwort dieser Zeit, konzedierte den
Frauen somit nur Fortschritt von der reinen Haushälterin zur gebildeten Hausfrau, ohne daß dabei die
Sphäre des Hauses je überschritten würde. Die wirklich gelehrte Frau--als Partnerin in der männlichen
Gesellschaft--war für die Zeitgenossen weiterhin eine
höchst belustigende Vorstellung. Zwei Beispiele für
die geläufige Art von Bildungsvermittlung seien genannt:
   1. *Frauenzimmerlexikon*, hrsg. von Gottlieb Sieg-
mund Corvinus, 1715, 2. Auflage 1739. Der Zweck die-

ses Lexikons, das insgesamt normativen Charakter besitzt, wird klar umrissen. Es sei für solche Frauenzimmer gedacht, "die ein gutes Buch mit Nutzen lesen und sich in müßigen Stunden, welche ihnen von ihren eigentlichen Berufsarbeiten übrig bleiben, mit Lesen einen lehrreichen Zeitvertreib machen können." Eine gelehrte Frau sei unfähig, die Wirtschaftsgeschäfte zu führen, dies aber sei ihre eigentliche Aufgabe. Damit ist der "Innenbereich" des Wirkungsfeldes der Frau umschrieben. Außerdem schreibt das Buch präzise vor, wie eine Frau sich bewegen soll, wie sie sich zu kleiden habe, wie sie ihrem Körper die "richtigen Proportionen" verleihen könne, kurz, wie eine "vollkommene Schönheit" zu erreichen sei. Hier wird eine Art Doppelfunktion der Frau dargestellt, d.h. einmal, ästhetisches "remedium" für den Ehemann, zum andern Repräsentationspüppchen für die Gesellschaft zu sein. Es stand also Schönheit gegen Freiheit.[7]

2. *Grundriß einer Weltweisheit von Charlotte Ziegler*, 1751, 2. Auflage 1767. Wissen wird hier auf sehr volkstümliche Weise vermittelt, indem sich die Herausgeberin auf das Selbstverständnis der Frauen beruft: strenge Wissenschaft wird entkrampft und in feuilletonistische Form gebracht, Gedichte werden eingestreut, die Naivität bleibt gewahrt--all dies gedacht für Frauen höherer Stände.

Die Intention, die mit dieser Art von Wissensvermittlung verbunden ist, wird verdeutlicht von den sog. "Frauenzimmerbibliotheken," die vielen moralischen Wochenschriften dieser Zeit beigegeben sind und die konkrete Lesevorschläge für das weibliche Lesepublikum enthalten.[8] Es sind im Prinzip geistlich erbauliche Schriften, insbesondere aus den Gebieten der Geschichte, Geographie, Naturkunde, schönen Literatur und--nicht zu vergessen--der Ökonomie, d.h. der Haushaltungslehre.

II.

Wenn im folgenden die Frauenzeitschriften des 18. Jahrhunderts im Mittelpunkt der Betrachtung stehen, so wäre zuvor eine eingehende Analyse der moralischen Wochenschriften, deren Komplex sie zuzuordnen sind, zu leisten, vor allem im Hinblick auf frauenspezifische Themen, derer sie sich in besonderem Maße annehmen. Eine solche Analyse müßte weit über den rein

literaturhistorischen Rahmen hinausreichen,[9] um der
Gefahr zu entgehen, die "literarische Frau," so wie
sie Wochenschriften präsentieren, als Wirklichkeit zu
begreifen. Dies häte wieder etwas mit dem Frauen
bild dieser Epoche zu tun, wenig mit der sozialen und
gesellschaftlichen Existenz der Frauen. Die Zeitschriften sollen vielmehr dahingehend befragt werden,
ob in ihnen ein Wandel des Selbstverständnisses der
Frauen abgelesen werden kann, der im Gegensatz zu dem
für sie von der Gesellschaft postulierten Rollenverständnis steht. Es soll witerhin nach emanzipatori-
schen Ideen und Versuchen ihrer Verwirklichung gefragt werden. Gibt es bereits Vorstellungen von einer grundsätzlichen Veränderung der unfreien Position
der Frau innerhalb der Gesellschaft? Sind die Zeitschriften in irgend einer Weise Forum einer solchen
Auseinandersetzung?

Diese Fragen stellen, heißt zugleich: historische
Bezüge herstellen; heißt, die faktische Wirklichkeit
dieser Zeit miteinbeziehen. Erst dann verlieren Forderungen, Polemiken, Wünsche und Hoffnungen ihren
subjektiven Charakter--sie gewinnen gesamtgesell-
schaftliche und politische Bedeutung. Dann erkennen
wir die kleinsten Ansätze, die auf die Befreiung der
Frau zielten, als wichtige Stationen auf dem Weg zur
allgemeinen Emanzipation der Frau. Eine Entwicklung,
die heute noch nicht abgeschlossen ist.

Unter "Frauenzeitschriften" werden alle diejenigen
Wochen- und Monatsschriften verstanden, die sich ausdrücklich und gezielt an das weibliche Lesepublikum
richten. Sie wurden meist von Männern verfaßt, aber
auch Frauen fungierten, besonders in der zweiten
Hälfte des Jahrhunderts, als Herausgeberinnen, weibliche Autoren waren keine Seltenheit. Meist hielten
es sogar die männlichen Herausgeber für opportun,
ihre Herausgeberschaft hinter einem fingierten weiblichen Namen zu verbergen. So konnten sie sicher
sein, ihr Publikum zu erreichen, um ideologisch Einfluß zu nehmen.

Kirchner[10] hat für den Zeitraum zwischen 1700 und
1800 85 Zeitschriften ermittelt, die als spezifische
Frauenzeitschriften bezeichnet werden können, von denen allerdings viele das Jahr ihres ersten Erschei-
nens nicht überlebten. Manch eine dieser Zeitschriften brachte es nur auf wenige Hefte, andere erschienen mehrere Jahre hindurch und lassen auf eine große

Publikumswirksamkeit schließen. Ihre Überlieferung
ist höchst lückenhaft; insbesondere die durch den 2.
Weltkrieg bedingten Verluste sind erheblich, so daß
viele Zeitschriften als verschollen gelten müssen.
Immerhin gelang es, ca. 50% der von Kirchner genann-
ten--und andere--Zeitschriften zu erfassen (teilweise
sind auch sie nur unvollständig überliefert), so daß
dennoch ein relativ geschlossenes Bild dieser Zeit-
schriftengruppe zustande kommt. Sie werden im folgenden in chronologischer Reihenfolge vorgestellt,
wobei nur diejenigen Jahrgänge angegeben werden, die
tatsächlich eingesehen werden konnten. Im Anschluß
daran folgt eine inhaltliche Wertung.

Chronologie der ermittelten Frauenzeitschriften zwischen 1700 und 1800

1. *Die Patriotin*. *Stück 1-6, Hamburg 1724*. Sie
versteht sich als Gegenstück zu der im selben Jahr
erschienenen Zeitschrift "Der Patriot" und kritisiert
unverblümt die dort vertretene Auffassung von Fähigkeiten und Eigenschaften der Frau. Die (fingierten?)
weiblichen Autoren machen es sich in den wenigen Hef-
ten zur Aufgabe, ironisierend die Einfalt der sich
sonst so klug dünkenden Männer zu beweisen. Sie ver-
höhnen sowohl den träumenden Liebhaber und Schwärmer,
der nichts von den Wünschen und Bedürfnissen einer
Frau versteht, als auch den Don Quixote-Typus. Die
gebildete Frau durchschaut diese männlichen Verhaltensweisen von einem gehobenen, distanzierten Podest.
2. *Die Vernünftigen Tadlerinnen*. *Hrsg. von Johann
Christoph Gottsched, Halle 1725-1726*. Gottscheds moralische Wochenschrift war die erste ihrer Art in
Deutschland, die sich gezielt an Frauen richtete.
Weibliche Autoren wurde fingiert, als kämen ausschließlich Frauen zu Wort, wobei davon ausgegangen
werden kann, daß die meisten der Artikel aus Gottscheds Feder stammen, daß er sich hinter den Namen
Calliste, Phyllis und Iris verbirgt. Seine Frau, die
"Gottschedin," ist ebenfalls Autorin vieler Abhandlungen in dieser Zeitschrift. Die Frau soll zur Mitarbeit ermuntert und erzogen werden, sie soll befä-
higt werden, als Gattin und Mutter ihre Pflichten mit
Einsicht zu erfüllen, d.h. sie soll durch Bildung die
Möglichkeit erhalten, die Naturgesetze, die das Verhältnis von Mann und Frau zueinander bestimmen, zu

durchschauen. Sie soll nicht zu einer Gelehrten um-
funktioniert, sondern befreit werden von Eitelkeit
und törichtem Zeitvertreib. Folgende bemerkenswerte
Sätze im 6. Stück des ersten Bandes charakterisieren
den Zustand der Bildungslosigkeit der Frau in treff-
licher Weise:

> Unser Verstand wird durch Wissenschaften geübt und
> man bringet uns, außer einigen offt übel genung
> aneinander hangenden Grundlehren der Religion,
> nichts bey; ja dieselben werden dazu noch meisten-
> theils mehr dem Gedächtnisse als dem Verstande
> eingeprägt. Wenn man nun die Schule verläßt, so
> verläßt man, wofern ich etwa ein Gebetbuch ausneh-
> me, zugleich alle Bücher. Oder so man ja etwas
> liest, so ist es ein läppischer und närrrischer
> Roman.

Mit seinen Grundpositionen repräsentiert Gottsched
den aufklärerischen Fortschrittsglauben seiner Zeit,
er ist vermittelnd-progressiv, verspottet die "un-
schönen Frauen des Amazonenreichs" ebenso wie die Mo-
denärrinnen und rüttelt letztlich doch nicht an der
tradierten Weltordnung, die "Naturgesetze" sind die
Grenze jedweden Gleichheitsgrundsatzes.

   3. *Die Matrone vom Jahre 1728, nebst einem Regis-
ter. Hrsg. von Johann Georg Hamann, d.Ä. 2 Bde.
Hamburg.* Der Herausgeber dieser Zeitschrift fühlt
sich ausdrücklich den *Vernünftigen Tadlerinnen* verpflichtet, wie überhaupt Gottscheds Initiative etliche Publizisten, Pädagogen und Literaten veranlaßte,
ihrerseits Zeitschriften mit ähnlicher Konzeption
herauszugeben. Auch sie fingierten meist weibliche
Autoren. Im Sinne von Gottsched heißt es in der
Matrone:

> Überhaupt fordere ich ja nicht, daß unser Ge-
> schlechte die Gelehrsamkeit so hoch treiben solle,
> als das Männliche. Ich wollte nur, daß man uns
> einige Stücke von der so genannten Gelahrtheit zu
> unserer Selbst-Besserung bekannter machte. (S.
> 79)

Insgesamt ist die Zeitschrift jedoch stark moralisie-
rend. Gegenstand ihrer Reflexionen ist titelgemäß
die Frau mittleren Alters: diese hat kein Recht mehr
auf "wollüstige Liebe" (wenn sie es je gehabt hat),
auf Eitelkeit. Sie habe sich im Gegenteil allen

"Zierraths" zu entledigen, erst dann erfülle sie die
Gebote der heiligen Schrift, nämlich ihre Pflichten
in Ergebenheit zu erfüllen. Luthers Tischreden
scheinen dem Autor wohlbekannt gewesen zu sein. Die
Zeitschrift bezeichnet sich selbst als moralische
Wochenschrift und gibt sich aufgeklärt insbesondere
dadurch, daß sie sich an das "mittlere und gemeine
Volk" wendet, ja sogar für eine kostenlose Verteilung
ihrer Blätter plädiert. Die Vornehmen hätten viel
eher die Möglichkeit, sich aus "vollkommeneren Moral-
Büchern" belehren zu lassen.

4. *Die Zuschauerin. (The female Spectator)*,
Hannover 1747. Diese Übersetzung aus dem Englischen
gehört in die Reihe der erbaulichen Frauenzeitschriften, obwohl sie keinen reinen Zeitschriftencharakter
hat. Sie bietet eine Aneinanderreihung von fiktiven
oder tatsächlichen Begebenheiten und Situationen (die
Frau in der Gesellschaft, Liebe, Heirat), operiert
mit Frauennamen aus der griechischen Mythologie, kein
zeitgenössischer Bezug ist erkennbar. Sie wendet
sich an das gebildete Publikum.

5. *Die deutsche Zuschauerin. Ein Wochenblatt.*
Hrsg. von Justus Möser, Hannover 1748. Sie muß in
diesem Zusammenhang zwar erwähnt werden, kann aber
nicht zu den eigentlichen Frauenjournalen gerechnet
werden, da sie ausschließlich literarischen Charakter
hat.

6. *Der englische Guardian oder Aufseher. Ins*
Deutsche übersetzt von L.A.B. Gottschedinn. Leipzig
1749.[11] Sie ist allgemein belehrenden Inhalts und
behandelt zum geringeren Teil frauenspezifische Probleme; wenn, dann primär Fragen der Kleidung und
"Wohlanständigkeit" betreffend. Aber auch die Frage,
ob Wissenschaft für das "schöne Geschlecht" schick-
lich sei, wird unter positiven Aspekten diskutiert.
Da die Frauen die "Gabe der Wohlredenheit" in weit
höherem Maße besäßen als die Männer, seien sie prä-
destiniert, sich auf die "nützliche Erkenntnis der
Wissenschaft zu legen." Der Versuch der Gottschedin,
Als Frau eine Zeitschrift herauszugeben, bleibt zwar
indirekt und unselbständig dadurch, daß sie nur als
Übersetzerin fungierte. Er markiert aber dennoch
eine wichtige Station auf dem Weg zu einer bewußt-
weiblichen Selbstdarstellung.

7. *Die Frau. Eine sittliche Wochenschrift. Leip-*
zig 1756-57. Sie wird herausgegeben von "Amalia Ri-

chardin," man darf jedoch davon ausgehen, daß sich
hinter diesem Pseudonym ein Mann verbirgt. Der Te-
nor der überlieferten Hefte weist in diese Richtung.
Sie gibt Anleitungen, die der Frau zu Tugendhaftigkeit verhelfen sollen mit dem Ziel, aus ihr eine gute
Ehefrau, Hausfrau und Mutter zu machen. Sie hat eine
dezidiert negative Einstellung zur "gelehrten Frau,"
nur eine bestimmte ("populärwissenschaftliche") Lektüre sei für Frauen statthaft. Zur "Zierde eines
Frauenzimmers" gehöre auch "einige Kenntniß von der
Musik:"

> Glauben Sie auf mein Wort, ein hübsches, reinli-
> ches Gesicht, eine weiße Hand und aufgewecktes We-
> sen an einem Frauenzimmer, haben dergestalt starke
> Wirkung bei einem Liebhaber, wenn alles dieses von
> einiger Kenntniß der Musk unterstützet wird. (S.
> 312)

All diese--und andere--Zierden können jedoch zum Ruin
der Familie führen, wenn die Frau sich nicht auf
"Wirthschaft und andere weibliche Wissenschaften"
versteht:

> Folgen Sie also hiermit zu guter letzt meinem
> Rath, und sehen Küche und Keller, Nähen, Stricken,
> Spinnen, und andere dahin einschlagende Sachen,
> als ihr Hauptwerk an. Versäumen Sie das andere
> nicht dabei, so kann es nicht fehlen, Sie werden
> die Hochachtung der Welt verdienen, und ihren zu-
> künftigen Gatten glücklich machen. (S. 314)

8. *Theresie und Eleonore. Wien 1767. Hrsg. von
Joseph von Sonnenfels*. In ihrer humoristisch-litera-
rischen Art wendet sich die Zeitschrift an das gebildete, kritisch-distanzierte Damenpublikum. "Unter
dem Schleyer des Scherzes" werden einige "wichtige
Lehren" vermittelt, unter denen Tugendhaftigkeit an
erster Stelle genannt wird; Pflicht der Frau sei es,
sich die unbefleckte Ehre zu bewahren. Ein Wieland-
Zitat ist das Motto der Zeitschrift: "Ihr Schönen
schrenkt Euch nicht auf / kleine Ansprüch ein. /
Erkennet euch! - und seyd zu stolz / nur schön zu
seyn!"

9. *Etrennes pour les mères. Breslau 1769.* Unter-
teilung in: Etrennes pour les maitresses de Familie,
Etrennes pour les Femmes, Etrennes pour les Dames,
1773/74. Sind die bisher genannten Zeitschriften al-

146

le mehr oder weniger dem traditionellen Schema von
Rolle und Funktion der Frau verpflichtet, sind sie
aber durchweg von aufklärerischen Ideen getragen, so
müssen "Etrennes" als Rückschritt, ja als Negation
dieser Ideen angesehen werden. Das Naturrecht und die
daraus abgeleitete hierarchische Ordnung sind Orien-
tierungsrahmen und Autorität zugleich hinsichtlich
der Klärung des Stellenwertes der Frau innerhalb der
Gesellschaft. Insbesondere "Etrennes pour les
Femmes" sind in diesem Zusammenhang von Interesse.

Mit der Naturrechtslehre wird "subordination"--
Unterordnung und Gehorsam--im allgemeinen gerechtfertigt: keine Gemeinschaft kann ohne das Prinzip der
Unterwerfung existieren; will jeder befehlen, so wird
niemand gehorchen. Die Folge wäre Anarchie. Also
wird eine Gemeinschaft, d.h. Gesellschaft, Regeln
aufstellen, wird sie einen Obersten wählen, wodurch
die Machtbedürfnisse des einzelnen gestoppt werden.
Denn: je mehr die Menschen gezwungen sind, miteinander zu leben, desto mehr besteht die Notwendigkeit
zur Unterordnung. Wie die Gesellschaft im allgemeinen, so hat die Familie im besonderen einen Obersten
und deshalb muß die Frau davon überzeugt sein, daß--
da dieser Oberste nur ein Mann sein kann--ihre Unterordnung naturgewollt ist. Auch wenn es hie und da
Frauen gibt, die den Männern (geistig) überlegen
sind, so ist dieser Zustand von der Natur jedoch
nicht vorgesehen, ist sozusagen widernatürlich.
Wichtigstes Prinzip, nach dem die Frau zu leben hat,
ist die "fidélité conjugale," die eheliche Treue.
Sie ist darüber hinaus verpflichtet, dem Ehemann in
allen seinen Geschäften treu zu folgen und alles in
ihren Kräften stehende zu tun, ihn in seinem Fortkommen zu fördern. Nach der Schöpfungsgeschichte sei
die Frau zur Hilfe des Mannes geschaffen worden (die
Frau als "remedium"). Daraus leitet sich für die
Frau ab: Pflicht zur Liebe, Bekämpfung von Krankhei-
ten, d.h. Leidenschaften und Eifersucht (auch im Falle der Untreue des Ehemannes). Die Tatsache, daß die
Zeitschrift in französischer Sprache abgefaßt ist,
weist auf ein gebildetes (bürgerliches und adliges)
Publikum hin.

10. *Gelehrte Zeitung für das Frauenzimmer. Halle
1773-74. Hrsg. von Joh. Jost Anton vom Hagen.* Sie
bringt fast ausschließlich Rezensionen von literarischen Erzeugnissen, die das "schöne Geschlecht" inte-

ressieren könnten, z.B. "Briefe zur Verbesserung des
Verstandes und des Herzens an ein junges Frauenzimmer
von Stande, bey J.F. Korn 1774" oder "Unterricht und
Zeitvertreib für das schöne Geschlecht in gesammelten
Briefen und Erzählungen, aus verschiedenen Sprachen."
Sie wendet sich an die "Dame von Stand," die über
eine gewisse Bildung verfügt.

11. *Das Mädchen*. *1774*. Auch sie besitzt vorwiegend literarischen Charakter, ist aber getragen von
einer männlich-selbstkritischen Einschätzung der Gesellschaft im Hinblick auf deren Haltung gegenüber
dem weiblichen Geschlecht:

> Das weibliche Geschlecht ist nur zu kleinen Gegen-
> ständen geneigt, weil man dasselbe sehr sorgfältig
> bloß dazu geschickt macht; ein sehr falscher
> Schluß bleibt es nichts desto weniger, daß es zu
> den gründlichen weniger, als die Männer fähig
> sei....Wir haben die ungerechte Verachtung, die
> wir für Frauenzimmer hegen, die sich der Wissen-
> schaft befleißigen, zur Mode werden lassen. Die
> Weiber selbst, von denen die meisten so klein
> sind, weil wir sie so haben wollen, werden dadurch
> verführt und scheinen sich eine Ehre daraus zu ma-
> chen, eben nicht mehr Geschmack für die Gelehrten
> als für die Wissenschaft zu haben.

12. *Iris. Vierteljahrschrift für Frauenzimmer.
Hrsg. von J. G. Jacobi und Wilh. Heinze. Düsseldorf
und Berlin 1774-76.* (Vgl. Nr. 41) Sie gilt als die
bekannteste Frauenzeitschrift der Zeit, was dahingehend zu verstehen ist, daß Jacobi der Mitarbeit vieler Frauen sicher sein konnte. *Iris* war das Forum,
auf dem manche Frauen ihre literarische Tätigkeit
erstmals der Öffentlichkeit vorstellen konnten; andere bereits bekannte Frauen (z.B. Christiane Luise
Rudolphi und Anna Louise Karsch) veröffentlichten
dort regelmäßig Arbeiten, meist Gedichte.

Bei seinen Lesern (Jacobi wendet sich keineswegs
nur an das weibliche Publikum) wird viel an Wissen,
Differenzierungsvermögen und Fähigkeit zu Reflexion
vorausgesetzt. Nicht die Frau steht im Mittelpunkt
der Betrachtungen und Analysen, sondern es werden die
allgemeinen Bedingungen reflektiert, die menschliches
Leben möglich machen. Insofern kann *Iris* nur bedingt
in die Kategorie der Frauenzeitschriften eingeordnet
werden, zumal sie sich insgesamt auf sehr hohem lite-

rarischen Niveau bewegt.

13. *Angenehme Lectüre für Frauenzimmer. Leipzig*
1775-76. Romane, Kurzgeschichten (teilweise Übersetzungen aus dem Englischen) werden hier angeboten mit
dem Ziel, durch erbauliche Literatur das traditionelle Selbstverständnis der Frau zu bestätigen.

14. *Magazin für Frauenzimmer. Halle 1777-78.* Auf
der Ebene der Bildung spricht das Magazin die Leserin
an und vermittelt in populärwissenschaftlicher Verpackung die historische Auffassung der Frau, deren
Wert und Rolle wiederum aus der Schöpfungsgeschichte
abgeleitet wird. So heißt es z.B. in einem Artikel
"Über die Entstehung des schönen Geschlechts, den
Charakter und die Unentbehrlichkeit desselben:"

> Einsam und tiefsinnig ging der erste Mann durch
> die erstgeschaffenen Fluren und Wälder der gesel-
> ligen Schöpfung, staunte über die großen Wunder-
> werke....Aber verlassen sah er sich selbst....
> Gleich einem Engel nahte sich zu ihm die Gestalt,
> die er so lange vermisst hatte, sie schlang sich
> um seinen Hals, und schmiegte sich an seine Hüfte
> ....Ihr Wille war der seinige, und die ganze
> Schöpfung war Harmonie....Willig gab er ihrer aus-
> schweifenden Lüsternheit nach, und beide fanden--
> ihr Verderben. So entstand Vergnügen und Schmerz
> durch die einschmeichelnden Reize dieser unwider-
> stehlichen Göttin, und so entstand durch ihre
> schönen Nachfolgerinnen auf dem großen Schauplatz
> der Welt, der sonderbare Kontrast von Glück und
> Unglück, von Himmel und Hölle. Jener große Tag,
> der festlichste Tag in der ganzen Schöpfung, an
> welchem die ersten Augen einander begegneten,
> gründete das Reich und die Herrschaft des schönen
> Geschlechts....Männer stehen am Ruder des Staates,
> besorgen Aemter und Gewerbe und stehen als Haus-
> väter an der Spitze ihrer Familien, gleich als
> wenn sie allein alles regierten, und jeder wird
> von seiner zweiten Hälfte modifiziert und alles
> bekommt hiernach seine Wendung....Doch nur den
> mänlichen Charakter biegsamer zu machen, gab die
> Natur dem Manne das Weib, nicht aber, ihn einzu-
> schmelzen. Dieß zu verhüten, gab sie ihm größere
> Stärke der Vernunft....Sanftmuth, Bescheidenheit,
> Reinlichkeit sind die vornehmsten Tugenden des
> schönen Geschlechts, weil sich mit diesen die
> Keuschheit von selbst verbindet, die sie liebens-

149

würdig macht.   (1. Band, S. 298 ff.)

15. *Wochenblatt für's schöne Geschlecht auf das Jahr 1779. Hrsg. von Charlotte Henriette v. Hezel, Ilmenau 1779.* Das Wochenblatt ist nur bis zum Dezember des ersten Jahres erschienen, woraus geschlossen werden kann, daß es kaum Resonanz gefunden hatte. Die Herausgeberin gibt sich glaubwürdig als Frau zu erkennen und nimmt die Konzeption anderer Zeitschriften dieser Zeit auf: literarische Artikel, Rezensionen neuer Bücher, Biographien bekannter Dichter, Gedichte epigrammatischer Art. Einmalig ist demgegenüber eine Artikelserie, die "Frauenzimmer-Diätetik" betreffend, die--vom medizinischen Standpunkt her gesehen--recht fortschrittliche Gedanken enthält. Sie reicht von einer allgemeinen Begriffsbestimmung der Frau bis zu sehr detaillierten Analysen und Empfehlungen bezüglich einer gesunden Lebensweise: "Nachtheil vieler und harten Speisen," "Blähende Getränke," "Vom Nachtheil der Schnürbrüste," "Vom Nachtheil der sitzenden Lebensart."

16. *Kleine Frauenzimmerbibliothek, Hamburg 1781-83.* Die drei kleinen Bände enthalten Beiträge zur Moral, Geschichte, Geographie, "Götterlehre," Ökonomie, Naturgeschichte, eher die stille, einfältige, denn die gebildete Frau ansprechend. Weibliches Leben habe sich in "Bescheidenheit und Wohlgewogenheit" abzuspielen. Ideal ist die tugendhafte Frau, deren ganzes Streben dahin gehen müsse, sich die Gunst des Mannes zu erhalten: "...daß ich alles tue, was ihm gefällt, und alles mit Geduld ertrage, was mir nicht gefällt" (2. Band, S. 104). Soll den Frauen Wissen vermittelt werden, so nur insoweit es für den allgemeinen Umgang mit Menschen vonnöten ist, denn die "Bestimmung des weiblichen Geschlechts ist einfacher, als die des männlichen" (3. Band, S. 174).

17. *Magazin für Frauenzimmer. Straßburg 1782-86. (Fortsetzung unter dem Titel Neues Magazin für Frauenzimmer. Hrsg. von David Christoph Seybold.* (S. Nr. 23) Der Herausgeber will mit seinem Magazin den Frauen den "rechten Weg" weisen, will ihnen zeigen, daß sie in ihrer Lesewut ihre eigentlichen Pflichten vergessen hätten.

Es ist unsere vorzügliche Absicht, dem Verderben des einreißenden Luxus zu begegnen, der die Ökonomie zerrüttet, und die Frauen verhindert, ihre

150

Pflichten als Kinder- und Hausmutter zu erfüllen.
Auf diesem Wege hoffen wir die Bestimmung des
Frauenzimmers in ihre rechte Gränze zurücke zu
setzen.

Das Magazin enthält folgerichtig Abhandlungen über
Erziehung ("sowohl wie das Frauenzimmer erzogen werden soll, als wie es selbst erziehen solle"), Moral,
Geschichte, Geographie. Es folgen Lebensbeschreibun-
gen von Frauenzimmern ("die entweder schon bekannt
sind oder auch in der Stille ihre Pflichten erfüllt
haben"), Gedichte ("zuweilen von der Komposition begleitet"), kleine Erzählungen und Romane ("aber wieder nur in Rücksicht auf unseren Zweck, um durch Geschichte des täglichen Lebens entweder vor Fehlern zu
warnen, oder zu Pflichten zu ermuntern").

18. *Pomona für Teutschlands Töchter von Sophie la
Roche. Speier 1783-84.*[12] Sie ist die erste von einer Frau herausgegebene Zeitschrift, die einen wirklichen Erfolg verbuchen konnte, was wohl primär in
der Persönlichkeit Sophie la Roches begründet lag.
Pomona ist darüber hinaus diejenige Zeitschrift jener
Zeit, die sich bewußt als Herausforderung gegenüber
den von Männern herausgegebenen Frauenblättern versteht und die erstmals einen Wandel des Selbstverständnisses der Frau reflektiert. Dies geschieht innerhalb des von Konvention und Tradition gesetzten
Rahmens; Gefühl, Anmut und Geist sind die Pole, zwischen denen sich das Frauen-Dasein abwickelt. Bezüglich der Forderung einer von weiblicher Hand geleite-
ten Frauenerziehung schlägt die Autorin allerdings
harte Töne an:

Ich glaube wie Sie, daß die Männer noch nie mit
einer besonderen Aufmerksamkeit über unsere Ausbildung nachdachten....Alle Gelegenheiten, in welchen die Männer die Beweise der Stärke, des Geistes und des Körpers zu geben hatten, waren immer
außer dem Hause. Stärke und Gewalt ist, was die
Männer am meisten schätzen, und die Natur versagte
uns diese Vorzüge....Sorge, Lieb und Mühe mit den
Kindern sahen sie uns von selbst treu und unver-
drossen ausüben, ihren Befehlen durfte nicht widersprochen werden....Denn immer sehen sich die
Männer als Herren der ganzen Schöpfung an....Die
Männer haben das Recht der Wahl, für ihr Glück und
Ruhm das zu tun, was sie wollen--wir nur dies, was

wir dürften.   (1784, S. 170 f.)

Der unterhaltende Teil bringt Gedichte und Erzählungen, meist moralischen Inhalts (Tugend, Edelmut, gemütvolles Herz), die sog. Sonderhefte behandeln Nachrichten aus anderen Ländern (England, Frankreich, Italien) und Themen, die Frauen interessierten. Am aufschlußreichsten ist die Korrespondenz der Herausgeberin mit ihren Leserinnen. Hier kann man die Resonanz dieser Zeitschrift fassen, kann ermessen, welch Bedarf an einer derart souverän-kritischen *Frauenzeitschrift* bestand. Man kann mit Sicherheit davon ausgehen, daß diese Briefe--im Gegensatz zu den Gepflogenheiten in manch anderen Zeitschriften--nicht fingiert sind: Vertrauen und menschliche Nähe sind die herausragenden Merkmale dieser Korrespondenz. Der Grund, weshalb Sophie la Roche das Erscheinen der *Pomona* Ende 1784 einstellte, ist ungewiß.

19. *Damen-Journal zum Besten der Erziehung armer Mädchen. Leipzig 1784-85.* Zum wohltätigen Zweck dieser Zeitschrift heißt es, daß der Erlös nach Abzug aller Unkosten für ein Erziehungshaus "für arme deutsche Mädchen von adelichem und bürgerlichem Stande" bestimmt sei. Angesprochen wird das gebildete Damenpublikum, wobei als Bereiche, die Damen betreffen und interessieren könnten, vertreten sind: "Damenpoesie," "Damencorrespondenz," "Damenroman," "Damenerziehung," "Damenwissenschaften," "Damenkünste," "Damenerfindung," "Damenapotheke," "Damenbiographie," "Damenmoral" etc. Der Herausgeber, der sich als "Privat-Mann" bezeichnet, schreibt: "Eine der vorzüglichsten Absichten bey unserer Unternehmung war, das Damengeschlecht in das Reich der Wissenschaften zu führen, und sie mit dem vollen Umfange aller Bestandtheile bekannt zu machen" (1. Band, S. 290).

Er visiert des weiteren ein Projekt an, nämlich die Gründung eines Rosenordens, der eine Vereinigung tugendhafter Seelen sein solle, mit dem Ziel, das weibliche Geschlecht "aufzuklären." Worüber? Im Mittelpunkt aller Betrachtungen steht die Erkenntnis, daß durch Erziehung, ja durch Teilhabe an der Wissenschaft, die Lage der Frauen geändert werden kann; ein stark humanistischer Zug ist unverkennbar. Dennoch kann das Journal eine Bewältigung des Widerspruchs zwischen aufgeklärter und konservativer Haltung nicht leisten. Die Feindlichkeit gegenüber den vermeintli-

152

chen oder tatsächlichen Fortschritten des 18. Jahrhunderts (Aufklärung) ist dominant: "Schreyt nur Ihr Grossprecher von der Aufklärung des 18. Jahrhunderts. Ich kenne diese Aufklärung und beneide Canadas Menschenfresser um ihre Dummheit, weil diese Dummheit weit vernünftiger als unsere Aufklärung ist" (3. Band, S. 245/46).

20. *Frauenzimmerbibliothek. Leipzig 1785.* Die Intention, die diese Zeitschrift verfolgt, kommt in folgenden Sätzen zum Ausdruck:

> Nach meiner Meinung, sollten die Mädchen nie aus ihrer angeborenen Sphäre in eine andere versetzt werden. Ich meine: kein Mädchen, das bei einem mittelmäßigen oder geringen Vermögen am wahrscheinlichsten zu einem von den mittleren Ständen bestimmt ist, sollte durch eine Erziehung, die ihre künftigen Umstände übersteigt, aus ihrem natürlichen Wirkungskreis herausgerückt werden.

Insgesamt gibt sie sich literarisch, belehrend, immer von der "natürlichen Bestimmung der Frau" ausgehend.

21. *Flora. Ein Journal von und für Damen. Hrsg. von der deutschen Damengesellschaft. Halle 1786.* Obwohl sie sich ausschließlich an "Damen wendet, behandelt *Flora*, die vermutlich von einem Mann herausgegeben wurde, keine ausschließlich frauenspezifischen Themen, vermittelt aber allgemeines Wissen derart gefiltert, daß allein das weibliche Geschlecht als Zielgruppe in Frage kommt: es soll wieder seiner ureigenen Mission bewußt werden. Die Beschreibung aller Pflichten und Tugenden--von Arbeitsamkeit und Artigkeit bis Zärtlichkeit und Zurückhaltung--bildet den Kern dieser Zeitschrift.

22. *Frauenzimmer-Almanach zum Nutzen und Vergnügen. Hrsg. von Franz Ehrenberg. Leipzig 1786, 1790, 1792, 1794-97, 1809.* Ein wahres Taschenbuch, für das Täschchen der Dame geeignet! Es enthält Gedichte, Erzählungen, Artikel über Staaten-, Völker- und Naturgeschichte (mit Illustrationen und Kupfern), Lieder mit Notenbeispielen, Bildbeispiele neuster Kleidung und neusten Kopfputzes (bes. aus England und Frankreich). Beiträge über die Toilette. Schönheit ist der eigentliche Kern weiblichen Daseins: "Der Trieb gefallen zu wollen ist dem schönen Geschlecht gleichsam von der Natur angebohren, und äußert sich schon in der zartesten Kindheit desselben" (1794, S.

289).

23. *Neues Magazin für Frauenzimmer mit Kupfern.*
Hrsg. von Herrn Seybold. Straßburg 1787. (Vgl. Nr.
17) Die Zielsetzung ist identisch mit der des *Maga-*
zins für Frauenzimmer aus dem Jahre 1782. Eine auf-
klärungs- und frauenfeindliche Tendenz ist unbe-
streitbar vorhanden. Die Frau übt allein Macht durch
ihre Reize aus und diese wiederum sind von dem Geschmack der Männer abhängig:

> Das weibliche Geschlecht hat stets seine Abhängig-
> keit von dem männlichen gefühlet, hat gefühlet,
> daß es der Stärke, dem Ernst und der Entschlossen-
> heit des Mannes nur Klugheit und Reize entgegen-
> setzen könne. Die von Erfahrung geleitete Klug-
> heit hat es gelehrt, seine Reize zu benützen. Na-
> türliche Reize genügten der Befriedigung natürli-
> cher Bedürfnisse und erwarben durch ihren Zauber
> Macht und Ansehen über die Männer. (Bd. 3, S.
> 138/39)

Es wird ein Frauenideal entworfen, das von Enthaltsamkeit, Selbstüberwindung geprägt ist, überschweng-
liche Gefühlsregungen, Schmuck und prunkvolle Kleider
sind verpönt. Das Prinzip der Vernunft bietet die
Begründung hierfür, d.h. die Frau soll durch Vernunft
gezwungen werden, ihre gesamte Existenz zu reduzieren, alles im Sinne der ihr von der männlichen Gesellschaft oktroyierten Rolle.

24. *Archiv weiblicher Hauptkenntnisse. Leipzig*
1787. Was will diese Zeitschrift erreichen? In der
"Anzeige," die dem ersten Heft vorangestellt ist,
heißt es:

> Viele [Frauenzeitschriften] verlangen Unmöglich-
> keiten; die mehresten aber handeln zweckwidrig,
> indem sie unsere Köpfe voll männlicher Gelehrsam-
> keit pfropfen wollen, vergessen sie das Nötigste,
> den weiblichen Haushalt; - und gleichwohl ist ein
> Frauenzimmer ohne diesen das unnützeste Wesen auf
> der Welt.

Die Herausgeberinnen setzten sich zum Ziel, mit ihrem
Journal besonders die "unteren Schichten" zu erreichen, was sie mit einem möglichst niedrigen Preis zu
erreichen hoffen. Gelesen allerdings wurde das Blatt
vorwiegend von bürgerlichen und adligen Damen. Die
Pränumerantenverzeichnisse (Abonnentenlisten) geben

bezüglich der Leserschaft wichtige Aufschlüsse: Frau
Direktorin..., Frau Pastorin..., Frau Rath..., die
Baronesse von..., aber auch Herr Reichshofrat...oder
der Herr Buchhändler...--sie waren das Publikum, das
sich über Mission und Funktion des weiblichen Wesens
unterrichten ließ. Ein dem *Archiv* beigegebenes "In-
telligenzblatt" zählt Personen auf "so Dienste suchen," auch diese meist "junge ledige Frauenzimmer
von guter bürgerlicher Familie."

25. *Monatsschrift für Damen (zum Besten des Ro-
seninstituts für Wittwen und Waisen). Berlin und
Nürnberg 1787. (=II,1 und II,2)* Sie richtet sich an
die gebildete (vorwiegend adlige) Dame und zeigt mo-
ralisierend die Idylle auf, in der allein die Entfaltung weiblichen Wesens möglich ist:

> Es ist unstreitig, daß die Hauptbestimmung eines
> Frauenzimmers darin besteht, Mutter zu seyn. Eine
> fruchtbare, mit guten, tugendhaften Kindern geseg-
> nete Mutter ist unstreitig das schönste, glück-
> lichste, verehrungswürdigste und somit auch nütz-
> lichste Geschöpf im Weltalle... (II,1, S. 287)

In einer "Karakteristik des weiblichen Geschlechts im
Ganzen genommen" wird der Versuch unternommen, auf
quasi-wissenschaftlich-kritische Weise diese Grundthe-
sen zu untermauern. Die Frau ist von "Natur" aus ein
unergründliches Wesen, ist Sphinx, Gefahr und Bedrohung zugleich. Durch Erziehung (= Zähmung) und dem
Bewußtwerden ihrer körperlichen Schwäche entwickelt
die Frau jenen Charakter, mit dem der Autor sich aus-
einandersetzt: sie ist "sanftmüthig, furchtsam, gefällig, mitleidig." Daraus leiten sich die Eigenschaften ab, die die Frau grundsätzlich vom Manne unterscheiden, wobei es eigentlich nur eine positive
Eigenschaft der Frau gibt, die Mutterliebe. Negative
Eigenschaften als den Frauen immanentes Wesensmerkmal
sind "Müßiggangsliebe," Eitelkeit, sinnliche Wollust,
Putzsucht, Geschwätzigkeit, Leichtsinn. Aus der Verschiedenheit der moralischen und körperlichen Fähigkeiten von Mann und Frau ergibt sich folgerichtig die
Verschiedenheit ihrer "Geschäfte," wird die Trennung
von häuslichem und außerhäuslichem Bereich vollzogen.
Dennoch ist bei der allgemeinen Einschätzung der Frau
der Einfluß der Aufklärung nicht zu übersehen:
"Mensch seyn, muß das erste Geschäft des Frauenge-
schlechtes so gut als des männlichen seyn. Man ist

eher Mensch und dann erst Mann- oder Frauensperson."
Konkrete Auswirkungen bezüglich der Rechte der Frau
hatte diese Erkenntnis allerdings noch nicht.

   26. *Frauenzimmerzeitung. Ein historisch-morali-
sches Unterhaltungsjournal für das schöne Geschlecht.
Hrsg. von Theophil Friedr. Ehrmann. Isny 1788.* In
höchst vereinfachter Form werden Informationen verschiedener couleur den Frauen geliefert--immer am
simplen Gemüt der Frau orientiert: "Neueste Welt-
und Menschengeschichte im Allgemeinen," "vermischte
Neuigkeiten aus allen Fächern," "vermischte Gedanken,"
"witzige Einfälle" etc. Nur die "Fragmente für Den-
kerinnen" von Marianne Ehrmann, die wenig später eine
eigene Zeitschrift herausgeben sollte (s. Nr. 28),
fallen aus diesem Schema heraus.

   27. *Musarion. Eine Quartalsschrift für Frauenzimmer. Hrsg. von A. W. Schreiber und G. L. Schneider.
Frankfurt a.M. 1789.* Die Ideologie, die die Motivation für die Gründung dieser Zeitschrift bildet, wird
unmißverständlich ausgedrückt:

> Frauenzimmer sollten nur wenig und weniges lesen:
> Eine Menge wissenschaftlicher Begriffe sind für
> sie so unentbehrliche Dinge, als es die Meubles
> unserer Großväter für unsere Zimmer sind. Ihre
> Bestimmung ist der häusliche Zirkel; Bekanntschaft
> mit den Pflichten, die sie als Gattinnen und Müt-
> ter zu erfüllen haben, ist für sie das Wichig-
> ste....Dem Frauenzimmer ein nützliches, unterhal-
> tendes Lesebuch in die Hände zu geben, ist unsere
> Absicht bei der Herausgabe dieser Schrift. Unser
> erstes Augenmerk soll darauf gerichtet sein, sie
> bekannt zu machen mit ihren wahren und eingebilde-
> ten Vorzügen, mit dem Werthe ihrer eigenen Bestim-
> mung...wir werden uns bemühen, Philosophie im an-
> genehmen Gewande darzustellen, Lehren unter Rosen
> zu flechten.

Hinzu kommt eine dezidiert anti-aufklärerische Haltung. Die Aufklärung verhindere eine Rückbesinnung
der Frau auf den "Wert ihrer eigenen Bestimmung," den
sie nur in der vom Manne gesetzten Ordnung finde.

   28. *Amaliens Erholungsstunden. Teutschlands Töchtern geweiht. Eine Monatsschrift von Marianne Ehrmann. Mit Kupfern und Musik. Stuttgart/Tübingen
1790-92.*[14] Hinter der herkömmlichen Fassade dieser
Zeitschrift verbirgt sich die radikale Position der

Herausgeberin und Autorin, die das traditionelle
Selbstverständnis der Frau in Frage stellt. Sie
nimmt Partei, bezieht Stellung, auch zu ihrer eigenen
Person, und erhofft von ihren Leserinnen mündige Mitarbeit. Ihre Analysen sind intellektuell scharfsin-
nig und scheuen vor Provokationen nicht zurück, sie
zeichnen scharf und rütteln auf. Die programmatische
Antrittsrede, die dem ersten Heft vorausgeht, ist ein
gutes Beispiel für die Fähigkeit Marianne Ehrmanns,
die Situation der Frau ihrer Zeit als historisches
Phänomen zu begreifen. Sie will unterhalten und belehren, sie schreckt vor der Satire nicht zurück, um
dem "hochweisen Männervölckchen" zu beweisen, daß es
in den "Weiberköpfen" deshalb immer so leer und "all-
täglich" aussieht, weil Vorurteile und vernachlässig-
te Erziehung die "weiblichen Schwachheiten" in einem
langen kulturellen Prozeß haben entstehen lassen:

> Mann kümmert sich im Ganzen so wenig um dieses Ge-
> schlecht, man hat so wenig Gedult mit seiner Er-
> ziehung und Bildung, man opfert es so gerne alten
> Gewohnheiten und eingerosteten Vorurtheilen auf.
> Frau Mama wußte nichts Besseres, folglich darf die
> Tochter auch nichts besseres wissen.

Und die Männer?

> Sie sind zufrieden, wenn ihre Weiber sich im Den-
> ken nicht von der Magd unterscheiden, wenn sie im
> Handeln keine Eigenarten besitzen, sondern hübsch
> nachbeten, was in jenen finsteren Zeiten die Groß-
> mutter vorbetete. Sie sind zufrieden, wenn sie
> bei ihren Weibern über die faden Unterhaltungen
> gähnen können, um mit mehr Recht dem Zeitvertreib
> außer dem Hause nachlaufen zu dürfen. Sie sind
> zufrieden und ruhig dabei, wenn ihre Weiber Klat-
> scherinnen, Verläumderinnen, Zänkerinnen, Koketten,
> Putznärrinnen, überhaupt, im strengsten Verstande
> genommen, wenn sie unter dem prahlerischen Namen
> guter Haußweiber an der Seele die elendsten Krüp-
> pel, in der Denkungsart die niedrigsten Schwach-
> köpfe, und in den Sitten die pöbelhaftesten Ge-
> schöpfe sind! - Ich sage, die meisten Männer sind
> zufrieden, wenn ihre Töchter in die rühmlichen
> Fußstapfen der Mutter treten; wenn sie hier ein
> Kochbuch, dort ein sinnloses Gebetbuch, oder wohl
> gar einen empfindsamen Roman lesen, der ihre Ver-
> nunft verpestet und ihre Herzen vergiftet; kurz

sie sind zufrieden, wenn das junge Gänschen einen
Mann bekommt, der entweder ihr Geld, ihr Ansehen,
oder ihr Lärvchen heurathet, dem er lange genug
schmeichlerischen Unsinn vorgeplaudert hat; wenn
sie dann nur einen Mann bekömmt, Kinder zeugt,
sich zu putzen weiß, ein bischen kochen, stricken,
tolles Zeug plaudern kann und stirbt! (Bd. 1, S.
4/5)

Sie spricht weiter von dummdreisten Vorurteilen der
Gesellschaft, die "absurde unterentwickelte Begriffe
von einem Frauenzimmer" hat, das denken muß, wenn sie
nicht Maschine sein will.

Solche Töne hatte man bislang im Rahmen der Wochenschriften nicht gehört, und es nimmt nicht Wunder, daß Marianne Ehrmann sehr schnell in Konflikte
mit ihrem Verleger Cotta geriet, daß sie nach kurzer
Zeit ihr Programm deutlich abmildern mußte. So zeigt
der dritte Jahrgang ihres Magazins schon ein sehr
verändertes Gesicht: die Persönlichkeit der Herausgeberin tritt völlig in den Hintergrund zugunsten einer deutlichen Anpassung an die landläufigen Frauenzeitschriften. 1792 kommt es zum Bruch mit Cotta,
ökonomische Gründe werden angeführt (angebliche Auf-
kündigung von Abonnements), Fragen des Inhalts werden
jedoch ausschlaggebend gewesen sein. Darauf deutet
die Tatsache hin, daß bei Cotta seit 1793 eine neue
Zeitschrift erschien: *Flora. Teutschlands Töchtern
geweiht*, hrsg. von Ludwig Ferd. Huber, inhaltlich und
konzeptionell eine *Anti-Amalie*. Marianne Ehrmann
reagierte ihrerseits mit der Neugründung einer Zeitschrift, *Die Einsiedlerin in den Alpen*, deren Erfolg
aber nur mäßig gewesen sein muß.[15] Ein mutiger Versuch, Emanzipation zu propagieren und gleichzeitig
Promoter dieses Prozesses zu sein, war gescheitert.

29. *Berlinisches Taschenbuch für Damen historischen Inhalts auf das Jahr 1792 von Hagemeister. Mit
Kupfern, Berlin 1792.* Ein Jahrgang dieses Taschen-
buches ist nur erschienen, wobei auffällt, daß darin
versucht wird, in einem langen Artikel (180 Seiten)
Geschichte--die Ursachen und den Verlauf der französischen Revolution--erklärend zu beschreiben. Dies
setzt bei der Leserin eine gewisse Kenntnis der Vorgänge, ihrer objektiven Ursachen und eine Art von
Differenzierungsvermögen voraus. Ein seltener Versuch im Rahmen der Frauenzeitschriften! Doch schon

der folgende Beitrag, befaßt sich vornehmlich mit "weiblichem Putz" als einem dominierenden weiblichen Bedürfnis.

30. *Museum für das weibliche Geschlecht. Hrsg. von August Lafontaine. Halle 1792-93.* Nach bewährtem Muster will der Herausgeber einen Beitrag zur Bildung der Frau leisten, setzt er das "gebildete Frauenzimmer" bzw. die "gebildete Hausfrau" gegen die "gelehrte," wobei er allerdings feststellt, daß es eine Verwechslung der Begriffe sei; die "gelehrte Frau" derart der Lächerlichkeit preiszugeben, wie dies geschehe. Gleichwohl vermittelt er auf höchst anspruchslose Weise Histörchen, Ereignisse der Geschichte, Anekdoten, Denksprüche, Sittensprüche—immer auf sein weibliches Publikum abgestimmt.

31. *Unterhaltungen in Abendstunden, Vaterlands Töchtern geweiht. Eine Monatsschrift zum Unterricht und Vergnügen von einer Gesellschaft baierischer Frauenzimmer. München 1792-93.*[16] Die zwei kleinen Bände enthalten "wahre Begebenheiten," Geschichten und Erzählungen aus dem alltäglichen Leben, "edle Handlungen," Skizzen, Gedichte, moralische Aufsätze, "ökonomische Bemerkunge," Beiträge über Erziehungsfragen. Dies alles ist getragen von der Überzeugung: Bildung, ja; gelehrte Frau, nein.

32. *Journal des Luxus und der Moden. Hrsg. von F. J. Bertuch und G. M. Kraus. 8. Band 1793. Weimar 1793.*[17] Das Journal befaßt sich keineswegs nur mit Mode und Luxus, sondern bringt ebenso Kulturnachrichten (Theater, Musik) und politische Aufsätze (Auseinandersetzung mit den Vorgängen in Frankreich). So enthält das Dezemberheft 1793 einen Artikel, der über die politische Richtung dieses Blattes Aufschluß gibt: "Präservativ gegen eine Modekrankheit, aus dem Pariser Nationalconvente" (S. 615 ff.). Hierin werden die Forderungen der Mary Wollstonecraft (*Verteidigung der Menschenrechte*, 1792) oder des deutschen Juristen Theodor Gottlieb v. Hippel (*Über die bürgerliche Verbesserung der Weiber*, 1792) als "modischer Freyheitsschwindel" abgetan, wird der Zug der Pariser Frauen nach Versailles als "höchstärgerlicher Auftritt" und die Hinrichtung von Olympe de Gouges als konsequente Reaktion auf solch weibliche "Schöngeisterei" bezeichnet. Die Frage, ob "die Weiber an öffentlichen Verhandlungen Antheil nehmen und sich in Staatsgeschäfte mischen" dürfen, wird ebenso mit

"nein" beantwortet wie die Frage, ob Frauen in politischen Verbindungen zusammentreten sollten: "Wir
glauben, daß eine Frau nie aus ihrem Familienkreise
heraustreten dürfe, um sich in Geschäfte der Staats-
verwaltung zu mischen....Sie sind überall Hörerinnen,
nie Sprecherinnen."

33. *Idas Blumenkörbchen. Monatsschrift für Damen*,
Bd. 2 [Berlin] 1793. In dieser Schrift wird vorwiegend Kritik an schreibenden Frauen geübt. Frauen
sollen gebildet sein, primär zur Erbauung und Unterhaltung des Mannes und nicht im Hinblick auf eine eigene Persönlichkeitsentwicklung. Rezepte des Wohl-
verhaltens werden geliefert: "Selig! Selig! ist die
Mutter, die selber ihr Kind säugt." "Spreche die
Mode, was sie wolle: Mutter ist Mutter." Die gesamte Tendenz der Zeitschrift ist letztlich reaktionär,
die Betonung liegt auf der urweiblichen Bestimmung
der Frau zu Ehefrau, Hausfrau und Mutter.

34. *Leipziger Monatsschrift für Damen. Leipzig*
1794-95. Sie richtet sich primär an die vornehmen
Damen, enthält belehrende Beiträge aus dem Bereich
der Geschichte, bietet vor allem aber "frauenspezifische" Abhandlungen ("Über weibliche Bestimmung,"
"Über die Schwatzhaftigkeit der Frauenzimmer," "Bemerkungen über die Ehe" etc.). Wie viele der genannten Zeitschriften legt auch diese in einem programma-
tischen Vorspann ihr Konzept dar. Man gibt sich aufgeklärt fortschrittlich, plädiert für die Ausbildung
des weiblichen Verstandes, jedoch nur bezogen auf ihren eigentlichen Wirkungskreis:

> Die weibliche Direktion des Hauswesens ist jetzt
> so künstlich und schwer; erfordert so eine unun-
> terbrochene Gegenwart des Geistes, eine so kluge
> Einteilung der Zeit, der Geschäfte, des Aufwandes;
> eine so weise Behandlung der Dienstboten. (S. 5)

Also: die Frau muß für das "häusliche Regiment" geschickt gemacht werden. Nur im Hinblick auf diese
Tätigkeiten ist eine "wohlgeordnete Lektüre" für Mädchen und Frauen auszuwählen:

> Lies also immer solche Schriften, von denen Du
> weißt, das sie dich zu denen dich erwartenden
> Pflichten vorbereiten....Wir werden Teutschlands
> Töchtern...die nöthigen Kenntnisse zur Führung ei-
> nes glücklichen Lebens, einer ruhigen und zufrie-

denen Ehe, eines erfreulichen Haus- und Mutter-
standes auf eine leichte und gefällige Weise ein-
flößen.

35. *Erholungen. Hrsg. von W. G. Becker. Leipzig
1796-1800* (erschienen bis 1810). Als Fortsetzung der
Leipziger Monatsschrift liegt ihr dasselbe Konzept
zugrunde: sie ist eine Schrift rein erbaulichen Charakters, enthält meist Kurzerzählungen, Liebesge-
schichten und wendet sich an ein relativ gebildetes
Publikum.

36. *Frauen-Journal. Dem schönen Geschlecht und
ihren Gönnern geweiht, von den Herausgebern. Gräz
1797.* In dieselbe Richtung wie *Erholungen* zielt
auch dieses Journal: häusliche und bürgerliche Tugenden, Ökonomie, "gute Handlungen edler Weiber," Mode, Theater, Diätetik, das sind die Themen, die abgehandelt werden.

37. *Flora. Teutschlands Töchtern geweiht von
Freunden und Freundinnen des schönen Geschlechts.
Tübingen 1800-1903. Hrsg. von Ludwig Ferdinand Huber.* (Vgl. Nr. 28) *Flora* war die Antwort des Verle-
gers Cotta auf die "skandalöse" Zeitschrift Marianne
Ehrmanns und erschien seit 1793. Sie verstand sich
als rein erbauliche Schrift, druckte kurze Romane ab,
Novellen, Romanzen ("Das Kammermädchen und der Graf,
den sie zuguterletzt doch heuraten darf"), Gedanken
und Sittensprüche ("Warum überlassen die Männer sich
so häufig der Zerstreuung, der Sittenlosigkeit, den
Ausschweifungen; ja warum stürzen sie sich so oft in
die gröbsten Verirrungen? Weil sie zu selten den
Frieden und noch seltener die Glückseligkeit zu hause
finden. O Weiber! wer ist schuld daran?"), Glossen
("Liebe ist der Frühling des Herzens. Alles blüht
da, sogar die Damen"). Die Zeitschrift plädiert wieder für ein Frauenideal, das Marianne Ehrmann zu
überwinden versucht hatte. Sie bedient sich wieder
altbekannter Methoden, um ihr Publikum zu erreichen:
angeblich weibliche Autoren sprechen zu "ihrem" Geschlecht. All das, was die Frauen meinten, nun erreicht zu haben, ginge "auf Kosten ihres häuslich
thätigen Lebens" und ziehe die "Vernachlässigung der
kleinen Sorgen" nach sich.

Das Bestreben nach innerer Aufklärung kann wenigstens bey unserem Geschlecht niemals die Vernachlässigung der Pflichten, welche wir gegen die Ge-

sellschaft und unsere Hausgenossen haben, rechtfertigen, weil wir darauf angewiesen sind, alles
was wir wissen und können, immer nur auf den Wirkungskreis anzuwenden, den das Schicksal uns bestimmt. (1801, S. 129)

38. *Jahrbuch zur belehrenden Unterhaltung für Damen von J. J. Ebert, Professor zu Wittenberg. Für
das Jahr 1800. Leipzig 1800* (erschien von 1795-1804).
Getreu seinem Titel erteilt das Jahrbuch wohlgemeinte
Ratschläge, will es "gesunde Belehrung" leisten, um
die Mädchen auf ihre zukünftigen Aufgaben vorzubereiten, beschreibt es den Stellen- und Funktionswert
sehr genau:

> Das Weib besteht nicht durch sich selbst; selbst
> in dem Ruhme findet es keine hinreichende Stütze.
> Seine natürliche Schwäche, aus der es sich nie er-
> heben kann, und seine gesellschaftlichen Verhält-
> nisse erinnern es mit jedem Tage an seine Abhän-
> gigkeit, und aus dieser reißt es sich selbst mit
> einem unsterblichen Genie nicht los. (S. 118)

"Festigkeit und Geisteskraft"--ein Wesensmerkmal der
Männer--wird den Frauen abgesprochen, streben die
Frauen nach Ruhm, so verzichten sie auf die "Ruhe der
weiblichen Bestimmung."

In dieselbe Richtung zielen etliche andere Jahr-
oder Taschenbücher dieser Zeit, von denen immerhin
drei erwähnt sein sollen:

39. *Aglaia. Jahrbuch für Frauenzimmer auf 1801.
Hrsg. von N. P. Stampeel. Frankfurt a.M. 1801.*

40. *Taschenbuch für Damen auf das Jahr 1801. Hrsg.
von Huber, Lafontaine, Pfeffel und anderen. Tübingen
in der J. C. Cotta'schen Buchhandlung 1801 ff.*

41. *Iris. Ein Taschenbuch für 1803. Hrsg. von J.
G. Jacobi. Zürich bey Orell, Füssli und Compagnie.*
(Vgl. Nr. 12) Dieses Taschenbuch unterscheidet sich
allerdings von den zuvorgenannten durch seinen hohen
literarischen Wert; es bietet Kunstbetrachtungen und
Reisebeschreibungen und kann sich rühmen, daß "die
ersten Dichter und Prosaisten Deutschlands, als
Freunde ihres vortrefflichen Herausgebers Jacobi (neben Wieland des einzig noch übrigen Veterans schöner
Literatur) ihre edelsten Gedanken und reinsten Gefühle" hier niederlegen.

III.

Das Bild, das bei Lektüre und Vergleich der genannten Zeitschriften vermittelt wird, ist widersprüchlich und einheitlich zugleich. Widersprüchlich
insofern, als die wenigen herausragenden Versuche,
der Alltäglichkeit der Zeitschriftenlandschaft eine
neue Dimension zu verleihen, nichts tatsächlich Neues
initiieren konnten, daß sie im Gegenteil von der
ständig präsenten gegenläufigen Bewegung aufgefangen
und damit wirkungslos gemacht wurden.

Das einheitliche Bild entsteht dadurch, daß das
gesamte Jahrhundert hindurch in den Zeitschriften
Grundhaltungen, Strukturen, aufgebaut und reprodu-
ziert wurden, die eine Veränderung der *realen* Situation der Frau unmöglich machten. Denn es wurden hier
ja keineswegs abstrakte Ideen verkündet, sondern Vorstellungen und Normen, die im allgemeinen Bewußtsein
tief verankert waren. Die Frau wird in den Zeitschriften durchgängig in der Rolle der Passivität definiert, d.h. sie kann sich nicht als selbständig
handelnde Person begreifen: Schönheit, Sanftheit,
Bescheidenheit, hausfrauliche Tugenden, Triebverzicht
sind die Elemente ihrer Existenz. Auch das Verbali-
sieren ihrer Körperlichkeit von seiten des Mannes bezeichnet letztlich nur den Gebrauchswert der Frau,
nicht ihren Eigenwert. Sie ist Begleiterin und Trö-
sterin des Mannes. Aktives Handeln im öffentlichen
Leben, in Wissenschaft, Kunst und Literatur ist nur
in bedingtem Ausmaß erwünscht und überhaupt nur denkbar durch die vom Manne gesetzten Grenzen. Das theo-
retische Fundament hierfür bietet die Populärphilo-
sophie des 18. Jahrhunderts: die Rolle--die Unter-
drückung--der Frau ist nicht gesellschaftlich bedingt
(was, wenn es so wäre, Veränderbarkeit implizieren
würde), sondern ist in ihrem Wesen verankert, in ihrer in sich "zweckmäßig angelegten Natur."[18] Daraus
leitet sich der Kulturcharakter der Frau ab, nämlich
den Mann zu befriedigen (körperlich); sie selbst dagegen kennt nur die "Befriedigung des Herzens." Diese Argumentationskette wird in den Frauenzeitschriften in mehr oder minder verhüllter oder verschlüssel-
ter Form ständig angewandt.

Im Sinne der eingangs gestellten Fragen, nach denen die Zeitschriften abgefragt werden sollen, lassen
sie sich in verschiedene Gruppen einteilen, wobei Be-

wegung (Fortschritt) und Gegenbewegung (Reaktion) in
ständiger Wechselwirkung zueinander stehen:

a) Traditionelle Zeitschriften mit aufklärerischen
Tendenzen, erbaulich unterhaltend: *Die Patriotin*
(Nr. 1), *Die Matrone* (Nr. 3), *Die Zuschauerin* (Nr.
4), *Die deutsche Zuschauerin* (Nr. 5), *Der engländi-
sche Guardian* (Nr. 6), *Die Frau* (Nr. 7), *Magazin für
Frauenzimmer* (Nr. 14), *Wochenblatt für's schöne Ge-
schlecht* (Nr. 15), *Leipziger Monatsschrift für Damen*
(Nr. 34).

b) Anti-aufklärerische bis frauenfeindliche Hal-
tung: *Magazin für Frauenzimmer* (Nr. 17), *Damen-Jour-
nal zum Besten der Erziehung armer Mädchen* (Nr. 19),
Flora. Ein Journal von und für Damen (Nr. 21), *Neues
Magazin für Frauenzimmer* (Nr. 23), *Archiv weiblicher
Hauptkenntnisse* (Nr. 24), *Monatsschrift für Damen*
(Nr. 25), *Musarion* (Nr. 27), *Journal des Luxus und
der Moden* (Nr. 32).

c) Reaktionärer Grundton: *Etrennes pour les mères*
(Nr. 9), *Idas Blumenkörbchen* (Nr. 33), *Frauen-Journal*
(Nr. 36), *Flora. Teutschlands Töchtern geweiht* (Nr.
37).

d) Literarisch oder literarisch-historisch belehr-
rend: *Theresie und Eleonore* (Nr. 8), *Gelehrte Zeitung für das Frauenzimmer* (Nr. 10), *Das Mädchen* (Nr.
11), *Iris* (Nr. 12), *Angenehme Lectüre für Frauenzimmer* (Nr. 13), *Kleine Frauenzimmerbibliothek* (Nr. 16),
Frauenzimmerbibliothek (Nr. 20), *Frauenzimmer-Almanach zum Nutzen und Vergnügen* (Nr. 22), *Berlinisches
Taschenbuch für Damen historischen Inhalts* (Nr. 29),
Iris. Ein Taschenbuch für 1803 (Nr. 41).

e) Unterhaltend, belehrend: *Frauenzimmerzeitung*
(Nr. 26), *Museum für das weibliche Geschlecht* (Nr.
30), *Unterhaltungen in Abendstunden* (Nr. 31), *Erholungen* (Nr. 35), *Jahrbuch zur belehrenden Unterhaltung* (Nr. 38), *Aglaia* (Nr. 39), *Taschenbuch für Damen*
(Nr. 40).

Drei Zeitschriften ragen aus diesem Schema weit
heraus: *Die vernünftigen Tadlerinnen* (Nr. 2), *Pomona
für Teutschlands Töchter* (Nr. 18), und *Amaliens Erholungsstunden* (Nr. 28). Während bei dem Versuch Gottscheds, weibliche Neuorientierung als Bestandteil der
bürgerlichen Neuorientierung zu proklamieren, "Bildung" das ausschlaggebende Kriterium war, werden von
Sophie la Roche Gedanken formuliert, die weit über
den Rahmen von Reformen hinausgehen. Zwar stellt

164

auch sie die "Bestimmung der Frau" nicht grundsätzlich in Frage: in den "Briefen an Lina, die integra-
ler Bestandteil der *Pomona* sind, entwirft sie ein
Bildungskonzept, das von empfindsamer Lebenshaltung,
Gefühl und Häuslichkeit geprägt ist. Und doch stellt
sie die Frau--wie in ihrem Roman *Das Fräulein von
Sternheim*--als selbständige Individualität der Tota-
lität des Mannes entgegen. Die Frau kann ihr Wirkungsfeld selbst bestimmen.[19] Dieser Gedanke war revolutionär genug, wurde aber nicht konsequent zu Ende
gedacht. Somit trifft auf *Pomona* die Formel "Kompromiß" durchaus zu. Erst Marianne Ehrmann war kompro-
mißloser--sehr spät, zu einer Zeit, da in Frankreich
Olympe de Gouges bereits klare politisch-theoretische
Vorstellungen von der Befreiung der Frau konzipiert
hatte (*Deklaration der Rechte der Frau und Bürgerin*,
1791).[20] In Deutschland werden ähnliche Gedanken
erst viel später--1848--geäußert, als Louise Otto die
volle Einbeziehung der Frauen in die bürgerlichen
Rechte forderte.

Wenn sich Marianne Ehrmann bei ihren Analysen und
Polemiken auf den unemanzipierten Zustand von Frauen
beruft, wie sie ihn täglich in Familie und Gesellschaft erlebt, so ist sie zwar unpolitisch im Vergleich zu Olympe de Gouges oder Mary Wollstonecraft,
ist aber dennoch in der Lage, die historisch-kultu-
rellen Bedingungen zu erkennen, die die freie Entfaltung der Persönlichkeit der Frau verhindert haben.
Die Radikalität ihrer Gedanken kann erst dann ermessen werden, wenn man sie gegen die dominierenden
Strömungen ihrer Zeit abhebt; nur in diesem Bedin-
gungsfeld ist eine Wertung möglich.

Ganz andere Töne hörte man am Ende des Jahrhun-
derts--auch von aufgeklärter Seite. Sie waren maß-
geblich für die Konsolidierung der tradierten Vorstellung von Wert und Stellung der Frauen. So
schreibt Joachim Heinrich Campe in der Schrift *Väter-
licher Rath für meine Töchter* (1789), daß "das Geschlecht zu dem du gehörst...in einem abhängigen und
auf geistige sowohl als körperliche Schwächung abzie-
lenden Zustande lebt und...notwendig leben muß" (S.
19). Und bei Konrad Friedrich Uden lesen wir in seinem Traktat *Über die Erziehung der Töchter des Mit-
telstandes* (1796): "Nur wir Männer leben im Staate.
Ein Frauenzimmer tritt aus der ihm abgemessenen Sphäre, wenn es aus seinem Hause in den Staat übergeht....

Der Staat kennt nur Bürger, aber eigentlich keine
Bürgerinnen. Die Frauenzimmer gehören nur ihrem Hau-
se an" (S. 89-90).[21] 1798 schreibt J. L. Ewald in
*Die Kunst ein gutes Mädchen, eine gute Gattin, Mutter
und Hausfrau zu werden:*[22] "Zu einer eigentlichen
Denkerin ist das Weib nicht bestimmt. Sie soll er-
blicken, ahnden, empfinden; nicht forschen, grübeln,
Begriffe spalten" (Bd. 1, S. 19). Selbst ihr Körper-
bau zeige an, daß das Weib dazu bestimmt sei, in der
Stube zu leben.

Viele Autoritäten können genannt werden, die zur
ideologischen Festigung dieses Frauenbildes beigetragen haben, an erster Stelle Rousseau's *Emile* (1762)
als Kriegserklärung an Frauenbildung und Frauenbe-
freiung. Dazu kommt Kant, der den Unterricht von
Mädchen auf ein Nichts beschränkt wissen will, denn
Schönheit ist das Wesen des "schönen Geschlechts"
(*Betrachtungen über das Gefühl des Schönen und Erha-
benen*, 1764). Basedow präsentiert bezüglich der Erziehung von Töchtern Rousseau'sches Gedankengut:
wenn überhaupt Ausbildung für Mädchen, dann nur für
den Lehrberuf und nur dann, wenn das Mädchen nicht
verheiratet werden kann (*Methodenbuch für Väter und
Mütter*, 1770). Pestalozzi erklärt die ungelern-
te, bravherzige Hausfrau und treue Magd als Ideal der
Weiblichkeit (*Meine Nachforschungen über den Gang der
Natur in der Entwicklung des Menschengeschlechts*,
1797 und später *Wie Gertrud ihre Kinder lehrt*, 1801).
Diese Beispiele mögen genügen.

Es gab aber schon früh eine ernsthafte--allerdings
wirkungslose--Opposition gegen diese Verherrlichung
des unmündigen Frauenideals. Zwei derartige Versuche
sollen nicht unerwähnt bleiben: Dorothea Christina
Leporins Traktat *Gründliche Untersuchung der Ursachen, die das weibliche Geschlecht vom Studieren abhalten*, 1742,[23] und Theodor Gottfried von Hippels
anonym erschienene Schrift *Über die bürgerliche Verbesserung der Weiber*, 1792.[24] Insbesondere Hippels
Abhandlung, die von seinen Zeitgenossen mehr belä-
chelt als verstanden wurde, ist ein mutiges Plädoyer
für die Frau. In humorvoll verpackten Sentenzen
prangert er die maskuline Vorherrschaft in allen Bereichen des Lebens an, geht er den Gründen für die
unterschiedliche Erziehung von Knaben und Mädchen
nach, versucht er, Familienstrukturen primitiver Ge-
sellschaftsformen nachzugehen und gelangt in seiner

166

Beurteilung der historischen Entwicklung zu einem
"materialistischen" Ansatz: die Arbeitsteilung, die
weit über die biologische Bedingtheit hinausreicht,
ist die Ursache für die Trennung von "innen" und
"außen," von häuslichem und außerhäuslichem Bereich,
von Familiensphäre und Erwerb, von weiblicher und
männlicher Sphäre.

Mit diesen Gedanken war Hippel seiner Zeit weit
voraus, aber seine Schrift zeigt das Spannungsfeld
sehr klar auf, in dem sich die Frauenfrage das gesamte 18. Jahrhundert hindurch befand. Den Frauenzeitschriften kommt in dieser Hinsicht eine besondere Bedeutung zu: sie sind Forum dieses Widerstreits von
Fortschritt und Reaktion. Sie stellen keinen monoli-
tischen Block dar, sondern zeigen Ansätze einer Neuorientierung des tradierten Frauenselbstverständnis-
se. Dieser Prozeß ist heute noch nicht abgeschlossen.

ANMERKUNGEN

1 Norbert Elias, *Über den Prozeß der Zivilisation. Soziogene-
tische und psychogenetische Untersuchungen*. Erster Band:
*Wandlungen des Verhaltens in den weltlichen Oberschichten des
Abendlandes* (Frankfurt: Suhrkamp, 1977), gelangt zu einer
Fehleinschätzung, wenn er schreibt: "Die Ehe in der absoluti-
stisch-höfischen Gesellschaft des 17. und 18. Jahrhunderts ge-
winnt dadurch einen besonderen Charakter, daß hier durch den
Aufbau dieser Gesellschaft zum ersten Mal die Herrschaft des
Mannes über die Frau ziemlich vollkommen gebrochen ist. Die
soziale Stärke der Frau ist hier annähernd gleich groß, wie die
des Mannes, die gesellschaftliche Meinung wird in sehr hohem
Maße von Frauen mitbestimmt," S. 252.

2 Hans Mayer, *Außenseiter* (Frankfurt: Suhrkamp, 1975).

3 Simone de Beauvoir, *Das andere Geschlecht. Sitte und Sexus
der Frau* (Hamburg: Rowohlt, 1968).

4 Wolfgang Martens, *Die Botschaft der Tugend. Die Aufklärung
im Spiegel der deutschen Moralischen Wochenschriften* (Stuttgart: Metzler, 1968). In Fragen des Lesepublikums und einer
möglichen statistischen Aufschlüsselung des Leseverhaltens im
18. Jahrhundert muß auf zwei Arbeiten von Rolf Engelsing Bezug
genommen werden: *Analphabetentum und Lektüre* (Stuttgart:

Metzler, 1974). Außerdem: Albert Martino, "Barockpoesie, Publikum und Verbürgerlichung der literarischen Intelligenz," *Internationales Archiv für Sozialgeschichte der deutschen Literatur*, 1 (Tübingen: Niemeyr, 1976), S. 107-45. Eine detaillierte Untersuchung über das weibliche Lesepublikum im besonderen liegt für das deutsche Sprachgebiet noch nicht vor. Erst dadurch könnten exakte Kenntnisse über Rezeption und Wirkungsgeschichte der Frauenzeitschriften gewonnen werden.

5 Brief des Apostels Paulus an die Korinther, 11, 3: "Ich möchte Euch aber zu bedenken geben, daß das Oberhaupt jeden Mannes Christus ist, das Haupt der Frau aber ist der Mann, das Haupt Christi ist Gott." Ebenso Genesis II, 1 ff., wonach ein Mensch (Adam) von Gott geschaffen ist, dem--da es nicht gut sei, allein zu sein--eine Gehilfin beigegeben wurde (Rippentheorie).

6 Vgl. dazu Ulrich Herrmann, "Erziehung und Schulunterricht für Mädchen im 18. Jahrhundert," in *Wolfenbütteler Studien zur Aufklärung*, Band III (Wolfenbüttel: 1976), S. 101-127.

7 Vgl. Klaus Theweleit, *Männerphantasien*, Bd. I (Frankfurt/M.: Roter Stern, 1977), insbesondere der Abschnitt "Die Entstehung des Panzers gegen die Frau," S. 421-39.

8 Peter Nasse, *Die Frauenzimmer-Bibliothek des Hamburger "Patrioten" von 1724. Zur weiblichen Bildung in der Frühaufklärung*, Stuttgarter Arbeiten zur Germanistik, 10 (Stuttgart: Heinz, 1976).

9 Vgl. dazu die älteren Arbeiten von Hugo Lachmanski, *Die deutschen Frauenzeitschriften des 18. Jahrhunderts*, Diss. Berlin 1900 und Ursula Menck, *Die Auffassung der Frau in den frühen moralischen Wochenschriften*, Diss. Hamburg 1940 vor allem aber Wolfgang Martens, *Die Botschaft der Tugend*.--Grundsätzliche Bedeutung bei der Erforschung der deutschen Frauenzeitschriften des 18. Jahrhunderts kommt der Dissertation von Edith Krull zu, obwohl sie nur einen Teil der tatsächlich existierenden Zeitschriften bearbeitet hat: Edith Krull, *Das Wirken der Frau im frühen deutschen Zeitschriftenwesen*, Beiträge zur Erforschung der deutschen Zeitschrift, Bd. V (Charlottenburg: Lorentz, 1939).

10 *Die Zeitschriften des deutschen Sprachgebietes von den Anfängen bis 1830*, bearbeitet von Joachim Kirchner, mit einem Titelregister von Edith Chorherr (Stuttgart: Hiersemann, 1969).

11 Auf den Einfluß, den die frühen englischen moralischen Wochenschriften *Tatler*, *Guardian* und *Spectator* auf die deutschen Zeitschriften nahmen, kann in diesem Zusammenhang nicht einge-

gangen werden.

12 Ausführlich behandelt von Edith Krull, S. 206 ff.

13 Diese Abhandlung erinnert inhaltlich und stilistisch an ein fast gleichnamiges, fünfbändiges Werk des braunschweigischen Hofbeamten Carl Friedrich Pockels, *Versuch einer Charakteristik des weiblichen Geschlechts. Ein Sittengemälde*, Bd. I-V (Hannover, 1797-1802).

14 Vgl. Krull, S. 238 ff.

15 Von *Flora* konnten nur die Jahrgänge 1800-1803 eingesehen werden, vgl. unten Nr. 37, *Die Einsiedlerin* hingegen konnte erfaßt werden.

16 Nach Krull, S. 288 ff. gilt dieses Magazin als verschollen; als Verfasserinnen nennt sie Katharina von Hesse, geb. Freiin von Bossi und Löwenglau, sowie deren Schwester.

17 Es konnte nur dieser Band eingesehen werden. Die Zeitschrift erschien von 1786-1827.

18 Barbara Duden, "Das schöne Eigentum," *Kursbuch*, 47 (1977), S. 125-40, befaßt sich mit diesem Aspekt der Entstehung des bürgerlichen Frauenbildes an der Wende vom 18. zum 19. Jahrhundert.

19 Zum Beginn des weiblichen Selbstbewußtseins und seinen literarischen Auswirkungen vgl. Renate Möhrmann, *Die andere Frau. Emanzipationsansätze deutscher Schriftstellerinnen im Vorfeld der Achtundvierziger-Revolution* (Stuttgart: Metzler, 1977).

20 Hannelore Schröder und Theresia Sauter, "Zur politischen Theorie des Feminismus. Die Deklaration der Rechte der Frau und Bürgerin von 1791," Aus Politik und Zeitgeschichte, Beilage zur Wochenzeitung *Das Parlament*, 48 (1977), S. 29-54.

21 Beide Zitate nach Herrmann, S. 106.

22 *Ein Hanbuch für erwachsene Töchter, Gattinnen und Mütter.* Mit Kupfern von J. Penzel und Musik von F. Fraenzel. Bremen bey Friedrich Wilmans 1798, 2 Bände.

23 Reprint; Olms: Hildesheim/New York, 1977.

24 Neudruck; Syndikat Autoren- und Verlagsgesellschaft Frankfurt/M., 1977.

7.

RUTH H. SANDERS

"Ein kleiner Umweg:"
Das literarische Schaffen der Luise Gottsched

Obgleich Luise Adelgunde Victoria Kulmus selbst
eine erfolgreiche Schriftstellerin war und die Bewunderung vieler Zeitgenossen aus ganz Europa auf sich
zog, empfand sie als neunzehnjährige offensichtlich
wenig Sympathie für schreibende Frauen: "Ich erlaube
meinem Geschlechte einen kleinen Umweg zu nehmen; allein, wo wir unsere Grenzen aus dem Gesichte verliehren, so gerathen wir in ein Labyrinth und verliehren
den Leitfaden unserer schwachen Vernunft, die uns
doch glücklich ans Ende bringen sollte,"[1] schrieb die
junge Luise an ihren Verlobten, Johann Gottsched.
Luises Bemerkung drückt ihre Mißbilligung der Dichterin Christiane Marianne von Ziegler aus, als diese
als erstes weibliches Mitglied in die Deutsche Gesellschaft aufgenommen wurde. Luise glaubte, Frauen
sollten solche Ehrungen für ihre Dichtung weder suchen noch akzeptieren.[2]
Luises Bezeichnung von Frauendichtung als "ein
kleiner Umweg" schloß ihre eigene Dichtung mit ein.
Während ihrer dreißigjährigen Tätigkeit bis zu ihrem
Tod im Alter von neunundvierzig Jahren hat sie nie
ihre Ansicht über den Stellenwert der literarischen
Arbeit in ihrem Leben geändert. Als Schriftstellerin, Herausgeberin, Übersetzerin und Satirikerin
glaubte sie fest daran, daß die Hauptaufgabe einer
Frau die Ehe und die Kinder seien. Die kinderlose
Luise machte ihre Ehe zu ihrem Hauptanliegen und ord-
nete ihre Dichtung ihrer Ehe unter. Obwohl Luise als
der Inbegriff einer aufgeklärten Frau galt, hielt sie
sich nie für eine Dichterin von Beruf; wie Johann betrachtete sich Luise als die "geschickte Helferin"
ihres Mannes.
Nicht nur ihre Zeitgenossen, sondern auch spätere
Leser und Literaturhistoriker bewunderten Luise wegen
ihrer Treue zu ihrem Mann wie auch als Dichterin.

170

Während die Auflehnung anderer Schriftstellerinnen
gegen die Frauenrolle öffentliche Mißbilligung ernte-
te, schien Luise mit ihrer Lebensweise zu beweisen,
daß Frauentalent mit einem Patriarchat koexistieren
konnte. Wie die Heldinnen ihrer Lustspiele wich Luise nicht von dem Pfad ab, der ihr ein Höchstmaß an
persönlicher Freiheit zusicherte und der zugleich
Konflikte mit den herrschenden Vorstellungen auf ein
Mindestmaß reduzierte. Ebenso wie diese Heldinnen
schien die kluge, geistreiche und glückliche Luise
darin sehr geschickt zu sein.

Doch wird oft übersehen, daß Luise Gottsched als
eine verbitterte und enttäuschte Frau starb und daß
die vielen Briefe ihrer letzten Jahre ein Bild von
Unzufriedenheit hinterlassen haben. Kurz vor ihrem
Tod schrieb sie an ihre beste Freundin, Dorothea
Runckel: "Fragen Sie nach der Ursache meiner Krankheit? Hier ist sie: Acht und zwanzig Jahre ununter-
brochene Arbeit, [und] Gram im verborgenen...."[3] Warum erschienen ihr ihre Dichtung und ihr Leben am
Ende so leer, doch der Welt so bewundernswert?

Luises Biograph, Paul Schlenther, suchte die Antwort in ihrer Ehe. Sie blieb kinderlos, schrieb er,
und "sie wurde dadurch noch trostloser, daß ihr das
Beste versagt blieb, was einem Weibe vom Glück zu
Teil werden kann."[4] Überdies war Johann ein strenger
und pedantischer Zuchtmeister. Für Schlenther wie
für spätere Literaturhistoriker bildeten diese persönlichen Enttäuschungen eine ausreichende Erklärung:
"Ihr weibliches Herz [konnte] Besseres begehren und
bieten..., als einem herrschsüchtigen Buchgelehrten
lebenslänglich Schreiberdienste zu leisten. Denn
viel mehr, aber auch viel weniger war es nicht, womit
ihr Mann sie beschäftigte" (S. 3-4). Schlenther
meinte, Luise habe endlich das Opfer empfunden, das
sie gebracht hatte, als sie an Dorothea Runckel
schrieb, sie würde mit der Feder in der Hand begraben
werden, so daß sie auch im Grab keine Ruhe finden
würde. Ihre Bitterkeit, so glaubte Schlenther, sei
durch ihr Wissen von den häufigen Ehebrüchen Johanns
vergrößert worden, während sie ihm ihr Leben und ihre
Begabung gewidmet hatte.

Zweifellos entsprach Johann als Ehemann nicht Luises hohen Erwartungen. Doch ihr Briefwechsel zeigt,
daß Luise schon während der Verlobungszeit von Johanns Interesse für andere Frauen gewußt haben muß.

171

Klatsch über die Amouren des Professors war schon zu dieser Zeit weit verbreitet und wurde die ganze Ehe hindurch fortgesetzt.[5]

Man könnte behaupten, daß Luises Enttäuschung über ihre Arbeit weder auf diese eheliche Zwietracht, noch auf ihre unfreiwillige Kinderlosigkeit zurückzuführen ist, sondern vielmehr auf der Erkenntnis beruhte, daß ihre schöpferische Tätigkeit nach Vollendung der *Deutschen Schaubühne* zu Ende war und ihr nur "Schreiberdienste," wie Schlenther es bezeichnete, verblieben. Luise protestierte anscheinend nicht gegen Johanns Eingriff in ihre dichterische Laufbahn, doch mag dieser Eingriff sie daran gehindert haben, ihr Talent voll zu entfalten. So bedeutend Luises Schauspiele auch für die deutsche Literaturgeschichte sein mögen, so sind es doch nur wenige Werke.

Kritiker haben Luises Schaffen im allgemeinen in einem zu engen Rahmen betrachtet. Sie haben einfach Luises--für uns erstaunliche--Meinung wiederholt, daß ihre Dichtkunst lediglich einen belanglosen Teil ihres Lebens darstelle. So sahen sie Luises Enttäuschung nur als ein Ergebnis ihrer unbefriedigenden Ehe an und berücksichtigten nicht ihre Situation als Dichterin, der Beschränkungen auferlegt waren. Ihr Ziel war es, Johann zu gefallen, und ihre Dichtung war das Mittel dazu; daher war ihre schriftstellerische Laufbahn auf unsicheren Grund gebaut. Sie war keine Einzelerscheinung: Luise war eine Frau ihrer Zeit, denn ihre Vorstellung von ihrer Rolle als Frau in der Gesellschaft stimmte mit der der Aufklärung völlig überein. Die Frage ist nun, ob dieses Rollenverständnis in irgend einer Weise der Laufbahn einer Frau als Schriftstellerin angemessen sein kann.

Das Konzept der persönlichen Verantwortung ist als entscheidend für das Theater in der Gottschedzeit bezeichnet worden;[6] dennoch wurde der Gegensatz zwischen Individuum und Gesellschaft niemals vollständig gelöst. Während die Aufklärung viel vom einzelnen Menschen verlangte, ihm anderseits aber auch viel zugestand, verlangte die geordnete Welt des Rationalismus Gehorsam gegenüber der bestehenden Ordnung, Vertrauen auf den endgültigen Sieg der Gerechtigkeit und Gelassenheit gegenüber dem Unglück. Das Bemühen der deutschen Aufklärung, die individuellen Beweggründe mit den Bedürfnissen einer geordneten Gesellschaft in Einklang zu bringen, führte zu einer ständigen Span-

nung zwischen den gegensätzlichen Forderungen. Die
Spannung zwischen diesem neuen rationalen Ideal und
dem noch immer mächtigen Ideal der patriarchalischen
Familie ist besonders deutlich an der Stellung der
Frau zu erkennen. In ihrer gesellschaftlichen Rolle
auf häusliche Angelegenheiten beschränkt, beherrschte
die Frau nicht ihr eigenes Schicksal, sondern war dem
Hausherrn untergeordnet, der über sie kraft Gesetz
und Tradition bestimmte. Auflehnung galt im Tugend-
katalog der Aufklärung als unzulässig. Wie aber konnte sich in einer Welt, in der das patriarchalische
Familienideal unanfechtbar war, die intelligente, gebildete, vernünftige Frau durchsetzen, ohne zu rebel-
lieren? Bewußt oder unbewußt stellte Luise in ihren
Komödien Frauen dar, die versuchen, diesen Konflikt
zu lösen. Luise selbst war für die Aufklärung das
beste Beispiel für den Ausgleich zwischen dem Ideal
der völligen Gleichheit aller Menschen einerseits und
der Erfüllung der einschränkenden traditionellen Rolle der Frau andererseits. Es ist ironisch, daß die
"Musterfrau" als Dichterin am Ende ihres Lebens über
das Ergebnis bitter enttäuscht war.

Johann sprach für diejenigen, die sich in dieser
Frage für aufgeklärt hielten, als er in einer Ode an
Christiane Marianne von Ziegler schrieb, "Ein jedes
Alter und Geschlecht/ Hat gleichen Lohn und gleiches
Recht."[7] Doch die meisten Menschen der Aufklärung
betrachteten eine solche Erklärung als ein Abstrak-
tum, das nicht viel mit dem täglichen Leben zu tun
hatte. Luise sah ihre Lage nicht anders als ihre
Zeitgenossen: "Durch alle meine Handlungen suche ich
mir Ihren Beyfall zu erwerben, und immer suche ich,
Sie zu überzeugen, daß ich bloß für Sie lebe,"[8]
schrieb sie Johann während ihrer Verlobungszeit. Ihr
Leben ist ein Beweis dafür, daß sie dieser jugendlichen Erklärung treu geblieben ist, während jedoch
ihre letzten Briefe an Dorothea Runckel zeigen, wie
wenig befriedigend dieses Versprechen sein sollte.
"Ich bin überladen mit Arbeit und untüchtig zu arbeiten; gleichwohl hängt die wenige Zufriedenheit meines
Lebens, die mir das Schicksal noch übrig läßt, ganz
davon ab,"[9] schrieb sie an Dorothea kurz vor ihrer
letzten Krankheit. Die veröffentlichten Briefe geben
keinen genauen Hinweis über die Ursachen, denen Luise
ihre Verbitterung zuschrieb; der Briefwechsel ist offensichtlich zensiert worden.[10] Was mag wohl während

Luises Leben geschehen sein, um diese Veränderung in
ihren Ansichten hervorzurufen?

Von Kindheit an wurde Luise in ihrer geistigen
Ausbildung von beiden Eltern gefördert. Ihr Vater,
ein Leipziger Arzt, leitete ihre Ausbildung, und auch
andere Familienmitglieder haben sie unterrichtet:
ihre Mutter in Französisch und Musik, ein Vetter im
deutschen Prosastil und ihr Halbbruder im Englischen,
weitere Fächer waren Geschichte, Geographie, Philosophie, Mathematik und Dichtung. Es war eine erstaun-
liche Bildung für ihre Zeit, auch in der Familie eines Arztes und besonders für eine Tochter. Dazu erhielt Luise ebenfalls die häusliche Erziehung der
Zeit. Ihr Vater, so wird berichtet, hatte Einwände
gegen die monatelange Klöppelarbeit, die die Augen
der Tochter zu verderben drohte, und warf das Spit-
zenpult ins Feuer.[11] Doch vertrat auch er die Ansicht, daß es sich für eine Frau nicht zieme, öffentliche Aufmerksamkeit durch ihre Dichtkunst auf sich
zu lenken, und er bat daher Johann, keine große Dichterin aus Luise zu machen. Ihre Gedichte sollten
anonym veröffentlicht werden.[12]

Vielleicht hatte der Konflikt, den Schlenther später beschrieben hat, bereits mit Luises Vater begonnen: "Eine naive Furcht, pedantisch zu sein, oder
pedantisch zu scheinen, hat sie niemals verlassen."[13]
Schreiber fand es eigenartig, daß Luise Angst hatte,
den Ruf einer Pedantin zu bekommen, wenn sie Latein
studierte.[14] Literaturhistoriker, denen Luises "naive Furcht" verblüffend erscheint, übersehen, daß sich
hier die realen Lebensbedingungen einer intellektuell
interessierten Frau im achtzehnten Jahrhundert wider-
spiegeln. Luise schrieb an Dorothea Runckel: "Die
Welt wird durch seltne Verdienste beleidiget, und
läßt sie dem, der sie besitzt, nur so lange, als sie
glaubet, daß er selbst daran zweifle. Die wahre Bescheidenheit ist nach meinen Gedanken von wirklichen
Vorzügen untrennbar."[15] Daß Frauen es besonders
schwer hatten, in geistigen Dingen ernst genommen zu
werden, zeigt eine Bemerkung Dorotheas: "Sie [die
schöne Handschrift] ist unserem Geschlecht doppelt
nötig. Man vermutet von demselben oft nichts, als
gedankenleere Zeilen, und sie können sich die Geduld
und Bemühung ihrer Leser durch nichts als eine zier-
liche Schrift erbitten, die, so zu sagen, stillschweigend eine gütige Nachsicht fordert."[16] So ist

174

es kein Wunder, daß Luise nie ein echtes Selbstvertrauen entwickeln konnte. Johann und Luises Vater, die zwei Männer, denen sie ihre Bildung verdankte, stimmten darin überein, daß eine Frau ihr Leben lang der männlichen Aufsicht bedürfe, um ihre Bildung nicht zu mißbrauchen. Es war Johann, der diese Aufsicht übernehmen würde. Nachdem er die sechzehnjährige 1729 im Hause ihrer Eltern in Danzig kennengelernt hatte, begannen die beiden ihren Briefwechsel. Johann begann immer mehr auf Luises Ausbildung einzuwirken, so daß die Leitung ihrer geistigen Entwicklung von den Händen des Vaters in die des zukünftigen Ehemanns überging. Diesem Abhängigkeitsverhältnis sollte sie nie entwachsen. Daß Luise sich willig ihrem Mann unterordnen würde, geht aus ihrem Briefwechsel mit Johann hervor: "Alles, was Sie mir gefälliges in Ihrem Schreiben sagen, ist eine Vorschrift wie ein tugendhaftes Frauenzimmer seyn soll, und auch zugleich ein Beweis wie viel mir, und den meisten meines Geschlechts, an dieser Vollkommenheit fehlt," schrieb sie ihm.[17]

Ohne eigenes Vermögen konnte keine Frau in Luises Zeit erhoffen, ihr literarisches Talent beruflich auszuüben. Der Zeitpunkt, an dem Frauen ihren Lebensunterhalt durch Schriftstellerei bestreiten konnten, war noch nicht gekommen und es war ihnen nicht erlaubt, durch Unterricht oder ein geistiges Amt ihr Schreiben zu unterstützen, wie es die Männer taten. Eine Frau, die sich auf intellektuellem Gebiet betätigen wollte, wurde dazu gezwungen, indirekte Mittel und Wege zu benutzen, um ihr Ziel zu erreichen. So konnten nur die Frauen auf Erfolg hoffen, die neben ihrer Intelligenz und Erziehung auch Ehemänner und Väter besaßen, die sie nicht von ihren außerhäuslichen Tätigkeiten abhielten. Luises Leben gab ihrem Talent einigen Spielraum: sie heiratete einen Professor, dessen Interessen sie teilte, und sie begann, sich zu einem Teil seiner literarischen Laufbahn zu machen.

Es steht außer Zweifel, daß ihre Dichtung durch ihre Ehe mit Johann gefördert wurde. Doch sollte berücksichtigt werden, daß sie einen hohen Preis für diese Hilfe bezahlte. Der Zeit entsprechend bestand die Rolle der begabten Frau eines bekannten Mannes darin, sich den von ihm ausgewählten Aufgaben zu widmen. Sie erfüllte diese Rolle hervorragend, aber der

Verlust an eigenen Leistungen dürfte beträchtlich gewesen sein. Die deutsche Literatur kann als um vieles ärmer angesehen werden, da Luise einen großen Teil ihrer Zeit und ihres Talents in verhältnismäßig geistlosen Beschäftigungen unter der Aufsicht ihres Mannes verschwendete.

Martens sprach für die heutige Literaturwissenschaft, wenn er Luise die Begründerin der sächsischen Komödie nannte, die von Krüger, Gellert, Schlegel und Lessing entwickelt werden würde.[18] Was hätte sie hervorbringen können, wenn sie mehr Lustspiele geschrieben hätte? "Sie hätte eine deutsche Dichterin mit nachhaltiger Geltung werden können, wenn sie den Spuren und dem Mahnen ihrer Natur mehr gefolgt wäre....Frau Gottsched aber verhinderten ihr persönliches Verhältnis wie die geistige Kraft, das eigene Wesen zu behaupten," schrieb Waniek.[19] Luises literarische Laufbahn stand unter Johanns Leitung, und er glaubte, sie solle zuerst übersetzen, später dichten: "...zuerst Übung der Regeln durch Übersetzung französischer Muster, dann eigene Versuche: so lautete das Programm, so wurde es ausgeführt."[20] In dieser Hinsicht folgte Luise demselben Programm wie andere Dichter der Aufklärung. Übersetzung war auch die erste Tätigkeit von J. E. Schlegel, Gottfried Uhlich, Christian Krüger und Johann Gottsched. Luise aber trug eine Bürde, die jene Autoren nicht trugen. Sie besorgte ihren Haushalt, ebenso wie alle Hilfsarbeiten für Johanns Tätigkeit. Johann beschrieb ihren Wirkungskreis im Hause Gottsched: "Ihre Wirthschaftsangelegenheiten, an Küche, Wäsche und Kleidungen, besorgte sie ohne alles Geräusch aufs ordentlichste. Ihre Ausgabe und Einnahme hat sie die ganze Zeit ihres Ehestandes durch, von Häller zu Pfennig aufgeschrieben, und jedes Jahr richtig geschlossen. Ja von allen Arbeiten mit der Nadel, die in einem Hauswesen vorkommen können, hat sie sehr wenig durch fremde Hände besorgen lassen....Oft hat sie sogar Meinen Briefwechsel in meinem Namen geführt, und sehr vielen Gelehrten das Nöthige geantwortet, wenn ich mit Geschäfften zu sehr überbauet war."[21] Kurz vor ihrem schmerzhaften Tod, der von einem Versagen der Nieren und einem Schlaganfall begleitet war, beschriftete sie Bücher für Johanns Bibliothek, wie er mitteilte: "Und damit ist sie fast bis an ihr Ende fortgefahren: da sie nämlich wegen des Zitterns ihrer Hände nicht ferner so schön zu schreiben im Stande war."22

Das folgende Verzeichnis von Luise zuerkannten Schriften wird zugleich die Anzahl ihrer Werke und die Richtung ihrer Karriere aufzeigen.23

1731 Übersetzung, *Der Frau von Lambert Betrachtungen über das Frauenzimmer*; aus dem Französischen übersetzt durch L.A.V.K. Leipzig: 1731. (Anne Thérèse de Marguenat de Courcelles de Lambert, *Reflexions sur les femmes*, 1721; enhält auch einige Gedichte von Luise).

1733 Ode, *Das glückliche Russland am Geburtstage Ihro Kaiserl. Majestät Anna Iwanowna*, Danzig: 1733.

1735 Übersetzung, *Der Sieg der Beredsamkeit*, aus dem Französischen der Frau von Gomez übersetzt von L.A.V. Kulmus, Leipzig: 1735 (Madeleine Angélique Poisson de Gomez, *Le Triomphe de l'eloquence*, 1730; enhält auch etliche Gedichte sowie die oben zitierte Ode und eine Auswahl aus Voltaires *Zaïre* in freie Verse übersetzt).

1735 Übersetzung, *Kato*, ein Trauerspiel aus dem Englischen des Herrn Addison übersetzt von L.A.V. Gottsched, geb. Kulmus, Leipzig: 1735 (Joseph Addison, *Cato*, 1713).

1736 Lustspiel, *Die Pietisterey im Fischbein-Rocke; Oder Die Doctormäßige Frau.* In einem Lust-spiele vorgestellet. Rostock: Auf Kosten guter Freunde: 1736 [Leipzig: Breitkopf].

1739 Satire, *Triumph der Weltweisheit*, nach Art des Französischen Sieges der Beredsamkeit der Frau Gomez, nebst einem Anhange dreier Reden [von Luise]. Leipzig: 1739 (die drei Reden sind betitelt: "Dass ein rechtschaffener Freund ein Philosoph sein müsse;" "Das Lob der Spielsucht;" und "Auf den Namenstag eines guten Freundes, nach Art gewisser grossen Geister Zusammengeschrieben").

1739-43 Übersetzung, *Der Zuschauer*, aus dem Englischen des Herrn Richard Steele und Joseph Addison. Neun Theile. Leipzig: 1739-43 (*The Spectator*, 1711-14; alle mit einem Sternchen bezeichneten Aufsätze wurden von Luise übersetzt).

1740 Satire, *Horatii, als eines wohlerfahrnen Schiffers treumeynender Zuruff an alle Wolfianer* von X.Y.Z., o.O: 1740 (anonym erschienen).

1741 Übersetzung, *Zwo Schriften, welche von der Frau Marquise von Chatelet und dem Herrn von Mairan, das Maaß der lebendigen Kräfte in den Körpern betreffend, sind gewechselt worden*, aus dem Französischen übersetzt von L.A.V. Gottsched, Leipzig: 1741 (*Lettre de M. de Mairan...a Madame*** [la marquise du Chatelet] sur la question des forces vives, en reponse aux objections qu'elle lui fait sur ce sujet dans ses Institutions de physique*, 1741).

1741 Übersetzung, *Cornelia, Mutter der Grachen*, in *Die Deutsche Schaubühne nach den Regeln und Mustern der Alten.* Bd. 2, Stuttgart: 1741 (Marie Anne Barbier, *Cornélie, mère des Gracques*, 1703).

1741 Übersetzung, *Das Gespenst mit der Trommel*, in *Die Deutsche Schaubühne*, Bd. 2, 1741 (Destouches, *Le Tambour nocturne*, 1736).

1741 Übersetzung, *Alzire, oder die Amerikaner*, in *Die Deutsche Schaubühne*, Bd. 3, 1741 (Voltaire, *Alzire, ou les Américains*, 1734).

1741 Übersetzung, *Der Verschwender*, in *Die Deutsche Schaubühne*, Bd. 3, 1741 (Destouches, *Le Dissipateur*, 1736).

1741 Überzetzung, *Der poetische Dorfjunker*, in *Die Deutsche Schaubühne*, Bd. 3, 1741 (Destouches, *La Fausse Agnes*, 1736).

1741-44 Übersetzung von 330 der 635 Artikel in *Herrn Peter Gaylens historisches und kritisches Wörterbuch*, nach der neuesten Auflage von 1740 ins Deutsche übersetzt, auch mit einer Vorrede und verschiedenen Anmerkungen versehen von Johann Christoph Gottscheden. Vier Teile. Leipzig: 1741-44.

1742 Übersetzung, *Der Menschenfeind*, in *Die Deutsche Schaubühne*, Bd. 1, 1742 (Molière, *Le Misanthrope*, 1666).

1742 Übersetzung, *Die Widerwillige*, in *Die Deutsche Schaubühne*, Bd. 1, 1742 (Charles Dufresny, *L'Esprit de contradiction*, 1700).

1744 Übersetzung, Herrn Alexander Popens *Lockenraub, ein scherzhaftes Heldengedicht.* Aus dem Englischen in deutsche Verse übersetzt, von Luisen Adelgunden Victorien Gottschedinn. Nebst einem Anhange zwoer freyen Uebersetzungen aus dem Französischen. Leipzig: Breitkopf, 1744. Mit Kupfern. (Pope, *The Rape of the Lock*, 1714;

enthält auch eine Übersetzung von zwei Gedichten
von Antoinette Deshoulières, 1638?-94).

1744 Lustspiel, *Die ungleiche Heirath*, in *Die Deutsche Schaubühne*, Bd. 4, 1744 (anonym erschienen).

1744 Lustspiel, *Die Hausfranzösinn, oder Die Mamsell*,
in *Die Deutsche Schaubühne*, Bd. 5, 1744.

1744 Tragödie, *Panthea*, in *Die Deutsche Schaubühne*,
Bd. 5, 1745

1745 Lustspiel, *Das Testament*, in *Die Deutsche Schaubühne*, Bd. 6, 1745.

1745 Nachspiel, *Herr Witzling*, in *Die Deutsche Schaubühne*, Bd. 6, 1745.

1745 Übersetzung, *Der Aufseher oder Vormund*, aus dem
Englischen (des Addison) ins Deutsche übersetzt
von L.A.V.G. Zwei Theile, Leipzig: 1745 (*The
Guardian*, 1713).

1746-47 Luise arbeitet an *Nöthiger Vorrath zur Geschichte der deutschen Dramatischen Dichtkunst;
oder Verzeichniß*... Leipzig: 1757-65. Zwei
Theile (veröffentlicht unter Johanns Namen, doch
schrieb er im "Leben," daß er "fast den ganzen
Stoff" von ihr in die Hände bekam).

1747 Übersetzung, *Die gestürzten Freymäurer*, aus dem
Französischen, Berlin und Leipzig: 1747 (*Les
Francs-maçons écrasés* und *L'Ordre des francs-
maçons* trahi [par l'abbé G.-L. Perau]. Traduit
du latin [par l'abbé Larudan], 1747, anonym erschienen).

1747-48 Aufsätze in *Die Vernünftigen Tadlerinnen*,
dritte Auflage, Hamburg: 1747-48 (Luise schrieb
u.a. die Stücke "Ueber die Gelehrsamkeit des
Frauenzimmers" und "Ueber Arbeit und Müßiggang").

1748 Übersetzung, *Paisan parvenu, oder der glücklich
gewordene Bauer*, 1748 (Marivaux, *Paysan parvenu*,
1735, anonym erschienen).

1749 Übersetzung, *Neue Sammlung auserlesener Stücke
aus Popens, Newtons, Eachards und anderer
Schriften* übersetzt von L.A.V. Gottschedinn,
geb. Kulmus. Leipzig: 1749 (enthält Popes *Life
of Homer* und Kommentar).

1749-57 Übersetzung, *Geschichte der königlichen Akademie der Aufschriften und schönen Wissenschaften zu Paris, darin zugleich unzählige Abhandlungen aus allen freien Künsten, gelehrten
Sprachen und Alterthümern enthalten sind*, aus
dem Französischen übersetzt von Luise Adelgunde

Victorie Gottschedinn. Elf Theile. Mit einer
Vorrede von Johann Christoph Gottsched. Leipzig: 1749-57.

1752 Übersetzung, *Vollständige Sammlung aller Streit-
schriften über das vorgebliche Gesetz der Natur
von der kleinsten Kraft in den Wirkungen der
Körper* (die zwischen dem Präsidenten von Mauper-
tuis in Berlin, dem Prof. König in Holland, dem
Herrn von Voltaire u.a. gewechselt worden),
Leipzig: 1752.

1753 Übersetzung, *Cenie, oder die Grossmuth im Un-
glücke, ein moralisches Stück* der Frau von Gri-
figny, aus dem Französischen. Leipzig: 1753
(Mme. de Graffigny, *Cénie*, 1750).

1753 Übersetzung, *Der kleine Prophet von Bömischbro-
da, oder Weissagung des Gabriel Johannes Nepomu-
cenus Franciscus de Paula Waldstörchel.* Prag:
1753 (Jördens bezeichnet dies als "halb Übersetzung halb Nachahmung" von Friedrich Melchior
Grimm, *Le petit Prophète de Boehmischbroda*, Paris: 1753).

1753-54 Übersetzung, *Der Königlichen Akademie der
Aufschriften und schönen Wissenschaften zu Paris
ausführliche Schriften, darin unzählige Abhand-
lungen aus allen freien Künsten, gelehrten
Sprachen und Alterthümern enthalten sind.* Mit
Kupfern. Aus dem Französischen übersetzt von
Luise Adelgunde Victorie Gottschedinn. Zwei
Theile. Leipzig: 1753-54.

1755 Vorspiel, *Der beste Fürst, ein Vorspiel auf das
Geburtsfest der verw. Fürstin Johanna Elisabeth
von Anhalt-Zerbst*, Leipzig: 1755 (nur in 36
Exemplaren gedruckt; aufgenommen in *Sämmtliche
Kleinere Gedichte*).

1756 Übersetzung, *Des Abts Terrasson Philosophie nach
ihrem allgemeinen Einflusse auf alle Gegenstände
des Geistes und der Sitten*, aus dem Französischen verdeutschet (von Luise Adelgunde Victorie
Gottschedinn) mit einer Vorrede von Joh. Christoph Gottscheden. Leipzig: 1756 (Jean Terrasson, *La Philosophie applicable a tous les objets
de l'esprit et de la raison*, 1754).

1757 Übersetzung, *Nachrichten, die zum Leben der Frau
von Maintenon und des vorigen Jahrhunderts ge-
hörig sind*, aus dem Französischen. Erster,
zweiter, dritter Band. Leipzig: 1757 (Laurent

Angliviel de La Beaumelle, *Memoires pour servir à l'histoire de Madame de Maintenon et à celle du siècle passé*, 1755-56. Nach Johanns "Leben" wurde der erste Band von Luise, der zweite von Dorothea Runckel, der dritte von ihm selbst übersetzt.)

1758 Übersetzung, *Gedanken über die Glückseligkeit, oder philosophische Betrachtungen über das Gute und Böse des menschlichen Lebens*, aus dem Französischen (des Herrn Beausobre) von Luise Adelgunde Viktorie Gottschedinn. Berlin: 1758 (Louis de Beausobre, *Essai sur le bonheur*, 1758).

1758-59 Aufsätze, *Handlexikon oder Kurzgefasstes Wörterbuch der schönen Wissenschaften und freyen Künste*. Zum Gebrauch der Liebhaber derselben herausgegeben. Leipzig: 1760 (Luise schrieb die Artikel, die am Ende mit einem Sternchen bezeichnet sind).

1760 Satire, *Briefe, die Einführung des Englischen Geschmacks in Schauspielen betreffend, wo zugleich auf den Siebzehnten der Briefe, die neue Litteratur betreffend, geantwortet wird*. Frankfurt und Leipzig: 1760 (anonym).[24]

1761 Übersetzung, *Des Freyherrn von Bielefeld Lehrbegriff von der Staatskunst*, Breslau und Leipzig: bey Kornen, 1761 (Jacob Friedrich von Bielfeld [sic] *Institutions politiques*, 1760; Luise übersetzte verschiedene Hauptstücke des zweiten Bandes).

Nach ihrem Tode erschienen:

1763 Gedichte, *Der Frau Luise Adelgunde Victorie Gottschedinn, geb. Kulmus, sämmtliche Kleinere Gedichte, nebst dem, von vielen vornehmen Standespersonen, Gönnern und Freunden beyderley Geschlechtes, Ihr gestifteten Ehrenmaale, und Ihrem Leben*, herausgegeben von Ihrem hinterbliebenen Ehegatten. Leipzig: bey Bernhard Christoph Breitkopfen u. Sohne, 1763.

1771-72 Briefwechsel, *Briefe der Frau Louise Adelgunde Victorie Gottsched gebohrne Kulmus*. Erster [-Dritter] Theil...Dresden: Gedruckt mit Harpeterischen Schriften, 1772. Dritter Theil: Gedruckt bey Joh. Wilh. Harpeters Wittwe, 1772. Hrsg. von Dorothea Henriette von Runckel.

1794 Übersetzung, *Das Gespenst mit der Trommel*. Ein

deutsches komisches Singspiel in zwey Aufzügen
nach Goldinis Conte Caramella frey bearbeitet.
Die Musik ist von Herrn von Dittersdorf. Oels:
bey Samuel Gottlieb Ludwig, 1794 (?) (Addisons
Drummer, nach der französischen Version des Destouches ins Deutsche übersetzt von Luise).[25]

Aus diesem Schriftenverzeichnis geht deutlich hervor daß Luises "kleiner Umweg" den größeren Teil ihrer literarischen Schaffenskraft einnahm. War doch
von der ersten Übersetzung an--ironischerweise eine
Schrift über die Rolle der Frau--bis zum Ende ihrer
Karriere ihre Arbeit von Johann beherrscht: Als Johann für nötig befand, daß die deutsche Literatur
ausländische Muster brauche, übersetzte diese Luise;
als Johann einen Feldzug gegen den Pietismus plante,
schrieb Luise *Die Pietisterey im Fischbein-Rocke*;[26]
als Johann Original-Stücke für *Die Deutsche Schaubühne* benötigte, schrieb Luise eine Tragödie und vier
Komödien. Als Johann glaubte, er habe genug für die
deutsche Literatur getan, beauftragte er Luise mit
einem neuen Projekt: eine Übersetzung von Bayles
Wörterbuch. Weitere Übersetzungen folgten, dazu kamen Satiren gegen Johanns literarische Gegner. Luises Komödien, die sie bekannt gemacht haben, wurden
alle vor ihrem dreiunddreißigsten Lebensjahr geschrieben. Johann betrachtete ihre Schauspiele nicht
als einen Teil ihrer dichterischen Laufbahn, sondern
als Bausteine seiner Pläne für eine deutsche Literatur. Luises Ehe gab ihr die Möglichkeit, noch inten-
siver die Schülerin Johanns zu werden. Nach der
Hochzeit begann sie, seine Vorlesungen zu besuchen.
Da es Frauen nicht erlaubt war, bei Vorlesungen anwe-
send zu sein, setzte sie sich vor die halbgeöffnete
Tür in den Gang des Hörsaales und nahm dort Notizen.
Luises Bescheidenheit und konventionelle Haltung
wird in der Heldin ihres ersten Lustspiels widerge-
spiegelt: in die Frauenfiguren in Luises Schauspielen sind Ansichten und Züge ihrer eigenen dichterischen Persönlichkeit eingegangen. *Die Pietisterey im
Fischbein-Rocke*, die 1736 anonym erschien,[27] ist
jetzt Luises bekanntestes Werk, doch nicht ihr bestes. Johann hatte Luise Bougeants *La femme docteur
ou la théologie janséniste tombée en quenouille* im
Mai 1732 zugeschickt und Luise interessierte sich sofort für das Schauspiel, weil sie eine Beziehung
zwischen den Jansenisten und den deutschen Pietisten

sah. Bougeant hatte für *La femme docteur* Themen aus
zwei Schauspielen Molières, aus *Tartuffe* und *Les
Femmes Savantes*, benutzt.[28] Ob Luises Stück eine
Übersetzung oder eine Adaption ist, ist oft diskutiert worden.[29] Nach einer Betrachtung der Überset-
zungstheorie Gottscheds und seines Kreises kommt Wa-
ters zum Schluß, daß das Schauspiel "essentially a
translation" ist, wenn man die zeitgenössische Definition zugrunde legt.[30] Doch die Pietisterey ist
keine Übersetzung im modernen Sinne des Wortes, denn
die Personen und viele Einzelheiten sind beträchtlich
abgeändert und die Satire ist spezifisch gegen die
deutschen Pietisten gerichtet worden.

Neben einem gemeinsamen Kampf der Gottscheds gegen
die falsche Frömmelei kann man in der *Pietisterey*
auch eine Äußerung Luises zu den konventionellen Ansichten über elterliche Autorität sehen. Trotz Luises Unterwerfung unter die intellektuelle Autorität
Johanns hatte sie ihm deutlich zu verstehen gegeben,
daß sie verpflichtet war, ihren Eltern bis zu ihrer
Ehe zu gehorchen, dann würde sie natürlich ihrem Ehemann gehorchen.[31] Als Johann anscheinend vorgeschlagen hatte, sie sollen gegen den Willen der Eltern
heimlich korrespondieren, antwortete sie ganz empört:
"Was würden Sie von einer Person halten, die in dem
Hause Ihrer Mutter sich derselben widerspenstig er-
zeigte, und dieser nicht ihren ganzen Willen aufop-
ferte? Würden Sie nicht vermuthen, daß diese Person
in Zukunft auch eine widerspenstige Frau seyn
würde?"[32] Luises Reaktion zeigt, wie ernst sie die
elterliche Autorität nahm und in welchem Ausmaß kind-
licher Gehorsam als eine Vorbereitung zum weiblichen
Gehorsam in der Ehe betrachtet wurde. Beinahe vierzig Jahre später verkörperten Lessings Emilia Galotti
und Schillers Luise Millerin das fortdauernde Interesse des Zeitalters an der Problematik des Gehorsams
der Tochter gegenüber dem Vater.

Nur wenige Jahre nach Luises empörtem Brief an Johann zeichnete sie 1736 in der *Pietisterey* das Bild
einer gehorsamen Tochter, die einen ungeduldigen Mann
zum Verlobten hat. Die Heldin Luischen ist derart
gehorsam, daß sie sich weigert, ihrer törichten Mutter zu widersprechen, obgleich diese versucht, Luischens Hochzeit aus irregeführter Religiosität zu
verhindern, um sie mit dem Neffen eines Schurken zu
verheiraten.

Während Frau Glaubeleichtin, die Mutter, lächerlich gemacht wird, erscheint Luischen um so tugendhafter, da sie selbst einer Mutter gegenüber Gehorsam
erweist, die diesen eigentlich nicht verdient hat.
Das Stück zeigt die Ambivalenz auf, die Luise Gottsched gegenüber der traditionellen Rolle der Frau
empfand. In der *Pietisterey* können die anderen Luischens Weigerung, sich selbst zu helfen, nicht begreifen. Ihr Verlobter ruft verzweifelt aus: "Grausame
Luise! Sind sie einer unvernünftigen Mutter noch
nicht lange genug gehorsam gewesen!"[33] Luises Antwort: "Ich ergebe mich darein, weils nicht zu ändern
ist" (II,3, S. 52), deutet an, daß eine tugendhafte
Tochter zwar Unzufriedenheit auszudrücken vermag, daß
ihre Passivität jedoch eine realistische Einschätzung
des *status quo*, ihrer Machtlosigkeit, darstellt.
Frau Glaubeleichtin droht ihrer Tochter auch ausdrücklich mit Gewalt, sollte sie sich dem Willen der
Mutter widersetzen (II,7, S. 62). Obwohl die irrege-
führte Mutter als Typ später im deutschen Drama wie-
derzufinden ist (z.B. als Frau Millerin), ist sie in
der *Pietisterey* nicht bloß eine konventionelle Figur,
sondern sie verkörpert vielmehr die Ansicht der Autorin, daß ein bedingungsloser Gehorsam einem törichten
Elternteil gegenüber von betrüblicher Konsequenz sein
kann. Dennoch sieht Luise Gottsched solchen Gehorsam
als die Pflicht einer tugendhaften Tochter: die *Pietisterey* ist eine Komödie und die bitteren Folgen
bleiben aus. Der *deus ex machina* ist in diesem Fall
der heimkehrende Vater, der seine Tochter vor der Un-
vernunft der Mutter rettet und alle Hindernisse für
die günstige Hochzeit der Heldin aus dem Wege räumt.
An keiner Stelle wird in dieser von der Thematik her
interessanten Komödie die Möglichkeit der Auflehnung
eines jungen Mädchens gegen die törichte und tyran-
nische Mutter auch nur angedeutet. Der kluge Vater
rettet die Situation, er beschützt die Tochter vor
der Mutter.
Das Erscheinen der *Pietisterey* rief wegen der Kritik am Pietismus heftige Reaktionen hervor; in Königsberg, wo die Komödie spielt, wurden Exemplare in
den Buchläden beschlagnahmt.[34] Die Gottscheds zogen
sich eine Zeitlang aus der Öffentlichkeit zurück, obwohl das Werk anonym veröffentlicht worden war. Neben der offenen religiösen Kritik steht im deutschen
Stück wie auch bei seinen Vorlagen eine Kritik an der

"gelehrten Frau" im Vordergrund,[35] wie auch der Un-
tertitel "die Doctormäßige Frau" andeutet. Luise
fühlte sich zu diesem Thema hingezogen, doch wird
sich der moderne Leser vielleicht fragen, warum die
im Werk ausgesprochenen negativen Ansichten über
Frauen und deren Bildung aus der Feder einer selbst
so gebildeten Frau fließen konnten.

Die Praxis der Pietisten, beiden Geschlechtern
gleiche Rechte in ihren Versammlungen einzuräumen und
in ihnen gleichwertige Gläubige und Diener Gottes zu
sehen, war ein umstrittener Punkt zwischen ihnen und
anderen Protestanten. Diese vermeintliche Gleichheit
der Geschlechter macht Luise zum Mittelpunkt ihrer
Satire gegen die Pietisten. Das tugendhafte Luischen
verachtet Frauen, "welche sich bemühen, über Dinge zu
vernünffteln, die sie nicht verstehen" (I,3, S. 24).
Daß Frauen nichts von Theologie verstehen und nicht
darüber theoretisieren dürfen, geht aus Luischens
Worten hervor: "Ich sehe nicht, was ich mich drein
zu mischen habe, und ob überhaupt ein Frauenzimmer..."
(I,5, S. 32). In der Person des Luischens vertritt
Luise Gottsched den Standpunkt, daß Frauen Theologie
nichts anzugehen habe und zielt in ihrer Satire
hauptsächlich auf die Frauen, die sich solches anma-
ßen. Sie argumentiert, daß die Beschäftigung der
Frauen mit Theologie fehl am Platz sei, weil sie dann
ihre Haushaltspflichten vernachlässigten. Auch Frau
Ehrlichin, die oft als Luises beste komische Schöpfung bezeichnet worden ist, dient als Beweismittel
gegen eine solche Frauenbildung. Obwohl sie einen
ungebildeten Dialekt spricht und deswegen ausgelacht
wird, ist sie die einzige Frau im Schauspiel, die moralisches Gewicht trägt, weil sie in ihrer natürlich-
ungebildeten Art "ehrlich" ist und jedes theologische
Wissen für eine Frau ablehnt.

Für Luise Gottsched sollten die häuslichen Pflichten einer Frau immer den Vorrang vor geistiger Beschäftigung haben. So riet sie einer jungen Bekannten: "Fahren Sie fort, liebenswürdige Wilhelmine,
auf eigene Wissenschaften so viel Zeit zu verwenden,
als es Ihr Beruf erlaubet. Ich meyne, da Sie Ihre
häusliche Wirtschaft, deren Sie sich so rühmlich annehmen, dabey nicht hintenansetzen."[36] Da Luise
selbst keine Kinder hatte, erklärte sie häufig, daß
es nur diesem aufgebürdeten und nicht frei gewählten
Umstand zuzuschreiben sei, daß ihr das Schreiben er-

möglicht wurde: "Wenn ich ein Kind hätte, denn auf dieses würde ich meine ganze Zeit verwenden," schrieb sie an Dorothea.[37]

In der *Pietisterey* warnt Wackermann, die Stimme der Vernunft im Lustspiel, Frau Glaubeleichtin vor unangemessenem, weiblichen Bücherwissen: "Sie wissen alles, was Sie wissen sollen: Nähen, stricken, stikken, und viele andere Sachen, die Ihrem Geschlechte zukommen" (I,6, S. 34). Das Haus war die Berufung der Frau und die lange literarische Tradition, gebildete Frauen wegen ihres Wissens lächerlich zu machen, hatte ihre Wirkung auch auf Luise Gottsched, selbst "doktormäßige Frau," nicht verfehlt. Reinhard Buchwald äußerte sich dazu: "Für die Gottschedin, die gelehrteste Frau ihrer Zeit, war die gelehrte Frau nichts als eine Ausnahme. Ihr eigenes Leben betrachtete sie als anormal; sie entschuldigte es mit ihrer Kinderlosigkeit, mit einem angeborenen altruistischen Drang nach Betätigung, mit ihren besonderen Anlagen und...mit einer Anlehnung an den Beruf ihres Gatten."[38]

Luises erstes Stück zeigt eine junge Frau, die für ihre konventionelle Passivität belohnt wird. Die Frage nach der geistigen Unabhängigkeit der Frau wird zwar kurz angesprochen, doch wird sie im Sinne des Patriarchats oberflächlich gelöst: ein gerechter, kluger Vater erscheint als *deus ex machina*. Die folgenden Stücke von Luise befassen sich mit den gleichen Fragen, nur wird die Thematik jetzt differenzierter gehandhabt. Diese Weiterentwicklung ist sicher nicht nur der Tatsache zuzuschreiben, daß Luise jetzt eigene Stücke und keine Bearbeitungen mehr schrieb, sondern ist auch ihrer zunehmenden Geschicklichkeit und ihrem wachsenden Verständnis für die Gesellschaft ihrer Zeit anzurechnen. Luise war natürlich weit davon entfernt, Frauen eigene Lösungen für ihre täglichen Probleme anzubieten. Wie hätte sie das gekonnt? Frauen blieben im achtzehnten Jahrhundert in Deutschland bis zu ihrer Heirat durch Gesetz von ihren Vätern abhängig, um anschließend von ihren Ehemännern abhängig zu werden. Trotzdem zeigt Luises Stück *Das Testament* (1745)[39] eine intelligente Heldin, der es gelingt, inmitten der realistisch gezeichneten Gesellschaft des achtzehnten Jahrhunderts ein einigermaßen unabhängiges Eigenleben zu führen. Wie ist dies möglich?

Die Komödie ist mit leichter Hand geschrieben und Caroline ist eine derart sympathische Heldin, die einer interessanten alten Tante gegenübergestellt wird, daß höchstwahrscheinlich niemand das Stück ernst genug nahm, um Carolines in der Komödie versteckte Auseinandersetzung mit der Gesellschaft überhaupt zu bemerken. Caroline ist ledig und zudem noch eine Waise. Hätte sie einen Vater oder Ehemann gehabt, so wäre sie dessen Launen unterworfen gewesen. Nur reichen Witwen wurde zugestanden, wie beispielsweise Carolines Tante, die Aufsicht über ihren Haushalt und die dazugehörigen Personen allein auszuüben. Als unverheiratete Waise ist Caroline nur von ihrer Tante abhängig, die ihrerseits keine Neigung zeigt, ihre Nichte und Mündel zu tyrannisieren. Zu Frau von Tiefenborns Haushalt gehören neben Caroline ihre habgierige Schwester Amalie und ihr Bruder Herr von Kaltenbrunn. Das Matriarchat der Frau von Tiefenborn stellt eine Variante zum patriarchalischen Ideal der Aufklärung dar.

Frau von Tiefenborn regiert im Gegensatz zu Frau Glaubeleichtin umsichtig und dennoch ziemlich gebieterisch. Als Witwe verwaltet sie ihre eigenen Angelegenheiten selbständig und dient nicht lediglich als Stellvertreterin eines vorübergehend abwesenden Ehemannes wie Frau Glaubeleichtin. Frau von Tiefenborns Selbstvertrauen macht es den anderen nicht leicht mit ihr auszukommen, was übrigens eine typische Erscheinung bei vielen männlichen Autoritätsfiguren ist. Ihre Nichte Amalie hat das wohl bemerkt und vergleicht ihre Tante mit einem "gichtbrüchigen Mann" und dem "großen Mogol" (I,1, S. 89). In solchen Vergleichen wird Frau von Tiefenborn in der autoritären Rolle als Familienoberhaupt charakterisiert, jedoch nicht dafür kritisiert. Damit zeigt Luise Gottsched im *Testament*, daß die Rolle des Familienoberhaupts beim Fehlen eines Mannes wohl von einer Frau übernommen werden konnte. In der *Pietisterey* schien ein von einer Frau geführter Haushalt noch von vornherein zur Torheit verurteilt zu sein; hier jedoch übernimmt eine Witwe eine sinnvolle Aufsicht über ihren Haushalt.

Außerdem zeigt dieses Schauspiel eine differenziertere Darstellung von Frauen und ihrem Lebensbereich. Während in der *Pietisterey* die Ehe als das einzig erstrebenswerte Ziel für eine Frau hingestellt wird--dem bekehrten Dorchen wird als Belohnung ein

187

Bräutigam versprochen--verspottet *Das Testament* die
einseitige Beschäftigung mit Heiratsgedanken. Ama-
lies Besessenheit, mit allen möglichen Mitteln einen
Mann zu bekommen, steht Carolines würdevolle Gelassenheit gegenüber. Caroline möchte nur eine Freier
haben, "wenn einer käme, der mich haben wollte, und
mir erst gefiele, hernach auch der gnädigen Frau Muh-
me anstünde...meine Gemüthsart muß ihm durchaus gefallen; sonst mag ich ihn nicht" (III,5, S. 148).
Indem sie sich einen Freier wünscht, der erstens ihr
und an zweiter Stelle ihrer Tante zusagt, unterstellt
sich Caroline der gesellschaftlichen Ordnung, ohne
selbst das vorrangige Recht der Zustimmung aufzugeben. Dieses Recht hat Amalie aufgegeben, weil sie
mit aller Macht verheiratet zu sein wünscht. In der
Pietisterey dient Luischens Passivität nur zur Hervorhebung ihrer eigenen Hilflosigkeit; im *Testament*
bedeutet die abwartende Haltung Carolines eine gewisse Selbständigkeit, die sie über den degradierenden
Ehemarkt erhebt. Da Caroline in dem wohltätigen Matriarchat der Tante materiell versorgt ist, wünscht
sie sich nur "Wasser und Brodt, und die edle Freyheit, daß ich einem jeden meine Meynung unverholen
sagen darf" (II,4, S. 114). Eine Frau kann, so wollte Luise Gottsched in der Person der Caroline zeigen,
echte geistige und intellektuelle Unabhängigkeit innerhalb der relativ konventionellen gesellschaftlichen Normen genießen.

So wird im *Testament* eine Heldin gezeigt, deren
Ziele sich durch ihre eigene Anstrengung innerhalb
der Familie trotz gelegentlicher Meinungsverschieden-
heiten mit dem Familienoberhaupt verwirklichen lassen. *Die Pietisterey* bestätigt das patriarchalische
Ideal auf Kosten von weiblichen Bestrebungen; im *Testament* wird ein Matriarchat dargestellt, worin das
Streben nach weiblicher Selbstbestimmung nicht in
Konflikt mit den Familienwerten der Aufklärung gerät.
Die herkömmliche Familienstruktur mit einem Familienoberhaupt wird nicht in Frage gestellt; Luise aber
hat diese Struktur als derart gelockert dargestellt,
daß sich Frauen in ihr eine wirksame Stimme erhoffen
können.

Luises eizige Tragödie, *Panthea* (1745), erschien
im letzten Band der *Deutschen Schaubühne* in einer
Zeit wachsender Spannung im Hause Gottsched, als Johanns Gegner immer mehr gegen dessen Autorität rebel-

lierten. Während dieser literarischen Angriffe und
Gegenangriffe blieb Luise die treue Frau und Helferin, und Johann dankte ihr dafür mit unablässiger Be-
anspruchung ihrer Kräfte und ehelicher Untreue.
Schlenther glaubte, daß in *Panthea*s fiktiver Welt, in
der neben einer heldenhaften Frau ein ebenso helden-
hafter Mann steht, die Dichterin einen Versuch unternommen hätte, sich selbst zu trösten, da ihre eigene
Ehe bei weitem nicht ideal war: "Die Dichterin wählt
einen Stoff, der ihr neben dem Frauenideal auch ein
männliches bieten kann."[40] Heitner bemerkt, "in her
devotion and obedience to her taskmaster spouse, she
was herself a latter-day Panthea."[41] Obwohl Luise am
Tragödienschreiben Gefallen gefunden hatte,[42] erschienen keine weiteren Tragödien mehr von ihr. Johann hatte andere Aufgaben für seine geschickte Helferin. Man kann wohl annehmen, daß Johanns Beanspru-
chung von Luises Talent eine weitere Ursache ihrer
späteren Enttäuschung war.
    Luise mußte die Kunst, eheliche Konflikte auf ein
Minimum zu reduzieren, sehr wohl verstanden haben.
Die Entwicklung von einer vielversprechenden Jugend
zu einer produktiven Reife war für sie ein langer
Prozeß der Anpassung an eine männlich orientierte
Welt. Diese Welt mit ihrem Gatten als Mittelpunkt
akzeptierte ihre Leistungen nur unter der Bedingung,
daß sie nicht zur Bedrohung der Struktur dieser Welt
werden dürften. Dorothea Runckel schrieb über Luises
Drang "es einmal so weit zu bringen, als es einem
Frauenzimmer möglich und erlaubt wäre."[43] Es gibt
jedoch Hinweise, daß es der reifen Frau schwerer fiel
als der jungen Braut, die dem weiblichen Geschlecht
gesetzten Grenzen zu akzeptieren. In den frühen Jahren war sie ehrgeizig und in ihren Lehrer-Ehemann
verliebt gewesen, als junge Frau empfand sie ihre
Rolle als Johanns Schülerin nicht nur als vollkommen
normal, sondern auch ganz angenehm. Da sie selbst
treu und zärtlich war, wollte sie den Klatsch über
Johanns außereheliche Beziehungen nicht glauben; sie
berichtete in aller Unschuld einer Freundin von der
Frage eines Gastwirts, ob sie "des Herrn Professors
rechte Gemahlin" sei.[44] Jahre später versuchte sie
sich mit den Tatsachen abzufinden und schob es ganz
allgemein auf männliche Untreue "da die Männer, so
wie ihr Herz gegenwärtig beschaffen ist, unsere ganze
Neigung an sich zu ziehen wissen; was bliebe uns

übrig, ihnen aufzuopfern, wenn sie uns an Redlichkeit und Treue überträfen? Sie sind darzu geschaffen, unser lebhaftes Vergnügen, und unsern bittersten Gram zu veranlassen."[45]

In keinem der immer melancholischer werdenden Briefe, die erst nach Luises Tod von ihrer Freundin Dorothea Runckel veröffentlicht wurden, wird Johann jemals von Luise offen kritisiert.[46] Sie lieferte damit Eugen Reichel, dem Biographen und Verehrer Johanns, die Grundlage für seine Behauptung, daß Luises Kummer nicht durch Johann sondern durch "Kriegsnot" verursacht wurde.[47] Doch auch die verschleierten Hinweise zeigen, daß die anfänglich so willig gemachten Kompromisse und die daraus resultierende Anpassung während ihrer achtundzwanzigjährigen Ehe zur Pflicht und schließlich zu einer Last wurden. Luise hatte ihr Leben und literarisches Schaffen ganz dem Urteil ihres Mannes unterstellt. Im Gegensatz zu vielen seiner Zeitgenossen bewunderte und förderte er seinerseits weibliche Talente. Aber es sollte sich bald herausstellen, daß er als der Ehemann auf seine männlichen Vorrechte in einer Art und Weise bestand, die Luise nicht akzeptieren konnte. Luise konnte eine volle Selbstverwirklichung und -entfaltung weder als Ehefrau, noch als Mutter, noch als Dichterin erreichen. Enttäuscht schrieb sie 1756 an Wilhelmine Schulze in einem Brief über die Ehe: "Bey den lautersten Absichten finden sich oft unvermeidliche Übel, die einer vernünftigen Frau viel geheimen Gram verursachen."[48]

ANMERKUNGEN

1 Danzig, 19. Juli 1732; *Briefe der Frau Luise Adelgunde Victorie Gottsched gebohren Kulmus*, hrsg. von Dorothea Runckel (Dresden: Harpeter, 1771-72), I, S. 27.

2 Viele Jahre später, als man Luise die Mitgliedschaft in der Deutschen Gesellschaft anbot, lehnte sie sie mit der Bemerkung ab, "Ehe *** [die Ziegler] drinnen war, wäre mir die Ehre zu groß gewesen, jetzt ist sie mir zu klein" (zitiert nach Gustav Waniek, *Gottsched und die deutsche Litteratur seiner Zeit*, Leipzig: Breitkopf und Härtel, 1897, S. 258). Obgleich Wanieks Andeutung, daß Luise sich weigerte, weil sie von dem an-

geblichen Verhältnis zwischen der Ziegler und Johann wußte, wahr sein mag, so hatte Luise jedoch gegen öffentliche Anerkennung von Frauen seit langem protestiert. Sie hatte Johann auch mißbilligend über Laura Bassi geschrieben, die als erste in Bologna den Doktorgrad erhalten hatte (Danzig, 30. Mai 1732, *Briefe*, I, S. 22).

3 Leipzig, 4. März 1762, *Briefe*, III, S. 167-68.

4 Paul Schlenther, *Frau Gottsched und die bürgerliche Komödie. Ein Kulturbild aus der Zopfzeit* (Berlin: Wilhelm Hertz, 1886), S. 80.

5 Schlenther, S. 79-80.

6 Hans Frederici, *Das deutsche bürgerliche Lustspiel der Frühaufklärung (1736-1750), unter besondere Berücksichtigung seiner Anschauungen von der Gesellschaft* (Halle [Saale]: Niemeyer, 1957), S. 20.

7 Zitiert nach Waniek, S. 237.

8 Danzig, 10. Jan. 1735, *Briefe*, I, S. 172.

9 Leipzig, 26. Nov. 1756, *Briefe*, III, S. 39.

10 Siehe Anm. 46 unten.

11 Diese Anekdote findet sich in Johanns "Leben der weil. Hochadelgebohrnen, nunmehr sel. Frau, Luise Adelgunde Victoria Gottschedinn, geb. Kulmus, aus Danzig," in *Sämmtliche Kleinere Gedichte, nebst dem, von vielen vornehmen Standespersonen, Gönnern und Freunden beyderley Geschlechtes, Ihr gestifteten Ehrenmaale, und Ihrem Leben,* hrsg. von Johann Gottsched (Leipzig: Breitkopf, 1763).

12 Brief an Johann, Danzig, 10. Jan. 1728. Zitiert nach Helga Haberland und Wolfgang Pehnt (Hrsg.), *Frauen der Goethezeit in Briefen, Dokumenten und Bildern, von der Gottschedin bis zu Bettina von Arnim* (Stuttgart: Reclam, 1960), S. 51.

13 Schlenther, S. 26.

14 Sara Etta Schreiber, *The German Woman in the Age of Enlightenment: A Study in the Drama from Gottsched to Lessing* (New York: King's Crown, 1948), S. 43.

15 Leipzig, 23. Jan. 1753, *Briefe*, II, S. 62.

16 Dresden, Okt. 1757, *Briefe*, III, S. 73.

17 Danzig, 20. Sept. 1730, *Briefe*, I, S. 3.

18 Wolfgang Martens, Nachwort zur *Pietisterey im Fischbein-*

Rocke (Stuttgart: Reclam, 1968), S. 152-53.

19 Waniek, S. 257.

20 Schlenther, S. 50.

21 "Leben."

22 Ebd.

23 Eine Bibliographie gibt es nicht. Mein Schriftenverzeichnis stützt sich auf das "Leben" und den "Catalogue de la bibliothèque choisie de feue Mme. Gottsched, née Kulmus," in *Sämmtliche Kleinere Gedichte*, S. 485-532; auf Karl Heinrich Jördens, *Lexikon deutscher Dichter und Prosaisten*, (1807; Nachdruck Hildesheim: Olms, 1970), Bd. 2, S. 249-57 ; auf Karl Goedeke, *Grundriß zur Geschichte der deutschen Dichtung aus den Quellen* (Dresden: Ehlermann, 1887), III, S. 361-62; und auf Curt von Faber du Faur, *German Baroque Literature: A Catalogue of the Collection in the Yale University Library* (New Haven: Yale University Press, 1961), S. 453-54. Bei mehreren Ausgaben wurde nur die erste aufgenommen, da hier keine vollständige Bibliographie angestrebt wird, sondern Luises Schaffen aufgezeigt werden soll.

24 Veronica Richel, *Luise Gottsched: A Reconsideration* (Bern: Herbert Lang, 1973), vermutet, daß die drei Briefe in diesem Werk verschiedene Autoren haben; dem Stil nach zu urteilen sei der dritte und schärfste sicher von Luise (S. 93-95).

25 Unveröffentlicht blieb Luises Abschrift der Goldast-Handschrift von Schobinger's *Sammlung deutscher Lieder aus dem zwölften und dreizehnten Jahrhunderte*, die sie für Johanns Bibliothek anfertigte. Johanns Haltung gegenüber Luises Schaffen verdeutlicht seine Bemerkung, diese "genaue Abschrift" sei "ein Meisterstück von ihrer Geschicklichkeit" ("Catalogue de la bibliothèque choisie," S. 507).

26 In der Tat arbeitete Johann auch an dem Schauspiel und hat Frau Ehrlichins Dialekt dazu beigetragen; Walter Mitzka, "Das Niederdeutsche Gottscheds und die Gottschedin," *Niederdeutsches Jahrbuch des Vereins für niederdeutsche Sprachforschung*, 52 (1926), 56-64; Werner Rieck (*Johann Christoph Gottsched: Eine kritische Würdigung seines Werkes*, Berlin: Akademie-Verlag, 1972, S. 58), gibt einen interessanten Bericht über Johanns Auseinandersetzung mit kirchlicher Autorität und Luises Anteil daran.

27 Nach Waniek, S. 333 (ohne Quellenangabe) wurde das Werk 1750 in Frankfurt a.M. aufgeführt.

28 Emil Horner, "Der Stoff von Molières 'Femmes Savantes' im deutschen Drama" *Zeitschrift für die deutsch-österreichischen Gymnasien*, 47 (1896), S. 97-138; Georg Ellinger, "Der Einfluß des 'Tartuffe' auf die 'Pietisterey' der Frau Gottsched und deren Vorbild," *Archiv für Litteratur-Geschichte*, 13 (1885), 444-47. *Die Pietisterey* ist das erste deutsche Schauspiel mit dem Thema Frömmelei, gefolgt von Krügers *Geistlichen auf dem Lande* (1743) und Gellerts *Betschwester* (1745) u.a.

29 Schlenther, S. 2 ff.; Amédée Vulloid, "Madame Gottsched et son modèle français, Bougeant, ou Jansénisme et Piétisme," *Annales de l'université de Lyon*, II. Droit, lettres, fasc. 23, 1912. Vulloid vergleicht die französische Version mit der deutschen Zeile für Zeile.

30 "Frau Gottsched's *Die Pietisterey im Fischbein-Rocke*: Original, Adaptation or Translation?", *Forum for Modern Language Studies*, 11 (1975), S. 266.

31 Eine gewisse Entrüstung über diesen Gehorsam findet sich in ihren Briefen, wenn sie z.B. an Dorothea Runckel schreibt: "Der freygebohrne Mensch muß gleich in den ersten Tagen seines Lebens, seinen Willen andern unterwerfen, und erfährt den meisten übrigen Theil seiner irrdischen Wallfahrt fast ein gleiches Schicksal" (Leipzig, 16. März 1754, *Briefe*, II, S. 212).

32 Danzig, 15. Feb. 1733, *Briefe*, I, S. 53.

33 *Die Pietisterey im Fischbein-Rocke; Oder, die Doctormäßige Frau*, hrsg. von Wolfgang Martens (Stuttgart: Reclam, 1968), S. 51, I, 3. Zitiert nach dieser Ausgabe, mit Aufzug, Szene, Seite.

34 Schlenther, S. 44.

35 Richel, S. 58, bemerkt dazu, Bougeant "mocked Quesnel's 'heretical' proposition that an exact knowledge of religion and Holy Scripture was not to be withheld from women," ohne diese Beobachtung weiter zu verfolgen.

36 Leipzig, 9. Aug. 1750, *Briefe*, II, S. 28.

37 Leipzig, 14. Nov. 1736, *Briefe*, I, S. 234.

38 "Frau Gottsched," *Deutsche Rundschau*, 148 (1911), S. 439.

39 *Das Testament, ein deutsches Lustspiel in fünf Aufzügen.* In *Die Deutsche Schaubühne nach den Regeln und Mustern der Alten*, Bd. 6 (1745; Nachdruck, Stuttgart: Metzler, 1974). Zitiert nach dieser Ausgabe.

40 Schlenther, S. 61

41 Robert Heitner, *German Tragedy in the Age of Enlightenment: A Study in the Development of Original Tragedies, 1724-1768* (Berkeley: Univ. of California Press, 1968), S. 65.

42 Luise hatte *Panthea*, ihr "Lieblingsstück," umgearbeitet und darüber Dorothea Runckel in einem Brief berichtet (Leipzig, 24. Mai 1754, *Briefe*, II, S. 219).

43 "Vorbericht," *Briefe*, I.

44 Regensburg, 6. Sept. 1749, *Briefe*, II, S. 6.

45 Leipzig, 23. Jan. 1753, *Briefe*, II, S. 61.

46 Nach Schlenther, S. 29, wußte Luise von Johanns Affairen um 1753 und vertraute es Dorothea in Briefen an. Doch sind diese Briefe nicht im veröffentlichten Briefwechsel enthalten.

47 *Gottsched* (Berlin: Schöneberg, 1707), S. 851.

48 Leipzig, 2. Juli 1756, *Briefe*, III, S. 25.

8.

WALTER D. WETZELS

SCHAUSPIELERINNEN IM 18. JAHRHUNDERT-- ZWEI PERSPEKTIVEN: WILHELM MEISTER UND DIE MEMOIREN DER SCHULZE-KUMMERFELD

Goethes Theaterroman, *Wilhelm Meisters Theatrali-sche Sendung*, 1777 begonnen, in den Hauptteilen aber erst in den Jahren zwischen 1782-1785 verfaßt, be-zieht sich auf die Theaterwirklichkeit Deutschlands in der zweiten Hälfte des achtzehnten Jahrhunderts. Der Roman ist unter der Außenperspektive eines leb-haft interessierten Amateurs geschrieben, der, aus dem Bürgertum kommend, einen allmählichen Annähe-rungsprozeß an das Theater durchmacht und buchstäb-lich in den letzten Zeilen des Romans schließlich sein "Ja denn"[1] zum Schauspielerberuf sagt. Karoline Schulze fing an, ihre Lebenserinnerungen an ihre Schauspielerinnenlaufbahn im Jahre 1782 aufzuschrei-ben als sie 37 Jahre alt war, zwei Jahre vor ihrem endgültigen Abschied vom Theater.[2] Auch ihr Bericht, dessen zweiter Manuskriptband 1793 in Weimar ent-steht, bezieht sich auf die Theaterwirklichkeit die-ser Periode, allerdings aus der Innenperspektive ei-ner professionellen Schauspielerin, die schon als Kind auf der Bühne stand, und zwar nicht aus innerer Berufung, sondern einfach deshalb, weil ihre Eltern Schauspieler waren. Wilhelm Meister löst sich all-mählich über verschiedene Stufen, ihm selbst zunächst nur halb bewußt, von seiner bürgerlichen Existenz ab, um schließlich die lange gefühlte innere Affinität zum Theater als Sendung zu erkennen: "Alles ge-schieht gleichsam bloß zufällig und ohne mein Zutun, und doch alles, wie ich mir es ehemals ausgedacht, und wie ich's mir vorgesetzt" (*WM*, 877). Dagegen schreibt Karoline Schulze: "Ich bin beim Theater ge-boren, erzogen worden. Das war ein Zufall" (*KS*, II, 160). Oder sie erklärt dem Hamburger Bankangestellten Kummerfeld, der ihr einen Heiratsantrag gemacht hatte, sie habe zu dem Umstand, daß sie beim Theater sei, so wenig beigetragen wie ein Fürst zu seiner Geburt (Vgl. *KS*, I, 272).

Das Resultat hier ist eine kaum reflektierte, innerlich distanzierte, unsentimentale, handwerklich-praktische Haltung und Berichterstattung gegenüber der Existenzform, die ihr tagtägliches Leben ausmacht. Dagegen steht die von der starken inneren Beteiligung und der ständigen theoretischen Problematisierung von Kunst und Künstlerexistenz geprägte Darstellung bei Wilhelm Meister, der andererseits nur interessierter Zuschauer und Diskutant, zufällig Mitreisender, schließlich Finanzier und Dramendichter einer Schauspieltruppe ist, aber während des Romans nie wirklich dazugehört. Karoline berichtet von innen und mit einem erstaunlich detaillierten Erinnerungsvermögen von dem Theateralltag, wie sie ihn selbst erlebt hat. Goethes Darstellung in seinem Theaterroman, obwohl angereichert mit manchem realistischen Detail aus seiner eigenen Beschäftigung mit dem Theater, ist eine von außen zu einem bestimmten künstlerischen Zweck geformte Fiktion. Allerdings ist es eine Fiktion mit einem das Theaterleben betreffenden 'Materialwert,' der dem in *Wilhelm Meisters Lehrjahren* überlegen ist. Und daher wird denn auch ein Vergleich der beiden Beschreibungen, der Memoiren, die mit dem Anspruch der Authentizität auftreten, und des Romans, der letzten Endes durch den Anspruch der gestalteten Thematik überzeugen will, eigentlich erst möglich.

Um den chronologischen Rahmen der zu Anfang angedeuteten schriftstellerischen Zeitgenossenschaft zu skizzieren, sollen die folgenden Daten aus Karoline Schulzes Leben dienen: Sie wird 1745 geboren; ihre Eltern sind Wanderschauspieler, die sich von Böhmen wegen der Schlesischen Kriege nach Wien geflüchtet hatten und dort einige Jahre am Kaiserlichen Theater untergekommen waren. Von dort geht es nach einem erfolglosen Versuch der Eltern, eine eigene Theatergruppe zu gründen, durch süddeutsche Städte mit verschiedenen Schauspieltruppen, dann wieder zurück nach Prag nach vielen finanziellen und künstlerischen Enttäuschungen mit unfähigen oder betrügerischen Prinzipalen und verständnislosen, moralisierenden Stadtverwaltungen. Zu Anfang des Siebenjährigen Krieges ist

196

die Familie in Sachsen; die Kriegszeiten sind dem
Theaterspielen nicht günstig; die Familie kommt in
Not; der Vater stirbt und hinterläßt eine fast mit-
tellose Familie die alle ihre Garderobe wieder einmal
versetzen mußte: die Mutter, die sich von da an nie
mehr wirklich erholt, den Bruder Karl, der Tänzer ist
und sie selbst, die inzwischen zwölf Jahre zählt,
aber schon viele Jahre, nämlich seit ihrem dritten
Lebensjahr auf der Bühne gestanden hat, um die Familie zu unterstützen. Man findet schließlich Anstel-
lung bei der Ackermannschen Wandertruppe, die dem
Siebenjährigen Krieg nach Südwestdeutschland und in
die Schweiz ausgewichen war. Von 1758 bis 1767 begründet Karoline Schulze dort ihre Karriere als
Schauspielerin. Sie spielt mit großem Erfolg auch
unter Ackermann und mit Eckhof ab 1764 in Hamburg.
Sie verläßt Hamburg, als dort anstelle von Ackermanns
Theater, das in finanzielle Schwierigkeiten geraten
war, der Versuch das Hamburger Nationaltheater unter
neuer Leitung zu gründen, stattfand. Die Kochsche
Truppe in Leipzig engagiert sie, und sie erlebt hier
ein triumphales Jahr als der Star des Ensembles. Zu
ihren Bewunderern zählt auch der Student Goethe, der
später Johanna Schopenhauer berichtet, daß er "als
Student zum Sterben in sie verliebt gewesen und sich
im Leipziger Parterre die Hände fast wund geklatscht
habe."[3]
    Karoline Schulze nimmt dann im Jahre 1768 den Hei-
ratsantrag eines alten Freundes aus ihren Hamburger
Tagen an und heiratet den Bankoschreiber Wilhelm Kummerfeld. Sie verläßt die Bühne für neun Jahre und
lebt als gutsituierte Bürgersfrau in Hamburg. Wilhelm Kummerfeld, der nach Charakter und Beruf die
Verkörperung eines soliden Bürgers schien, läßt sich
nach einigen Jahren jedoch in zweifelhafte Bürg-
schaftsangelegenheiten ein, ruiniert sich schließlich
völlig und bekommt Wahnsinnsanfälle. Die Autorin der
Memoiren beschreibt das Ende in ihrer manchmal lako-
nisch-komischen Unbeholfenheit: "Denn mein Mann verlor den Rest seines Verstandes und stieg mir des Mor-
gens zum Fenster hinaus. Weg war er, und ich wußte
nicht, wo er hingekommen" (KS, II, 46). Karoline
Kummerfeld muß wieder zum Theater, um ihren Lebensunterhalt zu verdienen und die Schulden, die ihr Mann
hinterlassen hat, zu bezahlen. Nach neunjährigerm
"Privatstand" beginnt so wieder das, was sie "ein

Hottentotten- und Zigeunerleben" nennt (*KS*, II, 120).
Über kurze Engagements in Gotha, Mannheim, Innsbruck,
Linz, Frankfurt und Bonn, gewöhnlich voller Enttäuschungen bei immer selteneren Erfolgen, spielt sie
schließlich am 22. Juni 1785 in Weimar ihre letzte
Rolle. Mit vierzig Jahren und mit großer Erleichte-
rung verläßt sie das Theater und gründet in Weimar
eine Nähschule. Damit und später durch Kummerfeld-
sches Waschwasser gegen Flechten und Sommersprossen,
das der Apotheker Hoffmann für sie verkauft, verdient
sie sich einen bescheidenen Lebensunterhalt (Vgl. *KS*,
II, xxxi). Sie stirbt 1815. Ob Goethe noch einmal
Beziehungen zu der alternden Schauspielerin ange-
knüpft hat, ist nicht sicher bekannt. Es ist nicht
einmal sicher, ob er sich der Identität von Karoline
Schulze und Karoline Kummerfeld bewußt war. Trotzdem
gibt es natürlich Spekulationen von der Art: "In allem, was mit dem Theater zu tun hatte, war die Kummerfeld in Weimar sicher mitten dazwischen" (*KS*, II,
xii). Sogar der später sogenannte 'Weimarische Stil,'
wie ihn Goethe von 1791 an als Direktor des Hoftheaters zu entwickeln versuchte, so wird vermutet, "sei
mit auf unsere Künstlerin zurückzuführen" (*KS*, II,
xxi).
   Wenn Wilhelm schon als Junge vom Theater träumt,
dann sieht er diese Theaterwelt von vorn herein in
einem nach seinen Vorstellungen entschieden vorteil-
haften Kontrast zur Bürgerwelt: "In eine Stadt ge-
sperrt, ins bürgerliche Leben gefangen, im Häuslichen
gedrückt, ohne Aussicht auf Natur, ohne Freiheit des
Herzens" (*WM*, 549); in diesen Negativbildern vom Ge-
fangensein, der Verneinung der großen Möglichkeiten
seines Gefühls und seiner Phantasie erscheint ihm das
Leben, in dem er aufzuwachsen gezwungen ist. Dagegen
projeziert er auf die Bühne alle seine Ahnungen von
großen Menschheitsgefühlen und zu vollbringenden Hel-
dentaten: "Wo sollte er damit hin? Mußte nicht die
Bühne ein Heilort für ihn werden, da er wie in einer
Nuß die Welt, wie in einem Spiegel seine Empfindungen
und künftige Taten...bei aller Witterung unter Dache
bequem anstaunen konnte" (*WM*, 550)? Goethes ironischer Unterton ist nicht zu überhören, und er soll
natürlich auf die illusionäre Komponente in Wilhelms
Vorstellungen vom Theater hinweisen. Was Wilhelm
Meister hier über das Theater träumt, charakterisiert
seinen eigenen psychologischen Zustand weit treffen-

der als die Realität des Schauspielerdaseins an einer
Wanderbühne wie der, zu der auch seine Geliebte Mariane gehört.

Was den Ruf angeht, in dem Schauspieler normalerweise beim Bürger, vor allen Dingen aber beim Klerus
standen, so sind die entsprechenden Zeugnisse, die
von "herrenlosen Dienstboten, Friseuren, Schneidern,
liederlichen Dirnen und verlaufene[n] Studenten,"[4]
von Zahnziehern, Seiltänzern, Taschenspielern und
Luftspringern, der Sittenlosigkeit der ganzen Zunft
und überhaupt von der "Teufelskunst der Schauspieler"[5] eifern, bekannt. Zwar predigte in der 2. Hälfte des 18. Jahrhunderts wohl kaum ein Theologe mehr
über den Bibelvers "Jesus ließ die Besessenen nicht
bei sich wohnen" (*Markus* 5, 18-20), wobei das speziell auf die Schauspieler bezogen war, aber andererseits urteilt auch von Knigge nicht ohne Sarkasmus
noch, daß die Schauspieler, aus den niedrigsten Ständen kommend, und besonders die Schauspielerinnen als
"freche Buhlerinnen," deshalb keinen Grund hätten,
moralisch zu leben, weil sie sich nicht um ihren Ruf
bei ihren Mitbürgern zu kümmern brauchten.[6] Abgesehen von dem moralischen Vorurteil--die Bürgermoral
erscheint allerdings in einem ihrer Hauptmotive auch
nicht gerade in dem vorteilhaftesten Licht--tritt in
diesen Äußerungen das Bedürfnis nach einer klaren Abgrenzung deutlich hervor. Moralisch und sozial erscheinen die Schauspieler als eine von der übrigen
Gesellschaft getrennte Kaste, die an dem akzeptierten
Sittenkodex nicht nur nicht teil hat, sondern diesen
ständig gefährdet oder jedenfalls so empfunden werden.

Erst allmählich wird dieser Antagonismus während
des 18. Jahrhunderts teilweise aufgelöst, sogar in
manchen Kreisen durch den überhitzten Theaterenthu-
siasmus wie ihn Wilhelm Meister repräsentiert, abgelöst. Zu dieser Veränderung trug einerseits von außen kommend die durch Kunsttheoretiker wie Gottsched
verordnete Verwandlung vom Theater als Anstalt öf-
fentlicher, und nicht gerade wählerischer Belustigung
zu einer Institution der moralisch-geistigen Bildung
der Öffentlichkeit bei. Diese neue, allgemeine Zielsetzung führte andererseits auch zu einer Anhebung
des professionellen wie auch moralischen Niveaus der
Schauspieler. Aus den Komödianten, die viel aus dem
Stegreif oder nur locker vom Souffleur geführt ihr

Publikum durch Akrobatik, derbe Späße und dramatische
Bühnenmorde zum Erstaunen, Lachen oder Gruseln brachten, werden Schauspieler, die ihre Spieltexte studieren, Lese- und Bühnenproben halten, ihre Rolle aus-
wendig lernen und schließlich durch ihr Spiel die Zuschauer unterhalten oder erschüttern, immer aber bilden möchten.

Die Hebung des moralischen Niveaus läßt man sich
in den besseren Wandertruppen ebenfalls angelegen
sein. Die persönlichen Moralprinzipien der Theater-
direktoren oder Prinzipalinnen scheinen dabei ebenso
sehr eine Rolle gespielt zu haben wie der Versuch,
dem alten Vorurteil der Klasse zu begegnen, von der
man schließlich abhängig war. Allerdings sind von
den praktischen Maßnahmen in dieser Hinsicht fast
ausschließlich die Schauspielerinnen betroffen, die
offenbar als besonders anfällig galten. Während von
dem Schauspieler nur eine gewisse Diskretion in ihrem
Lebenswandel erwartet wird, setzt Frau Ackermann bei
ihrer Truppe die Tradition der Neuberin fort, nach
der eine unverheiratete Schauspielerin, soweit sie
nicht bei ihren Eltern lebte, im Hause Ackermann zu
wohnen hatte. Nach Möglichkeit wurden Schauspie-
lerehepaare engagiert, was sowohl die innere Stabili-
tät der Truppe erhöhte, wie auch den äußeren Ruf weniger verwundbar erscheinen ließ. Es ist nicht sehr
wahrscheinlich, daß das moralische Vorurteil der Bürger besonders gegenüber den weiblichen Schauspielern
völlig aus der Luft gegriffen war. In Goethes Theaterroman sind die weiblichen Hauptfiguren Mariane,
Philine und Aurelia in Affären verwickelt, die sie
ruinieren oder doch tief verwunden. Dabei erscheint
ihre Anfälligkeit keineswegs als das Resultat indivi-
dueller moralischer Schwäche, sondern wird als ein
quasi unvermeidliches Berufsrisiko dargestellt. Sehr
deutlich macht das auch die Szene mit Mignon, in der
ein Fremder das Mädchen mit der Peitsche bestrafen
will, weil sie seinen Versuch, sie zu küssen, mit einer Ohrfeige beantwortet hatte. In der ganz selbst-
verständlichen Überzeugung, daß Schauspielerinnen
landläufig als Freiwild gelten und dies auch zu akzeptieren haben, reagiert er entrüstet: "Ich werde
wahrhaftig,..., mit einer solchen Kreatur keine großen Umstände machen sollen" (WM, 671). Es ist auch
hier wichtig zu bemerken, daß sich in den Formulie-
rungen dieses Satzes die individuelle Haltung auf das

als soziale Realität von der Gesellschaft Akzeptierte
beruft. Nur die Schauspielerin Philine erscheint
nicht als das Opfer ihrer sozialen Bedingungen in ihren Beziehungen zu Männern, sondern als jemand, der
sich selbständig seine eigenen Bedingungen schafft
und sie nutzt. Darauf wird später noch einzugehen
sein.

Nun könnte man die Tatsache, daß Schauspielerinnen
in Goethes Theaterroman in eben den moralisch an-
fechtbaren Umständen geschildert werden, in denen sie
das bürgerliche Vorurteil immer gesehen hat, als Bestandteil einer Romanhandlung ansehen, die sich ohne
weitere Verbindlichkeit einer überkommenen Vorstellung zu ihren eigenen Zwecken bedient. Aber auch Karoline Schulze bemerkt nachdrücklich, daß "kein Frauenzimmer in der Welt mehr Verdienst hat, wenn es ganz
tugendhaft bleibt, wie ein Frauenzimmer bei dem Theater" (KS, I, 60). Sie gibt an dieser Stelle als
Grund die vielen Liebhaberinnenrollen an, die viel zu
früh von sehr jungen Mädchen gespielt werden müßten.
Neben dieser psychologischen Begründung muß aber auch
der soziale Kausalzusammenhang gesehen werden. Wenn
Wilhelm, wie früher erwähnt, die bürgerliche Gesellschaft und ihre moralischen und sozialen Normen als
Gefängnis ansieht, in dem alle idealistischen Bemühungen auf eine sehr eng gezogene Grenze stoßen, so
darf andererseits nicht übersehen werden, daß diese
von der Allgemeinheit verhängten Normen gleichzeitig
für den Einzelnen einen Schutzmechanismus darstellen.
Und gerade solchen Abschützungen fehlen weitgehend
nicht nur in der illusionistischen künstlerischen
Existenzform Wilhelm Meisters, sondern auch in der
realen Situation des ambulanten Schauspielergewerbes.
In dem Zusammenhang ist auch an die zitierte Bemerkung des Freiherrn von Knigge zu erinnern. Man muß
sich hierbei auch deutlich machen, in welchem Umfang
die Schauspielerexistenz von der bürgerlichen Lebensform abwich.

Der Kontrast ist dabei besonders klar, wenn man
dabei die Lebensform der Frau in beiden Fällen vergleicht. Die Schauspielerin hatte einen Beruf; auch
als Leiterinnen von Theatergruppen waren Frauen keine
Seltenheit; durch diesen Beruf war sie in der Lage,
sich finanziell ebenso selbständig zu unterhalten wie
ihr männlicher Partner; die Gage war für beide Geschlechter bei gleicher Arbeit gleich. Die Bürgerin

versorgte das Haus und war abhängig von ihrem Mann,
der die Familie unterhielt. Die Schauspielerin zog
mit ihrer Truppe von Stadt zu Stadt; die Bürgerin war
seßhaft. Der soziale Kontext, in dem die Schauspielerin existierte, war zufällig, labil und rein auf
die berufsmäßige Verbundenheit mit Kollegen beschränkt. Der immer nur zeitweilig bestehende Soli-
daritätszusammenhang war ständig durch Rivalität,
Rollenneid und finanzielle Unsicherheit gefährdet.
Die Bürgerin bewegte sich in den natürlichen Sozial-
zusammenhängen von Verwandtschafts- und Stadtgemein-
schaft, die relativ stabil waren und den Einzelnen
absicherten. Die Schauspielerin ist eine öffentliche, die Bürgerin eine private Person.

Schon aus dieser skizzenmäßigen Gegenübersstellung
wird ersichtlich, daß die Schauspielerin ein viel un-
gesicherteres, sozial isolierteres, allerdings auch
viel selbständigeres, offeneres und an persönlichen
Herausforderungen reicheres Leben führte als die Bürgerin. Man ist daher versucht, in der Schauspielerinnenexistenz bei allen damit gegebenen moralisch
und sozial verunsichernden Elementen eine Lebensform
zu sehen, in der die Frau dieser Zeit sich als sozial
weit emanzipierter darstellt als in gewöhnlichen bürgerlichen Verhältnissen. Objektiv, d.h. rein sozialgeschichtlich, läßt sich zugunsten einer solchen Ansicht wohl argumentieren, subjektiv wird ein solches
Emanzipationsbewußtsein von der Schauspielerin in
dieser Zeit so gut wie nie erlebt. Das Bewußtsein
von Freiheit und Freizügigkeit wird, wenn überhaupt,
nur von Männern artikuliert. Wenn dagegen eine Frau
wie Karoline Schulze über ihre Lage als Schauspielerin im Vergleich zu einer bürgerlichen Existenz reflektiert, so steht eigentlich schon von vornherein
fest, wo nach ihrer Meinung alle Vorteile liegen:
"ein ruhiges Leben, fern vom Theater" (KS, II, 121).
Zwar spricht sie hier in einer Situation, wo sie nach
dem Tode ihres Mannes sich wieder gezwungen sieht,
zum Theater zurückzukehren, um ihren Lebensunterhalt
zu verdienen, aber sie bezeichnet die bürgerliche
Existenz an der gleichen Stelle als ihr "Lieblings-
projekt," von dem der Leser weiß, das es keineswegs
erst jetzt aufgetaucht ist.

Wie sehr die Schauspielerinnenexistenz als zufällig, transitorisch eigentlich nur als eine Episode
angesehen wird, die man durchhält so lange sich keine

202

andere Gelegenheit bietet, weil man nun einmal hineingeraten, d.h. bei Karoline Schulze hineingeboren ist, wird besonders dann deutlich, wenn sich die Möglichkeit bietet, in den Bürgerstand überzuwechseln. Diese Chance bot sich, wie bereits erwähnt, für Karoline Schulze 1768, als sie auf der Höhe ihres Ruhmes als Schauspielerin einen Heiratsantrag des 22 Jahre älteren Freundes aus Hamburg, Wilhelm Kummerfeld, erhielt. Ihr Antwortbrief deutet an keiner Stelle auch nur das geringste Bedauern, ihren Beruf womöglich zu verlassen, an. Wohl aber führt sie Kummerfeld umständlich mehrere Bedingungen vor, von deren Erfüllung sie ihre endgültige Zustimmung abhängig zu machen gezwungen sei. Sie macht ihm klar, daß sie erstens ihre katholische Religion beizubehalten wünsche, also nicht vorhabe, seiner protestantischen Konfession beizutreten. Sie erinnert ihn zweitens an die bekannten Vorurteile vieler Bürger gegenüber Schauspielerinnen, besonders wenn sie, wie das bei ihr der Fall sei, kein Vermögen in die Ehe einbringen könne. Sie fragt ihn drittens, ob er sie nicht nur jetzt, sondern auch nach seinem Tode standesgemäß unterhalten könne. Und als vierte Bedingung fordert sie die Garantie, daß die Verwandten von Kummerfled sie als seine Frau voll akzeptieren sollen; sie wolle keinen Unfrieden in der Familie stiften. Sie beendet diese sorgfältige Aufstellung ihrer Bedenken mit dem Satz: "Können Sie mir bürgen für diese vier Punkte, so bin ich die Ihrige" (KS, I, 274). Nachdem in der weiteren Korrespondenz Kummerfeld ihr die geforderten Garantien gegeben hat, nachdem auch noch weitere Details wie die Religionszugehörigkeit der Kinder, die aus der Ehe hervorgehen könnten, geregelt worden sind, packt Karoline ihre auch für gehobene Bürgeransprüche stattliche Schauspielerinnengarderobe zusammen und fährt, nicht ohne Stolz auf diese Mitgift, nach Hamburg. In der Schilderung ihres Abschieds vom Leipziger Publikum, besonders von den Studenten, wird wohl ausführlich auf Ovationen und Umzüge zu ihren Ehren eingegangen, aber nirgendwo wird angedeutet, daß hier eine Laufbahn und Existenzform aufgegeben wird, zu der man sich berufen fühlte oder an der man doch innerlich beteiligt war.

Es ist natürlich auch aufschlußreich zu sehen, welche Art von Überlegungen Karoline Schulze in ihren vier Punkten zu einer bürgerlichen Heirat anstellt:

es wird nicht vom persönlichen Gefühl, von der wohl
vorauszusetzenden Sympathie gesprochen, sondern von
den praktischen Problemen der geplanten Verbindung,
insbesondere denen, die mit der sozialen Absicherung
für die Zukunft zu tun haben. Karoline Schulze gibt
zwar ohne viel Bedenken ihr Künstlertum auf, über-
denkt aber sehr sorgfältig die sozialen und speziell
die ökonomischen Fragen, die mit dem Aufgeben ihres
Berufs, ihrer finanziellen Selbständigkeit, zusammenhängen. Dabei spielt die Versorgung im Alter eine
besondere Rolle. Karoline lebte, wie praktisch alle
ihre Berufsgenossen, in dem ständigen und deutlichen
Bewußtsein, daß ihre Karriere einmal zu Ende sein
würde und daß dies für viele ein Alter in Armut bedeutete. Die Dringlichkeit dieses Problems ist ihr
auch persönlich schon früh klar geworden. So sagt
sie über ihre Mutter: "Was wäre sie nun im Alter,
wenn sie keine Kinder hätte" (KS, I, 270)? Als sie
nach dem Tode ihres Mannes wieder zur Bühne zurück
muß, wählt sie schießlich trotz der niedrigen Gage
ein Angebot des Hoftheaters in Gotha, weil sie gehört
hat, daß dort verdiente Schauspieler am Ende ihrer
Karriere eine Pension beziehen. Was ihr 1778 mit 33
Jahren wichtiger ist als eine hohe Gage, ist "die
Hoffnung zur Pension" und "zeitlebens an einem Ort"
zu sein (KS, II, 74). Es stellte sich allerdings
dann heraus, daß zwar die Schauspieler Boeck und Mayer glaubten, in Gotha Pensionsrechte erworben zu haben, dieses Hoftheater dann aber doch ohne viel Fe-
derlesen schon 1779 vom Herzog aufgelöst wurde.[7]
Auch als sich einige Jahre später die Vierzigjährige
endgültig in Weimar von der Bühne zurückzieht und
sich eine Existenz als Nählehrerin aufbaut, geschieht
das in der Hoffnung, endlich seßhaft zu werden und
sich die Zukunft durch einen bürgerlichen Beruf sichern zu können. Dies alles zeigt, daß für Karoline
Schulze die bürgerliche Lebensform durch die künstlerische Existenzform nicht nur nicht emanzipatorisch
überwunden oder zu überwinden ist, sondern daß die
bürgerlichen Lebensvorstellungen und das bürgerliche
Wertsystem das einzig Erstrebenswerte ist.
        Im Gegensatz dazu sieht der Bürgerssohn Wilhelm
Meister in seinen Standesgenossen nur den "gedrückten
Bürger, der in ängstlich schmutzigem Gewerb seine
Nahrung zusammen schleppt" und bei dem sich infolge-
dessen viel weniger Tugend vermuten lasse, als bei

dem Schauspieler, "dessen Kunst, die ihm Brot gibt,
zugleich die edelsten größten Gefühle der Menschheit
durchdringt" (WM, 554). Nun ist dies allerdings auch
in Goethes Theaterroman ausschließlich die idealisti-
sche Außenseiterperspektive von Wilhelm. Die Figuren, die wirklich professionell mit dem Theater verbunden sind, haben weder eine so hohe Vorstellung von
ihrem Beruf, noch eine so abwertende Meinung von ihrem bürgerlichen Publikum. Hierbei bildet eigentlich
lediglich Aurelie, und auch sie nur am Anfang ihrer
Karriere, eine Ausnahme. Sie hat als einzige von den
Frauengestalten in Goethes Roman und auch verglichen
mit den vielen Schauspielerinnen, die Karoline Schulze erwähnt, eine an Wilhelm Meister erinnernde Ideal-
vorstellung von ihrer Aufgabe und ihrem Publikum.
Sie will ihr Publikum zu einer "Nation" mit gemeinsa-
mem Kulturbewußtsein heraufbilden; sie strebt danach,
die "Gemüter zu erheben" (WM, 860), macht dann aber
die enttäuschende Erfahrung, daß jedenfalls die Männer im Publikum "an das junge lebhafte Mädchen mehr
Ansprüche [machten]" (WM, 860), als an die Schauspielerin, die eine Nation heranbilden wollte. Aurelie
endet dann auch bei der zu ihrer ursprünglichen genau
entgegengesetzten und ebenso übertriebenen Ansicht,
daß nämlich diese Nation "sich recht vorsätzlich
durch Abgesandte bei mir hätte prostituieren wollen"
(WM, 862). Dagegen wird Wilhelm nie durch die Realitäten des Schauspieleralltags, schon gar nicht denen
der weiblichen Schauspieler, dazu veranlaßt, seine
Idealvorstellungen zu revidieren, und zwar deshalb
nicht, weil er an diesem Alltag nur als Besucher
teilnimmt.

Normalerweise haben aber die Schauspielerinnen bei
Goethe und bei Karoline von vorne herein ein realis-
tisches, wenn auch manchmal fatalistisches Verhältnis
zu ihrem Publikum. Man ist sich klar über die finanzielle Abhängigkeit, und man räumt dem Publikum auch
ohne weiteres das Recht ein, durch Schweigen oder Ap-
plaus und an der Kasse Gefallen oder Mißfallen auszudrücken. Schauspieler und Publikum begegnen sich in
verschiedener Funktion, aber auf derselben Ebene.
Und auch außerhalb des Theaters weiß man, ohne die
klaren Grenzen zu verwischen, was man aneinander hat
oder doch zeitweilig haben kann. Dafür, daß die Bürgerfamilie eine Schauspielerin aus ihrer gesellschaftlichen Isolation dann und wann an einem spiel-

freien Tag herauslöst und in den eigene Kreis ein-
lädt, verschafft sie sich für die heranwachsenden
Töchter freien Tanzunterricht oder einige Lektionen
darüber, wie man sich elegant und graziös beträgt.
Der Kontakt dauert ein paar Tage, vielleicht Wochen,
höchstens wenige Monate, und dann tut der Direktor
der Truppe gut daran, sich vom Magistrat ein Zeugnis
über finanzielle Bonität und moralisches Wohlverhal-
ten ausstellen zu lassen, um damit die Bürger der
nächsten Stadt dazu zu überreden, daß man es nicht
mit dem Satan hält, daß "Brand, teure Zeit und Land-
plagen" (WM, 717) bei einem Besuch der Truppe nicht
zu befürchten seien.

Neben dem normalen bürgerlichen Publikum, mit dem
man sich bei aller Distanz doch auch auf eine direkte
und wohldefinierte Weise verbunden fühlt, gibt es
zwei Gesellschaftsgruppen, deren Verhältnis zum Theater besonders erwähnt werden müssen: die Studenten
und der Adel. Als Karoline 1764 mit der Ackermannschen Truppe in die Universitätsstadt Göttingen
kommt, ist sie sich bewußt, "was das sagen will, zu
spielen auf einer Universität, wie die, die in Göttingen war, wo in so langer Zeit nicht gespielt worden, H. Ackermann auch bloß wegen der guten Auffüh-
rung seiner Gesellschaft in Hannover die Erlaubnis
erhalten" (KS, I, 183). Man mußte hier seine Rolle
als gesittetes Mädchen "so gut *auf* dem Theater als
von demselben [spielen], und lieber einem Tadel als
Schauspielerin sich unterwerfen, als dem einer guten
Bürgerin" (KS, I, 183). Wie stark die Vorurteile,
besonders in Universitätsstädten, gegen das ganze
Schauspielgewerbe waren, geht aus einem Schreiben von
Friedrich Wilhelm I. an den Magistrat der Stadt Halle
hervor, in dem befohlen wurde, "Komödianten, Seiltän-
zer und Gaukler unter keinerlei Praetext alldort
weiter ihre Üppigkeit treiben zu lassen."[8] Studenten
würden durch das Theater zum Müßiggang verführt. Das
war nun ein Menschenalter her, und unter Friedrich
II. wurde der Erlaß stillschweigend kassiert, trotzdem machten Vertreter der theologischen Fakultät immer wieder Eingaben an den preußischen König, "die
Teufelskunst der Schauspieler von ihrer Stadt fernzu-
halten."[9] Es wird dann verständlich, warum Karoline
schreibt: "Ich nahm mir vor,...sehr auf meiner Hut
zu sein, jeder Gelegenheit einer Bekanntschaft auszu-
weichen, und wenn es auch mit dem Gesittetsten der

Universität gewesen wäre. Nie ging ich allein über
die Gasse; mein Bruder mußte mir seinen Arm geben"
(KS, I, 183). Sie berichtet in diesem Zusammenhang
später von der grotesken Situation, daß sie sich immer unter einen teppichbehangenen Tisch versteckt
habe, wenn wieder einmal eine Studentendelegation unter irgendeinem Vorwand sie zu Hause hätte sprechen
wollen.

Der Adel als Publikum und als Mäzen des Theaters
ist sowohl bei Goethe als auch bei·Karoline Schulze
von einer ganz besonderen Bedeutung. Natürlich macht
auch Karoline, und zwar von ihrem 11. Lebensjahr an,
ihre Erfahrungen mit einer Reihe von Heirats- und
weniger ernsthaft gemeinten Anträgen von Vertretern
des Adels, d.h. adligen Offizieren. Die ernsthaft
vorgetragenen verlaufen dabei nach einem offenbar
weitverbreiteten Muster: man wirbt um eine Art halb-
offizielle Verbindung, weil man zur Zeit noch eine
offizielle Ehe entweder der Mutter oder der Tante
nicht zumuten könne, von der "der größte Teil meines
zeitlichen Glückes ab[hängt]" (KS, I, 156). Aber
solcher Angebote kann sich Karoline, wenn auch nicht
immer ohne innere Kämpfe, erwehren. In einer ganz
anderen Weise fühlt sie sich allerdings von der Klasse derer, die eigentlich allein über reichlich freie
Zeit und freiverwendbare Mittel für so etwas wie
Theaterunterhaltung verfügen, abhängig. Letzten Endes, so findet sie, sind es mämlich nicht die Bürger,
jedenfalls nicht in den Residenzstädten, auch nur bedingt die Studenten, sondern die wirklich Privile-
gierten in der Gesellschaft, die ihrem Stand zu existieren erlauben. Über einen offenbar wenig erfolgreichen Aufenthalt in Kassel schreibt sie mit der la-
konischen Treffsicherheit, die ihr manchmal gelingt:
"Der Sommer kam; der Herr reiste fort, so auch der
Adel. Vom Militär waren auch viele beurlaubt. Und
Bürger und Stadtleute brachten nicht das Salz aufs
Brot ein. Da lagen wir still. Das war die Lage des
Ganzen" (KS, I, 151).

Während der Bürger als Publikum in der *Theatralischen Sendung* eine nur untergeordnete Rolle spielt,
ist die Rolle des Adels hier zentral. Die Vertreter
des Adels erscheinen nicht nur als willkommene Mä-
zene, sie sind belesen in der dramatischen Literatur,
gründlich informiert in Theatersachen, warme Befür-
worter des vaterländischen Theaters, sie respektieren

den Schauspielerstand, sie sind sachverständige Kritiker und sogar Theaterdichter. Wenn Wilhelm es nicht selbst übernimmt, so ist es fast immer der Adel, der Muße, Mittel und Kenntnis hat, die kritische und Unterhalts-Funktion zu übernehmen, die sonst das bürgerliche Publikum und seine professionellen Kritiker erfüllt. Die ganze Theatersituation in Goethes Roman ist daher relativ viel stärker auf den Adel fixiert, als das je in den Berichten der Karoline Schulze geschieht. Für sie waren die Monate am Hoftheater der Herzöge von Gotha nur ein kurzes, durch die Hoffnung auf eine Alterssicherung motiviertes, finanziell und künstlerisch nicht weiter erwähnenswertes Engagement wie viele andere vorher und noch manche nachher. Die Theatergruppe von Herrn Melina erlebt im gräflichen Schloß, unter der kunstsinnigen Vorsorge des Grafen und des selbst dichtenden Baron von C. ihren gesellschaftlichen, finanziellen und künstlerischen Paradieszustand. Die Symbiose zwischen der Klasse, die sich Mußezeit leisten konnte und der, die diese Zeit und dieses Bedürfnis unterhaltend ausfüllen und befriedigen konnte, war vollkommen, wenn auch nicht von langer Dauer und natürlich auch nicht ohne deutliche Zeichen dafür, wie die Abhängigkeiten real verteilt waren.

So läßt Goethe nicht nur seine Leser wissen, mit welchen sehr handfesten, auf ein gutes Leben gerichteten Erwartungen die Truppe ihrem Aufenthalt auf dem gräflichen Schloß entgegensieht, sondern er beschreibt auch ausführlich die natürlich wesentlich höher zielenden Vorstellungen Wilhelms. Er glaubt, daß, wenn er "der großen Welt, ihren reichen und vornehmen Bewohnern näher rücken [wird], alle seine Anlagen "sich in diesem neuen Klima völlig auszubilden" Veranlassung finden werden. Er erwartet, daß ein solcher Aufenthalt "in den höhern Klassen" der Katalysator sein wird, der ihn aus der Enge herausführen wird in die Gesellschaft großer Menschen und großer Gegenstände (WM, 763). Sein Hymnus auf die, "die ihre Geburt sogleich über die untere Stufe der Menschheit hinaushebt," kulminiert in dem Ausruf: "Heil also den Großen dieser Erde! Heil allen, die sich ihnen nähern, die aus dieser Quelle schöpfen, die an diesen Vorteilen teilnehmen können" (WM, 764)! Der Autor Goethe richtet diesen Lobgesang auf die aristokratische Lebensform, in der allein sich der Mensch

wegen der damit verbundenen materiellen Privilegien
auf der Höhe des von Wilhelm angesprochenen Kunstver-
ständnisses frei entfalten kann, direkt an den Leser.
Und schon diese erzählerische Distanz zu seinem Helden läßt vermuten, daß der Autor sich hier seine eigenen Position vorbehält.

Tatsächlich werden dann wenig später sowohl die
materiellen Erwartungen der Schauspieltruppe gründlich enttäuscht, wie auch Wilhelms Vorstellungen ironisch korrigiert. Man hat auf dem Schloß die Truppe,
die sich einen fürstlichen Empfang versprochen hatte,
völlig vergessen und bringt die völlig Durchnäßten
und Erschöpften schließlich in den kahlen, abgelege-
nen Räumen des unbewohnten alten Schloßes unter.
Wilhelm Meister, der einige Tage später zum Vorlesen
eigener literarischer Produkte zur Gräfin eingeladen
wird, steht mit seinem Manuskript in der Tasche lange
Zeit unbeachtet im Boudoir, während die Gräfin sich
kämmen läßt, Offiziere ihre Aufwartung machen und ein
Galanteriewaren-Verkäufer sein Angebot vorführt.
Wilhelm Meister wird nach einer Stunde, ohne vorgele-
sen zu haben, allerdings beschenkt, entlassen.

Noch drastischer demonstriert Goethe das demütig-
gende Abhängigkeitsverhältnis der Schauspieler wie
auch das wenig tiefgehende, jedenfalls sehr weitge-
faßte Kunstverständnis der Adligen in Episoden wie
der, in der die Schauspielergesellschaft--wie es
manchmal geschieht--nachdem man getafelt hat, zur
allgemeinen Besichtigung kurz auftreten darf.
Gleichzeitig aber, und von den Schauspielern nicht
bemerkt oder nicht beachtet, läßt man sich auch Pferde und Hunde für die Jagd im Hofe vorführen. Aller
Kontakt zwischen den beiden, so sehr aufeinander be-
zogenen Gesellschaftsgruppen geschieht immer auf sehr
dünnem Eis und ist immer unberechenbar. Dabei ergibt
ein Vergleich der Darstellungen von Goethe und Karoline Schulze, daß Goethe das Verhältnis von Schauspielern zu ihren adligen Mäzenen und zum Teil auch
Mentoren viel komplexer, ambivalenter, ironischer und
daher im ganzen realistischer beschreibt als Karoline. Von der klaren Einsicht in die finanzielle Abhängigkeit ihres Standes vom Adel und vom (meist adligen) Militär in den Residenzstädten abgesehen, gibt
Karoline Schulze durchweg das Bild einer ihr persönlich und ihrem Stand gegenüber wohltätigen aristokra-
tischen Oberschicht und Obrigkeit. Der Lobgesang auf

die Herzogin von Sachsen-Weimar als vorbildliche
Landesmutter ist dabei ebenso menschlich verständlich
(Karoline Schulze-Kummerfeld lebt, als sie diesen
Teil ihrer Memoiren schreibt, in Weimar) wie naiv.

Auch die Schauspieler und Schauspielerinnen in
Goethes Theaterroman leben in der selbstverständli-
chen Anerkennung der gegebenen gesellschaftlichen
Verhältnisse, ohne dabei allerdings der Aristokratie
die von Wilhelm postulierten idealen Prädispositionen
zuzuschreiben. Dagegen spräche auch nicht nur der
weitgehende Mangel an philosophischer Reflektiertheit
bei den Mitgliedern der Melinaschen Truppe, sondern
auch die persönlichen Erfahrungen, die besonders
Schauspielerinnen wie Aurelie und Philine mit Vertretern des Adels gemacht haben. Der Figur von Philine
kommt dabei eine besondere Bedeutung zu. Die Adjek-
tive, durch die Goethe sie charakterisieren läßt,
sind: leichtfertig, verwegen, munter, freimütig,
liederlich, aber auch: klug, selbständig, gutherzig
und freigiebig Armen gegenüber, im Überfluß und in
schlechten Zeiten zufrieden, Männern leicht zugetan,
aber nie abhängig von ihnen nach dem Motto: "Und
wenn ich dich lieb habe, was geht's dich an" (WM,
832).

Die Figur der Philine ist daher besonders marxi-
stischen Literaturkritikern immer als das Muster einer
wahrhaft emanzipierten Frauengestalt erschienen.
Tatsächlich steht sie nicht nur auf eine freie Weise
jenseits der Einengungen bürgerlicher Moral: das Wesentliche ist vielmehr, daß sie als einzige unter den
Schauspielerinnen, die Goethe beschreibt, in ihrer
Persönlichkeit unverletzt, ja unberührt von der Män-
nerwelt bleibt.[10] Mariane und Aurelie erleben und
erleiden ihr Schicksal sozusagen aus den Händen der
Männer, mit denen sie sich eingelassen haben. Phi-
lines Schicksal dagegen ist völlig ihr eigenes, von
ihr selbst gestaltet, oder eher: arrangiert nach der
Lage der Dinge. Sie erinnert in manchen Zügen an die
Figur des Überlebensgenies Schwejk. Im Gegensatz zu
Wilhelm, der nur auf Abruf dabei ist, aber auch im
Gegensatz zu den andern Mitgliedern der Truppe, die
auf die Schauspieltruppe praktisch ohne jede Aussicht
auf eine hoffnungsvollere Alternative angewiesen sind
und sich dieser Lage unterwerfen, richtet sich Philine klug und innerlich unabhängig in den einmal gegebenen Umständen ein. Diese Umstände werden zwar

akzeptiert, aber eben nur von einem Tag auf den andern, und dies ist vielleicht eine von der gängigen Auffassung nicht nur abweichende, sondern auch tiefergreifende Interpretation eines Charakters, der--wie man gewöhnlich liest--nur für den jeweiligen Tag und die jeweilige Nacht lebt. Wie man weiß, löst Philine dann in der endgültigen Form des Romans ihre Beziehungen zum Theater ganz selbstverständlich und leicht ohne jede Diskussion des Für und Wider. Auch in ihrem Verhältnis zu den Vertretern des Adels ist Philine die einzige Figur der Schauspielertruppe, die sich völlig unbeeindruckt von dem hohen Stand inmitten der neuen Umgebung und keineswegs in der geziemenden Distanz der andern schlau und auf den eigenen Vorteil bedacht einrichtet. Sie unterhält nicht nur die Herren zu deren Pläsir und ihrem eigenen Vorteil, sondern auch die Damen der Adelsgesellschaft, "in dem sie sie plünderte" (WM, 807). So kehrt Philine auf ihre Weise den Spieß um und nutzt mit Charme und Schlauheit die Klasse aus, die sonst von der Ausnutzung aller übrigen existiert.

Trotzdem ist es verfehlt, sie schon deshalb zu einer Vertreterin klassenbewußter Emanzipation zu stilisieren. Sie hat einfach ein Naturtalent zum Überleben in einer Welt, die sie zu ihrem eigenen Fortkommen und dem ihrer Freunde manipuliert und ausnutzt, aber an keiner Stelle zu verändern versucht. Goethe hat in Philine die Figur einer Schauspielerin geschaffen, die auch in die Memoiren der Karoline gepaßt hätte, wobei Philine allerdings in Sachen Moral der verhinderten Bürgerin Karoline Schulze-Kummerfeld suspekt gewesen wäre. Es ist auch der Romancharakter, der sich nicht ausschließlich darin erschöpft, Schauspieler zu sein. Auch in ihr Leben würden die Alltagssituationen gehören, von denen Karoline Schulze oft berichtet, wo sie "Köchin und Krankenwärterin" ist, als ihr Bruder und ihre Mutter krank sind: "Ich trag's Wasser vom Brunnen zwei Treppen hoch, hackte Holz, tanzte und probierte im großen Saal, indem ich dazu in der Schürze das Suppenkraut und Gemüse putzte. Hatte alle Tage fast eine neue Rolle..." (KS, I, 152). In der Romanfigur des Philine kommt Goethe der Realität des tatsächlichen Theaterlebens wie sie unverfälscht, aber auch kaum reflektiert bei Karoline Schulze erscheint, am nächsten. In dem Romanhelden Wilhelm Meister gestaltet Goethe den idealistischen,

mit neuen künstlerischen Ansprüchen auftretenden bürgerlichen Außenseiter, dem Karoline Schulze vorgehal-
ten hätte: "Die Schauspieler haben Kinder genug.
Laßt diesen, die dabei erzogen und geboren wurden,
ihr Brot. Nehmt es ihnen nicht durch euer Zudringen,
auch Schauspieler zu werden" (*KS*, II, 162).

Wie sauer dieses Brot verdient wurde, hat die Me-
moirenschreiberin an vielen Stellen konkret und ausführlich beschrieben. Wie bereits angedeutet, ist es
die Schauspieler*familie*, die--ähnlich wie so deutlich
fast nur noch im Bauernstand dieser Zeit--die ökonomische Grundeinheit bildet. Die Arbeit wird so auf-
geteilt, daß die Familiengruppe möglichst vielfältig
verwendungsfähig ist, ein breites Angebot an Talenten
anbieten kann, um dadurch sozusagen ihr Produktions-
potential auf den höchstmöglichen Stand zu bringen.
Ähnlich wie bei der ökonomischen Einheit der Bauern-
familie, läuft eine solche Arbeitsaufteilung darauf
hinaus, daß jedes Familienmitglied bei aller notwendigen Spezialisierung auf bestimmte Rollen und Kunst-
fertigkeiten andererseits notfalls für andere ein-
springen können und sich daher vielseitig verwendbar
halten muß. Unter dieser zweifachen Belastung stehen
besonders die Kinder in der Schauspielerfamilie und
die Frauen. Karoline stand--wie bereits erwähnt--
schon mit drei Jahren auf der Bühne. Sie beschreibt
einerseits die psychologische Belastung und Gefähr-
dung einer unnatürlichen und frühreifen Einführung in
Gefühlsbereiche, die dem natürlichen Erlebnis- und
Verständnisvermögen eines Kindes oder jungen Mädchens
weit voraus sind. Andererseits beklagt sie auch die
rein physische Belastung durch die enorme Anzahl von
Auftritten und die verschiedenen Rollen, die man von
ihr als Kind und immer noch als fast Vierzigjährige
erwartete. Immer wieder berichtet Karoline, manchmal
in einer Mischung von professionellem Stolz auf ihre
Leistungsfähigkeit und Anklage gegen die ruinöse Ausnutzung ihrer Kräfte, von der Zahl der Bühnenaufführ-
rungen ihrer Truppe in einer Saison; wie oft sie mitgespielt habe und in wievielen verschiedenen Rollen.
Als ein Beispiel unter vielen ähnlichen illustriert
ihre Bilanz für das Jahr 1783 die Lage: ihre Truppe
hat 200 mal in diesem Jahr gespielt, 120 mal davon
hat sie mitgespielt, und zwar in 63 Rollen, von denen
39 trotz ihrer langen Berufserfahrung neue Rollen für
sie waren (vgl. *KS*, II, 121).

212

Eine Nebenbemerkung, die sie in diesem Zusammenhang macht, verdient dabei besondere Beachtung: in
dieser Aufstellung, so berichtet sie, seien die Bal-
lette, in denen sie habe tanzen müssen, nicht einmal
eingerechnet (Vgl. *KS*, II, 121). Es galt als selbstverständlich, daß eine Schauspielerin auch als Bal-
lettänzerin und ebenso als Sängerin eingesetzt werden
konnte, und zwar besonders in den unterhaltenden Vor-
oder Nachspielen, die bei vielen Truppen zu einem
abendfüllenden Programm gehörten und zusätzlich zum
Hauptstück geboten wurden. Während ihr Bruder sich
im wesentlichen als Tänzer und Choreograph betätigen
konnte, hatte Karoline unter dieser dreifachen Ar-
beitsbelastung ihr Leben auf ambulanten und stehenden
Bühnen zubringen müssen. Am Ende ihrer Laufbahn, als
sie mit fast vierzig Jahren neben den nicht nachlas-
senden Anstrengungen ihrer Schauspielertätigkeit auch
immer wieder noch als Tänzerin auftreten muß, ist sie
nicht nur enttäuscht von dem mageren Ergebnis eines
arbeits- und dabei risikoreichen Lebens, sie fühlt
sich auch physisch erschöpft. Sie ist nicht nur am
Ende ihrer Hoffnungen, sondern auch am Ende ihrer
Kräfte.
Vergleicht man in diesem Zusammenhang den Goethe-
chen Theaterroman mit der Lebensbilanz der Schauspielerin Karoline Kummerfeld unter dem Gesichtspunkt der
Kategorie 'Arbeit,' also Schauspielertum als Leben
unter dem alles bestimmenden Aspekt der Existenzsi-
cherung durch ständig zu erbringenden Arbeitslei-
stung, so wird einer der Hauptunterschiede der beiden
Darstellungen augenfällig: die Dimension der Arbeit
(mit ihrem Korrelat der Arbeitslosigkeit) spielt weder eine zentrale Rolle im Bewußtsein der meisten
Schauspieler, wie sie Goethe darstellt, noch ist sie
ein Teil der Lebenserfahrungen seines Helden. Natürlich kennen auch Goethes Schauspieler die Zeiten, in
denen man ohne Engagement ist. Sie erleben auch z.B.
die gründliche Demolierung ihres ganzen Theaters, d.
h. ihrer Theaterbude, durch ein Publikum, das sich in
diesem Fall zu Recht düpiert fühlt. Aber schlechte
Zeiten dauern erstens nicht lange im *Wilhelm Meister*,
weil entweder der Held in Goethes Roman in der *deus-
ex-machina* Rolle oder aber ein Graf in dieser Rolle
erscheint. Zweitens stattet Goethe die meisten
Schauspieler seiner Wandertruppe mit einer Art locke-
rer, unbekümmerter Vagantenmentalität aus, die widri-

ge Lebensumstände aus Gewöhnung nicht allzu tragisch
nimmt und solche Perioden auf die eine oder andere
Art überbrückt.

Dagegen ist Karolines Bericht das Dokument einer
Existenz, in der Armut, Not, Krankheit, der Tod des
Vaters, das Auftreten der Mutter in der Abendvorstel-
lung an demselben Tag, als das Kind gestorben ist,
das sie gerade geboren hat, Teil des Schauspielerall-
tags sind. In den Zeiten, in denen die Familie ohne
Engagement ist, muß sich der Vater als Kopist, der
Bruder als Perückenmacher verdingen, und Mutter und
Tochter versuchen etwas Geld durch Näharbeiten zu
verdienen. Die Garderobe, das einzige Kapital, das
man besitzt, muß dabei meistens versetzt werden. Die
Anstellungen, die man bekommt, und die gelegentlichen
Triumphe, die man erreicht, sind nicht das Resultat
einer glücklichen Intervention von außen, sondern das
Ergebnis eigener Leistung. In Goethes Theaterroman
bleibt die Theaterwelt Kolorit, und Schauspielertum
als Existenzform wird weniger im Kontext real-sozia-
ler Bedingungen entwickelt, sondern von einer arti-
stischen Idealkonzeption her, die ausgewählte Realien
aus dem Wanterschauspielerleben verarbeitet, um über
sie allmählich der höheren künstlerischen Intentionen
wegen, hinauszukommen.

In der Forschung, die hier nur in einigen Beispielen erwähnt werden soll, ob sie nun ideologisch links
orientiert ist oder aus der bürgerlichen Perspektive
urteilt, gilt allerdings der Theaterroman von Goethe
als eine außerordentlich realistische Darstellung des
Schauspielerlebens in der zweiten Hälfte des 18.
Jahrhunderts, also für die Übergangszeit vom Wander-
theater zur stehenden Bühne. So spricht Emil Staiger
vom "realistischen Willen" im *Wilhelm Meister* und von
dem "Labyrinth der unübersehbaren Wirklichkeit."[11]
Friedrich Gundolf, der die Schauspielerexistenz in
Goethes *Urmeister* unter dem modernen Begriff der "Bo-
hème" sehen möchte, also als bewußt gewähltes Kon-
trastmilieu zur bürgerlichen Gesellschaft, charakterisiert die Darstellung im Roman als "sinnliche In-
nigkeit" und "magische Schilderung des Milieus."[12]
Bei Gundolf findet man auch die Ansicht, daß die
Schauspieler dieser Zeit "die geeigneten Träger jenes
neuen Ideals das von einem neuen freiern Leben und
Geist her die Gesellschaft steigern und verwandeln
konnte."[13] Auch Georg Lukács hält die Darstellungs-

weise in der *Theatralischen Sendung* für "viel objek-
tiver" und dazu noch voller "Kritik am Bürgertum und
am Adel."[14] Wie bei Paul Rilla,[15] der ebenfalls von
der "realistische[n] Nähe" des Romans spricht, von
der "Fülle der Wirlichkeit," die hier gestaltet sei,
urteilt Lukács wie alle andern Interpreten im Vergleich des *Urmeisters* mit der endgültigen Fassung von
Wilhelm Meisters Lehrjahren. Dabei wird der in diesem Vergleich sicherlich zutreffende relative Realismus des Theaterromans einerseits absolut, was hier
als dokumentarisch verstanden werden soll, überbewer-
tet und andererseits als Vorform der stilisierenden,
symbolisierenden Darstellungsformen des Bildungsro-
mans abgewertet. Letzteres geschieht besonders dann,
wenn der Interpret, wie etwa Friedrich Gundolf eine
dämonische Dimension einführt, und zwar in der Faszi-
nation von den Figuren Mignons und des Harfners.
Schon im Theaterroman sind dies fremdartige Figuren,
aber der einsiedlerische Sänger und das Akrobatenkind
aus dem Süden sind unvoreingenommen besehen allenfalls exotisch. Gundolf sieht sie aber schon im *Urmeister* und in vertiefter Gestalt dann in der endgültigen Fassung des Romans als "Verkörperungen alles
dessen was im damaligen sich klärenden und soziali-
sierenden Goethe an Unberechenbarem, Ahnungsvollen,
Übergesellschaftlichen, Dämonischen wirkte."[16] Es
erschien daher nützlich, *Wilhelm Meisters theatrali-
sche Sendung* einmal aus dem Vergleichsfeld mit den
Lehrjahren zu lösen und den Roman im Zusammenhang mit
einem Stück Memoirenliteratur aus der Zeit zu betrachten, um ihn auf seinen sozialen Materialwert hin
als Schauspieler- und Schauspielerinnenroman zu prü-
fen.

ANMERKUNGEN

1 Johann Wolfgang Goethe, *Wilhelm Meisters Theatralische Sendung*, Bd. 8 der *Gedenkausgabe der Werke, Briefe und Gespräche*,
hrsg. von Ernst Beutler (Zürich: Artemis, 1949). Die Zitate
aus diesem Werk sind im Text als (*WM*, Seitenangabe) gekennzeichnet.

2 *Lebenserinnerungen der Karoline Schulze-Kummerfeld.* 2 Bde.,
hrsg. und erläutert von Emil Benezé, *Schriften der Gesellschaft*

für Theatergeschichte, Bd. 23 (Berlin: Selbstverlag der Gesellschaft für Theatergeschichte, 1915). Die Zitate aus diesen Memoirenbänden sind im Text als (*KS*, Bd., Seitenangabe) gekennzeichnet.

3 Zitiert nach der "Einleitung zum zweiten Band" (*KS*, II, xxi).

4 Walter Herrmann, "Geschichte der Schauspielkunst in Freiburg," *Schriften zur Theaterwissenschaft*, hrsg. von der Theaterhochschule Leipzig, Bd. 2 (Berlin: Henschelverlag, 1960), S. 592.

5 Herbert Eichhorn, *Konrad Ernst Ackermann. Ein deutscher Theaterprinzipal. Ein Beitrag zur Theatergeschichte im deutschen Sprachraum* (Emsdetten: Lechte, 1965), S. 23.

6 Zitiert nach Gisela Schwanbeck, *Sozialprobleme der Schauspielerin im Ablauf dreier Jahrhunderte* (Berlin-Dahlem: Colloquium Verlag, 1957), S. 34.

7 Vergleiche dazu die Darstellung in (*KS*, II, 80-82). Die letzte Vorstellung der Gothaer Hofbühne war danach am 27. September 1779.

8 Zitiert nach Eichhorn, S. 23.

9 Ebd.

10 Diese Interpretation geht, soweit ich sehe, auf Georg Lukács zurück; vgl. *Goethe und seine Zeit* (Bern: Francke, 1947), S. 35. Siehe auch seine Ausführungen zur impliziten Polemik gegen die Romantik in den Figuren Mignons und des Harfners.

11 Emil Staiger, *Goethe* (Zürich u. Freiburg: Atlantis Verlag, 1956), II, S. 132.

12 Friedrich Gundolf, *Goethe* (Berlin: Georg Bondi, 1925), S. 343-44.

13 Gundolf, S. 341.

14 Lukács, S. 32.

15 Paul Rilla, "Wilhelm Meisters Theatralische Sendung," *Goethe im XX. Jahrhundert*, hrsg. von Hans Mayer (Hamburg: Christian Wegner, 1967), S. 93-97; Zitat auf S. 95.

16 Friedrich Gundolf, S. 345.

10.

WULF KÖPKE

"VON DEN WEIBERN GELIEBT:"
JEAN PAUL UND SEINE LESERINNEN

"Ich kenne keinen Schriftsteller ältrer oder neurer
Zeiten, der so allgemein von den Weibern geliebt wurde, als Sie. Dies anzuführen, muß Ihr Biograph einst
nicht vergessen."[1] Zwar haben die Biographen diesen
Satz einer Schriftstellerin und enthusiastischen
Jean-Paul-Leserin gern zitiert, sie haben sich aber
nie eigentlich nach dem Grund gefragt. Das Thema
"Jean Paul und die Frauen" wartet noch auf eine angemessene Bearbeitung.[2] Die biographischen Einzelheiten sind relativ gut dokumentiert,[3] Spezialarbeiten
zu den Frauengestalten in Richters Werken gibt es jedoch kaum.[4] Literaturgeschichten, so weit sie das
Thema überhaupt berühren, sehen Richter als den
Schöpfer überzarter, ätherischer Jungfrauen, wobei
sie sich sogar auf Stefan Georges *Lobrede* berufen
könnten.[5] Hier wirkt immer noch der tiefe Eindruck
des *Hesperus* und der Gestalt der Klotilde auf die
Zeitgenossen nach, der sich ja auch in der immer noch
umlaufenden Fabel ausspricht, Jean Paul sei der
meistgelesene Schriftsteller seiner Zeit gewesen.[6]
Es ist wirklich an der Zeit, solche stereotypen Bilder aus dem Wege zu räumen.
 Vor der Einzelanalyse und Typologie der Frauengestalten in Richters Werken ist jedoch eine Vorarbeit
zu leisten, nämlich die Untersuchung der eigentümli-
chen Verflechtung von Leben und Werk, der man keineswegs mit der Kategorie "Erlebnis" beikommen kann.[7]
Die Frage ist vielmehr, wieviel Idealisierung, Kom-
pensierung und Antizipation in die Werke eingegangen
ist, d.h. stellte Richter seine Frauengestalten eher
so dar, wie er sie wünschte oder von der Zukunft erhoffte, als wie er sie erlebt hatte? Also eher wie
sie sein sollten als wie sie wirklich waren? Die
Antwort ist nicht einfach, wenn man Richters Auffas-
sungsweise berücksichtigt. 1813 notierte er sich im

Rückblick: "Früher war ich unfähig, Männer für unwahr, Weiber für unkeusch zu halten" (Wht. II, 63).[8] Moralischer Idealismus war Richter ein inneres Bedürfnis; er sah Menschen zunächst als Ideen und Ideale und nicht als reale unvollkommene Wesen. Er konnte sich einfach nicht vorstellen, daß Männer unehrenhaft und Frauen unkeusch sein könnten, genau wie der Walt der *Flegeljahre*, das Porträt seines jugendlichen Ich. Doch sehr bald und immer stärker kam seine "Vult"-Seite hinzu,[9] die Fähigkeit, die wirklichen Verhältnisse, menschliche Charaktere und sich selbst zu durchschauen, was zur "Besonnenheit" des Genies der *Vorschule der Ästhetik* gehört und vom älteren Richter "Klarheit" genannt wurde.[10]

Eine solche Walt-Vult-Kombination von Idealismus und Realismus mußte dazu führen, daß Richter das Ideal ins Leben hineinzuzwingen versuchte, um enttäuscht erkennen zu müssen, daß es nicht möglich sei. Dem "Idealisieren der Wirklichkeit" (Hanser V, 253),[11] wie die *Vorschule* den "poetischen Geist" des *Hesperus* definiert, folgte nach dem *Titan* die bittere Klarkeit der Spätzeit von den *Flegeljahren* bis zum *Komet*, wo bestenfalls noch die "Erinnerung der Hoffnung" ausgedrückt wird.[12] Die anfängliche Idealisierung der Wirklichkeit rief jedoch besonders bei den Leserinnen ein außerordentlich starkes Echo hervor, das zeigt, wie weit verbreitet die Tendenz war, eine idealisierte Bücherwelt in die Wirklichkeit zu übertragen. Jean Paul mag ein extremer Fall sein; aber seine Rezeption durch die Leserinnen kann durchaus als zeittypisch gelten.[13] Sie wurde zudem verstärkt durch seine eigene merkwürdige Verflechtung von Literatur und Leben.

Die Entstehung von Richters eigentümlichem Schweben zwischen literarischem Ideal und Wirklichkeit ist leider nicht gut dokumentiert. Das Fragment der *Selberlebensbeschreibung* bricht mit dem nachhaltigen Erlebnis des ersten Kusses ab (2. Abt. IV, 127-9). Offenbar brachen Richters Beziehungen zu Mädchen zu dieser Zeit ebenfalls ab; denn zu den Notizen zur Fortsetzung der *Selberlebensbeschreibung* gehört unter "Hof Gymnasium" der Satz: "Daß ich da keine Liebe suchte, obwol den Werther las, kommt von Beschäftigung" (2. Abt. IV, 373). Seine Lese-, Exzerpier- und Schreibwut hinderte ihn jedoch keineswegs an schwärmerischen Freundschaften im Stil von Siegwart und

Laurence Sternes Yorik. Die Liebe spielte sich eher
in Richters "Romängen" *Abelard und Heloise* ab, seiner
Werther-Siegwart-Nachahmung, der die strenge Eigen-
kritik immerhin bescheinigte, "daß es einen meiner
besondern Zustände meines Herzens zu *einer gewissen
Zeit* darstelt" (2. Abt. I, 155). Die Gefühle Abe-
lards sind jedenfalls glaubhafter ausgedrückt als die
in den Briefen Richters an die "Verlobte" Sophie Ell-
rodt im Jahre 1783,[14] und Richter war offensichtlich
erleichtert, als er die Angelegenheit hinter sich
hatte. Richter begann seine Erotik zum Innenleben zu
sublimieren, von dem er später sagte: "Ich bin ein
Lebens-Libertin von *innen*. Denn von außen genoß ich
kein Bier, Wein (Weiber auch später nicht), keine
Gastmäler, Punsch etc. Aber meine innern Phantasien
und Darstellungen haben mir das äußere Leben abge-
flacht und verzehrt; und dies nur, indem ich sie darstellte" (Wht. II, 30).

Zunächst einmal schrieb er jedoch Satiren, in denen er als "Advokat des Teufels" sozusagen mit ver-
stellter Stimme sprach.[15] In dieser "satirischen Es-
sigfabrik" wurde nach der Vorrede zur 2. Auflage der
Unsichtbaren Loge "des Jünglings Herz von der Satire
zugesperrt und mußte alles verschlossen sehen, was in
ihm selig war und schlug, was wogte und liebte und
weinte" (Hanser I, 15). Der Satiriker Hasus entwarf
ein--völlig konventionelles--Gegenbild der "Weiber."
Die verheiraten Frauen--junge Mädchen bleiben verschont!--sind putz-, mode-, gefall- und klatschsüch-
tig, Kleidung, Schmuck und Schminke verdecken ihre
Laster. Vor allem aber sind sie, wie Richter bei
englischen Satirikern, französischen Moralisten und
Rousseau gelesen hatte, "unkeusch:" Sie betrügen die
Ehemänner so viel wie möglich, und natürlich vernach-
lässigen sie die Kinder. Richters vor allem gegen
die oberen Stände gerichtete Karikaturen stammen aus
zweiter Hand. Nur ein Beispiel: Er selbst erwähnt,
daß, so oft auch in den *Grönländischen Prozessen* von
Huren und Bordellen die Rede sei, er selbst die erste
Prostituierte erst zwanzig Jahre später in Berlin von
weitem zu Gesicht bekommen habe (I, 6 f.). Der ganze
Komplex war ihm noch 1821 peinlich genug, daß er bei
der zweiten Auflage nach Möglichkeit das Wort "Bordell" strich.[16]

Richters Stachelschriften und seine "anstößige"
Kleidung[17] entfremdeten ihn seiner Umgebung; Ende der

achtziger Jahre konnte er jedoch feststellen, wie
sehr gerade die Weiblichkeit auf sein "Herz" einging.
Die ersten ernsthaften Essays und sentimentalen Geschichten brachten ihm sofort Anerkennung. Das erste
Echo von außerhalb seiner Umgebung kam ausgerechnet
aus dem Hause Herder. Richter hatte Herder zwei Arbeiten geschickt, in der doppelten Hoffnung, daß Herder auf ihn aufmerksam würde und die Arbeiten an
Zeitschriften vermitteln könnte. Am 30. Oktober 1788
schrieb Karoline Herder an den ihr unbekannten jungen
Mann--Herder war gerade in Italien--"Ihr zweites
Stück: *Was der Tod ist*, hat mir innig wohlgefallen.
Ich hätte beinahe ihren wahren Namen, anstatt Hasus,
darunter gesetzt."[18]
    Im Schloß Venzka akzeptierte man Richter mit sei-
nen Eigenheiten als Schriftsteller, und ihm lag besonders am weiblichen Teil der Gesellschaft. So
schrieb er am 6. August 1790 an Beata Schäffer, geborene von Spangenberg: "Das schönste Schiksal dieser
Aufsätze wäre, bei Ihnen zu bleiben, das schlimste
wäre, wenns ihnen mislänge, das Herz und die Empfindung eines armen Satirenmachers zu rechtfertigen und
zu beweisen, daß ich nicht unwerth war, einen Freund
zu haben und dessen Freundin zu kennen" (3. Abt. I,
302). Richters verstorbener Freund Adam Lorenz von
Oerthel war Beatas Verlobter gewesen. Richter wollte
nicht nur Mißerfolg und Isolierung überwinden, sondern den Frauen vor allem sein gutes, warmes Herz beweisen. Seine "erotische Akademie" in Hof, ein Kreis
junger Mädchen von höchstens sechzehn Jahren, zu denen Renate Wirth, Helene Köhler und Amöne Herold gehörten, veranlaßte ihn zu poetischen Episteln und
kleinen sentimentalen Geschichten, wie "Der Mond,"
der später mit dem *Fixlein* erschien. Die Erotik bestand zunächst in gemeinsamen Gesellschaften und
Landpartien, Scherzen, Spielen, höchstens Küssen.
Richter lebte auf in dem, was Viktor im *Hesperus* als
"Tutti- oder Gesamtliebe" bezeichnete: leicht erotische Freundschaft ohne engere Bindung an ein bestimmtes Mädchen. Natürlich himmelten die jungen Mädchen
den so viel älteren, vielseitig gebildeten Lehrer und
Schriftsteller an. Eifersuchtsszenen, besonders um
Amöne, blieben später nicht aus.
    Richter legte sich in dieser Umgebung die Rolle
eines "Jean Paul" zu, und als er in der *Unsichtbaren
Loge* den Charakter richtig entwickelt hatte, übertrug

er ihn sofort auf seinen Umgang in Hof und Bayreuth.[19]
Alle kleinen Ereignisse wurden nicht nur poetisiert,
sondern vor allem durch Antizipation gesteigert. So
schrieb er etwa Helene Köhler am 22. Juni 1792 ein
"Tagebuch alles dessen, was auf unserer künftigen
Reise vorgefallen" (3. Abt. I, 355). Die Reisen nach
Bayreuth ab 1793 wurden in den Briefen an Renate
Wirth zu paradiesischen Augenblicken, die dann später
im *Siebenkäs* noch einmal potenziert und poetisiert
worden sind. In Bayreuth fand Richter, wie Siebenkäs, zum ersten Mal "hohe Frauen."[20] Der Roman, dergestalt aus dem Leben durch poetische Episteln subli-
miert, ließ sich wiederum als idealisiertes Leben
verstehen. So abwegig das einer heutigen Leserin für
den ersten Roman, *Die unsichtbare Loge*, erscheinen
mag, so deutlich ist der Lebensbezug bei einer Leserin wie Renate Wirth, die am 24. April 1793 an Richter schrieb:

> Mit dem bewegtesten Herz las ich Stellen in Ihrem
> Buch, die mich so ganz mich fühlen ließen, ach!
> die mich an alle meine Fehler zugleich erinnerten,
> wieviel dem Herzen mangele, daß ich schonender
> meinen Mitmenschen begegne, sie mehr liebe, und
> bei ihren Schwachheiten menschenfreundlicher sei.
> ...O Sie, dem ich so viel Dank schuldig bin, so
> manche schöne ernste Stunde--hören Sie nicht auf,
> mein Freund zu sein! (Wht. IV, 307)

Richter muß eher überrascht gewesen sein. *Die unsichtbare Loge* enthielt noch allerhand Satire über
"die Weiber."[21] Er war vielleicht erleichtert, daß
Renate nur "Stellen" las, und er schickte dann Frau von
Streit sogar ein Exemplar mit der Anweisung: "Ich
habe die Stellen, die blos...Satire enthalten, mit
Bleistift verurtheilt, von Ihnen übersprungen zu
werden, damit Sie früher zu den sanften kommen, die
wie Adagios blos für das weibliche aufgeweichte Herz
gehören" (3. Abt. II, 29). "Satire" schloß nach seinem damaligen Sprachgebrauch die humoristischen Stellen ein.[22] Richters Erfahrungen mit den ersten Leserinnen wurden sogleich auf seine Frauengestalten
übertragen. Klotilde im *Hesperus* schreibt an Emmanu-
el: "Die Satire scheint auch bloß für das stärkere
Geschlecht zu sein; ich habe in dem meinen noch keine
gefunden, die Swifts oder Cervantes' oder Tristrams
Werke recht goutiert hätte" (Hanser I, 691). Beson-

221

ders empfindlich reagiert Klotilde, wie der Autor anmerkt, auf Satiren "auf ihr ganzes Geschlecht" (Hanser I, 544). Das erklärt nicht nur Klotildes anfängliche Schwierigkeiten den humoristischen Viktor zu akzeptieren, sondern auch Richters Ansicht, das weibliche Geschlecht sei nicht imstande, eine entscheidende Dimension seines Werkes zu erfassen.[23]

So häufig die Leseranreden in der *Unsichtbaren Loge* sind, so selten wendet sich der Erzähler "Jean Paul" direkt an die Leserinnen, und dann vor allem, um sie zu necken. So sagt er etwa bei Gelegenheit der unterirdischen Erziehung Gustavs: "Elende Umständlichkeit, z.B. über die Lieferanten der Wäsche, der Betten und Speisen, werden mir Frauenzimmer am liebsten erlassen; aber sie werden begieriger sein, wie der Genius erzog" (Hanser I, 54). Die Ironie macht deutlich, daß er von den Frauen eher Neugier auf die Nebenumstände als Verständnis für den Sinn dieser Erziehung erwartet. Auch fehlt es im Buch nicht an erotischer Zwei- und Eindeutigkeit. Dann jedoch durchbricht der Erzähler seine Rokokopose und sagt etwa über seine Roman-Schwester:

> Wahrlich manchmal will ich mit den stößigen Satyrs-Bockfüßen gegen das gute weibliche Geschlecht ausschlagen und lass' es bleiben, weil ich neben mir die kleinen Kirchenschuhe meiner Philippine sehe und mir die schmalen weiblichen Füße hineindenke, welche in so manches Dornengeniste und manche Gewitterregenlache, die beide leicht durch die dünnen weiblichen Fußtapeten dringen, treten müssen. (Hanser I, 226)

Aus der Ironie und Neckerei wird Mitgefühl, Mitleid; der Erzähler zeigt sein Herz. Im *Hesperus* hat sich diese Tendenz wesentlich verstärkt, wenn der Erzähler sich besonders an die Frauen richtet. Viktor meditiert über das Mitgefühl mit Verliebten und ruft dabei aus: "Und vollends mit euch armen Weibern! Wüßtet ihr oder ich denn in eurem vernähten, verkochten, verwaschenen Leben oft, daß ihr eine Seele hättet, wenn ihr euch nicht damit verliebtet?" (Hanser I, 569). In einem scheinbar nur satirischen "Extrablatt über töchtervolle Häuser" durchbricht Jean Paul die Ironie und sagt: "O mein Inneres ist ersthafter, als ihr meint; die Eltern ärgern micht, die Seelenverkäufer sind; die Töchter dauern mich, die Negersklavin-

nen werden" (Hanser I, 809). Über die arme Verwandte
des Apothekers, die Mitgefühl mit dem unglücklichen
Viktor hat, bemerkt er: "Arme Marie, sagt mein eig-
nes Inneres dem Doktor nach; und setzet noch hinzu:
vielleicht liest mich jetzt gerade eine ebenso Unglückliche, ein ebenso Unglücklicher" (Hanser I, 829).

Es muß viele Unglückliche gegeben haben, die sich
durch den *Hesperus* persönlich angesprochen fühlten.
Natürlich nicht nur Frauen: Herders Verleger Hart-
knoch schöpfte aus dem *Hesperus* die Kraft zu mutigem
Auftreten gegenüber den russischen Behörden, was eine
mögliche Deportation nach Sibirien abwendete; 1807
stärkten sich preußische Offiziere während der Bela-
gerung von Kolberg durch die Lektüre des Buches.[24]
Richter bekam viele Briefe mit der Bitte um Trost und
moralische Stütze.[25]

Überwältigend war jedoch das Echo bei den Leserinnen. Sie hatten es leicht, sich mit Klotilde zu
identifizieren, die nicht nur höchst positiv gezeichnet war, sondern auch genug zu leiden hatte: unter
ihrer Stiefmutter, am Hofe, wegen des Bruders Flamin
und wegen ihrer Liebe zu Viktor. Klotilde ist ganz
Wirklichkeit gewordenes Ideal, und übte eine unwider-
stehliche Anziehungskraft auf die Frauen der Zeit
us. Es wurde sogar Mode, Mädchen Klotilde zu nennen.[26] Esther Bernard sprach im Brief an Richter vom
28. Oktober 1797 von "*meinem* Hesperus,"[27] wie Werther
von seinem Homer, und am 16. September 1800 schrieb
sie noch einmal: "Doch liest wohl keine wie ich das
unzählichste Mal die erste Ausgabe des Hesperus"
(Denkw. III, 63 f.). Obendrein war es leicht, Richter mit der Figur des Jean Paul zu identifizieren.
Er sagte selbst: "Ein Roman ist eine veredelte Biographie" (2. Abt. V, 64); im Roman offenbare sich der
Autor besonders deutlich (Denkw. IV, 92). Richter
war nur zu bereit, im Leben die Rolle des Jean Paul
zu spielen und unterschrieb sich in der Vorrede zum
Fixlein, dem nächsten Werk, mit "Jean Paul Friedrich
Richter" (Hanser IV, 13). Man könnte dazu mit Jean
Paul sagen: "Anfangs macht man das Buch nach sich,
dann sich nach dem Buch" (2. Abt. V, 139).

Jedenfalls begann mit dem Erfolg des *Hesperus* die
Epoche, in der Jean Paul und seine Leserinnen, wenn
auch nicht auf gleiche Weise, den Roman ins Leben zu
übertragen versuchten, woraus Richter wiederum Anregungen für neue Werke holte. Etliche der *Hesperus*-

Leserinnen waren bereits "Fans:" sie sahen verzückt
zu dem Autor auf und waren auf seine Haarlocken er-
picht, zumindest auf die seines Hundes, der natürlich
mit dem Posthund des Buches gleichgesetzt wurde.[28]
Nur die *Hesperus*-Lektüre kann erklären, daß sich 1817
die junge Sophie Paulus in Heidelberg heftig in den
dicken und gealterten Richter verliebte, und daß er
sich 1822 in Dresden vor dem Andrang junger Mädchen
nicht retten konnte.[29] Dabei blieb jedoch die Idee
einer persönlichen Beziehung zum Autor immer erhalten. Der Begeisterung entsprachen ja keine Massen-
auflagen, schon gar nicht im heutigen Sinne. Bei
Auflagen von 2000, höchstens 3000 Exemplaren[30] hatte
Richter kein breites Lesepublikum, selbst wenn jedes
Exemplar durchschnittlich von zwanzig Lesern benutzt
worden ist.[31]
      Bei allen revolutionären Obertönen wurde im *Hespe-*
rus der Hof eines typischen deutschen Kleinstaats geschildert, und Fürstinnen und adelige Frauen solcher
Höfe fühlten sich besonders angesprochen. Die Fürstin von Anhalt-Zerbst schrieb ihren (anonymen) Brief
vom 18. Juni 1797 im poetischen "Du" und begann mit
"Großer und guter Jean Paul!" Worauf sie ihm über-
schwenglich dankte "für alle das Herrliche, Vortreffliche, Seltne, welches Du auch mir in Deinen Schriften sagst" (Wht. V, 231). Durchweg steigerte sich
die Zuneigung und Verehrung noch bei persönlicher Bekanntschaft, wie bei Königin Luise von Preußen, bei
der Königin Karoline von Bayern oder der Herzogin
Wilhelmine von Württemberg (Wht. VIII, 198 ff.). Besonders in Hildburghausen fand Richter beste Aufnahme, wie Goethes Freund Knebel an Fräulein von Bose am
2. Juni 1799 schrieb: "Alle Herzen sind sein, und
die versammelten drei Prinzessinnen...hatten ihn täglich um sich, wo er acht Tage lang, von Mittag bis
Mitternacht, täglich zubringen mußte" (Persönlichkeit,
45 f.).[32] Diese Frauen begegneten Richter in der Erwartung, in ihm eine Jean-Paul-Figur zu finden, und
sie sahen sich nicht enttäuscht. Er war geistreich,
taktvoll, gebrauchte viele sorgfältig stilisierte Re-
densarten und Komplimente, war immer rücksichtsvoll
gegen Frauen, dabei jedoch ehrlich, naiv, unkonven-
tionell und ohne besondere Achtung vor dem gesellschaftlichen Rang. Bei diesem Charme konnte man über
Verstöße gegen die Etikette hinwegsehen und später
darüber, daß er nicht immer nüchtern war.

Am wichtigsten für Richter wurden die Leserinnen
in Weimar. Am 29. Februar 1796 erhielt er einen von
einer Dame aus Weimar geschriebenen Brief, in dem unter anderem stand: "Jetzo ist es nicht mehr die ein-
same Blume der Bewunderung, die ich Ihnen übersende,
sondern der unverwelkliche Kranz, den Beifall und
Achtung von Wieland und Herder Ihnen wand!" (Nerrlich, 1).[33] Von sich selbst schrieb sie: "Die
schönsten Stunden in dieser Vergangenheit verdanke
ich dieser Lektüre, bei der ich gern verweilte, und
in diesem Gedankentraume schwanden die Bildungen Ihrer Phantasie gleich lieblichen Phantomen aus dem
Geisterreiche meiner Seele vorüber" (Nerrlich, 1).
Sie schätzte sogar eine seiner Satiren, nämlich *Freu-
del*, und am Ende rief sie ihm zu: "Leben Sie wohl,
beglückt durch die Freunden der Natur, erhöht durch
die Genüsse der Kunst, und machen uns mit Idealen bekannt, die den Dichter ehren und den Leser veredeln
werden!" (Nerrlich, 2). Es handelte sich um Charlotte von Kalb. Richter war so beeindruckt, daß er nach
ihrem zweiten Brief an Christian Otto schrieb: "Sie
ist aus Herders Schule und ich mögte einst in ihre
gehen. Blos einigemale urtheilt sie als Frauenzimmer" (6. April 1796, 3. Abt. II, 176). Dier tiefe
Eindruck von Herders Schriften und Persönlichkeit auf
Charlotte ist in der Tat bezeugt.[34]
    Charlotte war fern der Welt auf Landgütern aufge-
wachsen, wie viele Mädchen hatte sie sich zuerst aus
Romanen über menschliche Beziehungen unterrichtet,
vor allem aus Richardsons *Clarissa*.[35] Romane ersetz-
ten die Erziehung, und so hatte in der Tat die damalige Debatte über Nutzen und Nachteil der Romanlektüre ihren guten Sinn. Selbst in Weimar, wo doch
Wieland, der Experte des Spiels mit der Romanfiktion,
zu Hause war, wurde ausgerechnet der *Hesperus* für eine Art Schlüsselroman gehalten, und man stritt sich,
ob Mannheim oder Wien gemeint sei, "wegen des Loka-
len," wie Richter hocherfreut vernahm.[36] Charlottes
denkbar unbefriedigende Ehe mußte ihre "romanhafte"
Tendenz verstärken. Eine Zeitlang schien ihr Schiller die Rettung aus ihrem verpfuschten Leben zu bieten. Als Richter sie im Juni 1796 besuchte, war sie
34 Jahre alt (ein Jahr älter als er) und litt immer
noch unter Schillers Ehe und ihrer Trennung von ihm.
Richter war nach Schiller und Hölderlin der dritte
aufstrebende Schriftsteller, zu dem sie in nähere Be-

ziehungen trat. Richter, der noch nichts von den
Problemen des Musenhofes ahnte, sonnte sich in der
Bewunderung bedeutender Frauen und schrieb jubelnd an
Otto: "Ach hier sind Weiber! Auch habe ich sie alle
zum Freunde, der ganze Hof bis zum Herzog lieset
mich!" (12. Juni 1796, 3. Abt. II, 208). Das scheint
zu stimmen; selbst die zugeknöpfte Charlotte von
Stein, die so eng mit dem gegen Richter eingenommenen
Hause Schiller befreundet war, war vom *Hesperus* und
auch von den *Biographischen Belustigungen* begeistert
und nahm Richters Schrullen wegen seiner "sublimen
Ideen" in Kauf.[37] Die Herzogin Anna Amalia schrieb
dem gerade abwesenden Wieland am 15. Juli 1796: "Er
ist ein sehr angenehmer Gesellschafter wegen seines
unerschöpflichen Witzes, der nach meinem Gefühl immer
sehr treffend und angenehmer ist als in seinen
Schriften" (Persönlichkeit, 19). Schon die ersten
Leserinnen klagten also über die "Auswüchse" des Jean
Paulschen Stils,[38] und nicht wenige Frauen fanden
seinen Umgang angenehmer als seine Schriften. Sein
"Witz" verhinderte es obendrein, daß Bücher wie der
Hesperus Lektüre weniger gebildeter Stände werden
konnten, selbst wenn man sie selektiv las.

Richters Weimarer Gefühlsrausch und geistige Anregung im Umgang mit Herder war zugleich der Höhepunkt
und das Ende der idealen *Hesperus*-Welt, die er sich
aufgebaut hatte. Schon am 12. Juni seufzte er (im
Brief an Otto): "ach meine Ideale von grösseren Menschen" (3. Abt. II, 208); das bezog sich auf die
Streitigkeiten zwischen Herder und Goethe-Schiller;
aber mit den Frauen ging es ihm nicht besser. Wie
Viktor kam er mit der Idee der "Simultan- und Tutti-
liebe" oder "Gesamt- oder Zugleichliebe" (Hanser I,
650 f.), bei der der junge Mann etwas empfindet, "das
zu warm ist für die Freundschaft und zu *unreif* für
die Liebe, das an jene grenzt, weil es mehre Gegenstände einschließt, und an diese, weil es *an* dieser
stirbt" (Hanser I, 651). Also erotisch, aber nicht
exklusive Bindung, wie wirkliche Liebe, vielmehr gesellschaftlich. Was schon mit den jungen Mädchen in
Hof nicht ganz gehen wollte, fand bei erfahrenen
Frauen gar keine Gegenliebe. Wo Richter schwärmte
und die Seelengemeinschaft mit einigen Küssen besie-
gelte, übte er ohne zu wollen einen "magischen Zau-
ber" aus, der die Frauen "fesselte" und "willenlos"
machte.[39] Er mußte bald erkennen, daß auch der Kör-

per mit im Spiel war, was er z.B. bei Charlotte von
Kalb ihrer "Männlichkeit" zuschrieb und in diesem
Aphorismus formulierte: "Je mehr ein Weib mänliches
Temperament hat, desto sinnlicher ist ihre Liebe" (2.
Abt. V, 117). Trotz seiner 33 Jahre war er nicht nur
ahnungslos in diesem Punkt, sondern ablehnend. Noch
am 16. Mai 1800, als er von Weimar wegziehen wollte,
schrieb er an Otto: "Ach wie meine Selle sonst so
heilig war und so dum! Der Teufel hole das erste
zerrüttende Wort, das mir die Kalb sagte und was fort
brante" (3. Abt. III, 334)!

Charlotte erkannte allerdings schnell, wo das Problem lag, und so schrieb sie am 27. September 1797 an
Karoline Herder: "Wir sind ihm alle nur Idee, und
als Personen gehören wir zu den gleichgültigsten Dingen. Ideendarstellung des Lebens in der Masse der
ihm bekannten Welt aufzusuchen--das ist's was ihn
reizt, belebt" (Persönlichkeit, 19). Bei ihrer Enttäuschung über seine Ideenschwärmerei vergaß sie allerdings seine handfesten Bedürfnisse: er brauchte
eine Hausfrau. Bald nach dem Tode seiner Mutter, am
22. Dezember 1797, schrieb er an Charlotte: "Seit
dem Tode meiner Mutter sehnet sich meine ganze Seele
nach der Wiederkehr der häuslichen Freude, die ich
nie dem weltbürgerlichen Reiseleben abgewinne" (3.
Abt. III, 28). Und Karoline Herder schrieb an Gleim,
während Richter in Weimar lebte: "'Wenn er nur eine
Frau hätte!' rufen wir alle, und er ruft's uns allen
weit vor" (2. April 1799, Persönlichkeit, 44). Daraus ergab sich, daß Richter einerseits eine ihm er-
gebene, bürgerliche Hausfrau und Mutter seiner Kinder
suchte, andererseits Anregungen durch adelige Frauen
mit einem "männlichen" Temperament brauchte, zumal
für seine Bücher. Dabei wurden diese Damen schließlich aktiv, und Richter mußte mehrere Heiratsanträge
von Frauen abweisen. Sein entscheidendes Argument
gegen eine Ehe mit Charlotte von Kalb war: "Es paßt
nicht zu meinen Träumen."[40] In diesen Träumen glaubte er allerdings noch eine Synthese finden zu können.
Mehrere der "Zwischenwerke" zwischen dem *Siebenkäs*
und dem *Titan* schildern eine Ehe oder speziell seine
eigene antizipierte Ehe. Aus "neuen sentimentali-
schen Aufsätzen...zumal für mein weibliches Publikum"
(23. Juli 1797 an den Verleger Heinsius, 3. Abt. II,
353), die die umgearbeiteten Satiren der *Teufels Pa-
piere* genießbarer machen sollten, wurden die "Fata"

der *Palingenesien*, wo Jean Paul in den *Palingenesien*
die *Palingenesien* ausarbeitet, dabei nach Nürnberg
fährt und nach einem kleinen Ehezwist und einem Spaß
von Siebenkäs schließlich Versöhnung feiert. Nicht
nur die Ehe und die Begegnung mit Siebenkäs und Natalie waren Antizipation, sondern sogar die Reise nach
Nürnberg, das Richter erst viel später besuchte. Wie
sehr er das Werk auf sein Leben bezog, zeigt der
Brief an Otto vom 19. Dezember 1797:

> Es ist wieder derselbe wiederkehrende Zufal, daß
> in mein wirkliches Leben wenigstens etwas von mei-
> nem biographischen immer kommt, denn in meinen
> "Palingenesien" hab' ich eine Frau. Ach wie lieb'
> ich, wie kenn' ich diese und ich sah doch nicht
> ihr Bild, besonders ihr körperliches Apropos! (3.
> Abt. III, 25)

Wie sehr das Eheleben in den *Palingenesien* seinen
Wünschen entsprach, zeigt die briefliche Antwort an
die Verlobte Karoline Mayer, die ihn gebeten hatte,
ihr Arbeit für ihn zu geben: "Ich kann dir keine Arbeit geben als die, die Palingenesien zu lesen, worin
ich das schildere, was ich jetzo--habe! O du meine!
Ich bleibe dein, dein, ewig" (Br. IV, 18; 4. November
1800).[41]
Zur Zeit der wirklichen Abfassung der *Palingenesien* wurde Richter allerdings von einer anderen
Freundin bestürmt, Emilie von Berlepsch, Schriftstellerin, geschieden und viel älter als er, die ihm erst
vorschlug, eine jüngere Freundin von ihr zu heiraten
und dann, als sie beide 1797/8 in Leipzig lebten, sie
selbst. Und, wie Richter am 30. November 1798 an
Otto schrieb, "p. 194 im 2 Th. der Palingenesien fuhr
in meiner Seele mit der komischen Arbeit der Ent-
schlus, ihre Hand anzunehmen, wie ein Sturm auf" (3.
Abt. III, 126 f.). Richter war bei einer Stelle, die
Habermann-Leibgebers humoristische Skepsis erschüt-
ternd aussprach (VII, 310). So muß das Bedürfnis
nach Stütze, nach Hilfe momentan überwältigend geworden sein. Richter löste die Verlobung nach heftigen
Szenen.
Ebenso ging es mit Charlotte von Kalb, wo auch die
Rollen vertauscht wurden. Nach einem gemeinsamen
Abend bei Herders, der in enthusiatischer Stimmung
ausgeklungen war,[42] machte sie ihren Heiratsantag.
Als Richter sein halbherzig gegebenes Jawort zurück-

nahm, gab sie keineswegs auf. *Jean Pauls Briefe und bevorstehender Lebenslauf* erschien, ein Werk, das in poetischen Episteln zu wichtigen Fragen des Zeitalters Stellung nahm und dann im "Lebenslauf" eine enthusiastische Beschreibung des antizipierten idyllischen Ehelebens brachte. Konnte Charlotte das Werk anders als persönlich auffassen? Sie schrieb Richter Mitte Juni 1799:

> Ich lese das neue Buch mit ganz eigener Lust und Gefühl, und wenn ich nicht schon vor drei Jahren gerufen hätte: komme zu mir, so rufe ich wieder: bleibe bei mir. Ich verstehe alles tief, leicht, sinnend und bildend, und zu Deinem Leben möchte ich auch ein Blättchen beilegen, was auch so sein wird, wenn uns Gott das Leben und die Liebe erhält. (Nerrlich, 59)

Am 17. Juni schrieb sie wieder: "Ja, mein Teurer, ich sage Dir jetzo nicht, wie oft ich gelitten habe, wie zerstörend, so daß ich mein Herz Deiner Gewalt entziehen *mußte, (wenn Du es nicht haben willst)* als länger den Tod der Liebe so oft zu schmecken" (Nerrlich, 62). Zwei Tage später hatte sie wieder das distanzierende "Sie" aufgenommen und lieferte eine der immer noch besten Analysen dieses von der Forschung vernachlässigten Werkes (Nerrlich, 64-66). So schwankte sie zwischen einem letzten Versuch, die poetisch antizipierte Ehe ins Leben zu übertragen und der sachlichen Anerkennung des Schriftstellers, seines Könnens und seiner Ideen.

Jean Pauls Briefe forderte natürlich zu persönlichen Reaktionen heraus; Emilie von Berlepsch etwa schrieb ihm einen bittersüßen Brief darüber und bezog die antizipierte Ehe auf seine damalige Verlobte Karoline von Feuchtersleben.[43] Aber auch Frauen, die nicht hoffen konnte, das im Buch antizipierte Eheleben mit ihm zu führen, lasen das Werk gern.[44] *Das Kampaner Thal*, die Aussicht auf die Unsterblichkeit, sprach besonders die Frauen an. Henriette von Schuckmann schrieb ihm am 19. August 1797: "Mit nassem Auge, mit klopfendem Herzen lege ich Ihr Kampaner Thal abermals aus den Händen; ist es mir doch, als hatt' ich es zum ersten Mal gelesen" (Denkw. III, 23). Folgerichtig bezog sie das Buch auf ihr eigenes Leben: "Ihr Thal steigert meine Bewegung, und ich möchte es verdienen, darin zu wohnen" (Denkw. III,

229

24). Henriette versuchte zur gleichen Zeit Richters
Vorurteil über den begrenzten Geschmack der Frauen zu
korrigieren: "Warum sollten der Jubelsenior und die
Holzschnitte nicht für mich passen? Ist etwa letzteres für mich zu humoristisch und sollte ich in erstem
an Frl. v. Sackenbach mich stoßen? Nein, Lieber!
Ich glaube Sterne zu verstehen; er war und ist von
den Engländern mein Liebling; und Goldsmith ist mir
werth" (Denkw. III, 24).

Jean Pauls Briefe enthielt ebenfalls das höchste
Lob, das Richter seinen Leserinnen gespendet hat. Er
teilte das Publikum jetzt ein in das "breite," das
Publikum der Lesebibliotheken, zu dem auch Frauen
ohne Erziehung gehören, in das "gelehrte" und
schließlich das "gebildete," das "sich aus Weltleuten
und Weibern von Erziehung, Künstlern und aus den höheren Klassen formt, bei denen wenigstens Umgang und
Reisen bilden" (Hanser IV, 1070, Fußnote). Er gab
den Frauen "von Erziehung," seiner treuesten Gefolg-
schaft, auch sonst ein ernstgemeintes Lob, indem er
erklärte: "In der höhern Welt sind die Weiber besser
als die Männer" (2. Abt. V, 133), eine Feststellung,
die er in vielen Variationen wiederholte (z.B. *Levana*, Hanser V, 679). Ein weiteres instruktives Beispiel für die Wirkung seiner Werke und solcher Worte
ist die Verlobung mit Karoline von Feuchtersleben.
Veranlaßt durch den Enthusiasmus der Fürstinnen und
Prinzessinnen in Hildburghausen, war sie aus ihrer
gewohnten Reserve herausgegangen und hatte an Richter
geschrieben. Auch Karoline lebte mehr auf dem Papier
als in der Wirklichkeit: sie hielt regelmäßig ihr
Tagebuch und verfaßte Gedichte, die allerdings selbst
Richter für mittelmäßig hielt.[45] Dem Briefwechsel
folgte seliges Schwärmen bei Richters Besuch. Als
Karoline konkret wurde und Richter fragte, ob er sie
heiraten wolle, sagte er: "Das muß ich ja dich fragen!"[46] Nach heftigem Widerstand ihrer adelsstolzen
und gegen "Gelehrte," zumal Schriftsteller eingenommenen Familie[47] hatte Karoline Grund, sich als die
Hermine der *Palingenesien* und von *Jean Pauls Briefe*
zu sehen (Denkw. II, 239); aber dann löste Richter
die Verlobung auf, was auch Herders verärgerte. Karoline heiratete zwar später, trauerte ihm aber ihr
ganzes Leben lang nach.[48]

Richters Romane schienen solchen Frauen einen Aus-
weg aus ihrem unbefriedigenden, langweiligen Leben zu

bieten; Schreiben und Leben verquickte sich, vermittelt durch die zumal bei Richter oft poetischen Briefe. Auch waren Frauen oft schriftstellerisch tätig und drückten schwierige Lebensprobleme literarisch aus, wie z.B. Charlotte von Stein ihren Bruch mit Goethe!49 Wie leicht war es, Richter als "Jean Paul" zu nehmen und mit ihm einen Lebensroman spielen zu wollen! Allerdings spielte er eben nur bis zu einem bestimmten Punkt mit.

Der letzte "Roman" Richters vor seiner Ehe fand fand ganz auf dem Briefpapier statt. Er bekam nämlich einen französisch geschriebenen Brief, datiert am 15. März 1799, der so begann: "Si j'étais reine, l'auteur d'Hesperus serait mon premier ministre. Si j'avais quinze ans, et que je pusse espérer d'être sa Clotilde, je me croirais plus heureuse que d'être reine."50 Die Briefschreiberin war Josephine von Sydow, eine Südfranzösin, die in Begeisterung für Jean Jacques Rousseau erzogen worden war und in seinem Stil Bücher geschrieben hatte. Nach manchen Enttäuschungen schien sie auf einem Gut in Pommern Frieden gefunden zu haben; aber auch diese Ehe wurde später geschieden. Bei der Bewunderung für den "Gottmensch" Jean Paul, den neuen Jean Jacques, mußten alte unerfüllte Wünsche wieder aufflammen. Jedenfalls reizte der Briefwechsel Karoline von Feuchtersleben zur Eifersucht--Richter schickte "schöne" Briefe gern weiter--; aber selbst wenn ihm Josephine nach der Begegnung in Berlin schrieb: "Je retourne enfin convaincue qu'il existe un homme tel que vous savez les peindre" (Denkw. II, 215), so folgte doch auf Richters Seite eine schnelle Abkühlung. Josephine war ohnehin zu klug, sich in sein Leben zu drängen.

In ihren Briefen bis zur Begegnung jedoch maßen sie den Spielraum zwischen Literatur und Leben aus. Josephine übersetzte das Lied von Salis, das Klotilde am Grabe ihrer Freundin Giulia singt, ins Französische, im Glauben, es sei von Jean Paul (3. Abt. III, 451); Richter empfahl ihr das *Kampaner Thal*, *Biographische Belustigungen* und *Jean Pauls Briefe* zum Lesen (26. April 1799; 3. Abt. III, 184); er ließ ihr sogar durch den Verleger Matzdorff *Die unsichtbare Loge* zuschicken, "weil ich sie für mein bestes Buch halte; es liegt das Morgenroth und der Morgenthau der ersten Empfindung auf ihren Blaettern, es sind gruene moecht' ich sagen" (3. Abt. III, 305). Richter hoffte, in Josephine eine sachkundige Kritikerin zu finden (26. September 1799, 3. Abt. III, 231)--ein Kompliment, das sie erschrocken abwehrte. Sie hatte "typisch weibliche" Fragen: ob Viktor Klotilde wirklich geheiratet habe--er wies sie auf das "Fruchtstück" im *Siebenkäs* hin--, und wer denn die Modelle zu seinen Frauengestalten gewesen seien? Darauf antwortete er am 19. Januar 1800: "Zu Klotilde und zu allen meinen Weibern hatt' ich keine Modelle, ich nahm sie aus meinem Herzen, und am Ende fand ich sie auch *ausser* demselben; nur die gute Josephine hab' ich früher gefunden als gemalt; und ihr bescheidenes Auge würd' es nicht errathen, wo ich sie malte und meinte" (3. Abt. III, 279). Natürlich wollte sie wissen, welche Gestalt das denn sei, und er gab ihr am 17. März 1800 die überraschende Antwort: "Wer meiner guten Josephine ähnlich ist in meinen Dichtungen? Natalie ist es; ich schmeichle damit weniger Ihnen als Natalien" (3. Abt. III, 305). Gerade hier hätte er von Antizipation sprechen können, denn der *Siebenkäs* war drei Jahre vor Josephines erstem Brief erschienen. Richter sah Josephine im Lichte Rousseaus und spielte mit ihr etwas wie einen Briefroman wie die *Nouvelle Heloïse*. Josephine verwahrte sich zwar gegen den Vergleich; aber der *Siebenkäs* blieb neben dem *Hesperus* ihr Lieblingsbuch. Ein wenig mag sie sich mit Natalie identifiziert haben, wenn sie sich auch bewußt blieb, daß in diesem Briefwechsel gespielt wurde, mit echten, aber doch "literarischen" Gefühlen. Eine fragile Welt des Als-Ob, immer in Gefahr, durch zu viel Wirklichkeit zersetzt zu werden.

Nach Richters eigenem Wort haben ihn die Frauen für den *Titan* erzogen (Denkw. II, S. IX). Als er den *Titan* schrieb, hatte er sich schon so verausgabt, daß er sich, wie Roquairol, im Umgang mit Frauen wieder "aufladen" mußte. Am 1. März 1799 schrieb er Otto über sein Leben: "Oft wolt' ich, ich hätte es nicht mehr. Es wird mir täglich...abgeschabter, eine Frau wäre noch der einzige Firnis" (3. Abt. III, 160). An Josephine schrieb er: "Ich bin nichts als ein Mensch, nur ein Autor--noch nicht einmal ein Verlobter; daher ich Pfingstkapitel schreibe, um es zu vergessen" (3. Abt. III, 171). Richter war bei den Damen in Berlin Mode, und er hatte wohl mehr Verehrerinnen als Leserinnen, wie das Beispiel von Julie von Krüdener zeigt,[51] aber er brauchte diese Anbetung.

Er bekam sie nirgends rückhaltloser als von seiner zukünftigen Frau, die ihm im Juni 1800 schrieb: "Ich möchte Sie anbeten, vor Ihnen knien, wie man vor Gott sich beugt" (Denkw. II, 269 f.); und an ihre Schwester Minna Spazier: "Jetzt kann ich mir die von Christus erzählten Wundergeschichten erklären" (Persönlichkeit, 62). Auch sie kannte zuerst seine Werke, auch sie identifizierte sich mit seinen Frauengestalten. Noch bei seiner ersten Abwesenheit in der Ehe flüchtete sie sich zu seinen Büchern: "Da holt ich mir den ungebundenen 1sten Theil des Titans, und habe ihn fast ganz durchgelesen--wie ich oft zu Deinen Füßen hätte sinken mögen Du herrlichster kannst Du Dir denken."[52]

Karoline ahnte 1802 noch nichts von der späteren unvermeidlichen Entzauberung, Richter selbst hingegen mußte die *Hesperus*-Welt des Idealisierens der Wirklichkeit zunehmend problematisieren und aus ironischem Abstand betrachten, um noch genug von ihr für den *Titan* und die *Flegeljahre* zu bewahren. Die Anreden an die Leserinnen hörten mit dem 1. Band des *Titan* auf (letzte Beispiele Hanser III, 82, 281, 297); Giannozzo machte sich im Anhang zum *Titan* über den "aus *Feucht*-Wangen gebürtigen Jean Paul" (Hanser III, 945) und sein Mitleid mit den Frauen lustig; Vult in den *Flegeljahren* benutzte Richters Sentenz: "Die Weiber haben grössere Schmerzen als die, worüber sie weinen" (2. Abt. V, 103), um die Kaufmannstochter Raphaela zu charakterisieren, die erste Parodie einer *Hesperus*-Leserin: "Wenn ich den Unglücklichen höre, zumal im Adagio, ich freue mich darauf, ich weiß, da 'sammlen sich alle gefangnen Tränen um mein Herz', ich denke an den blinden Julius im Hesperus, und Tränen begießen die Freudenblumen" (Hanser II, 743 f.). Die Redensart stammt aus dem *Hesperus*, wie der Autor ironisch bemerkt; Vults Blindheit ist vorgeschützt, um mehr Publikum für sein Flötenkonzert anzulocken.

Richter machte es also den Leserinnen nicht mehr so leicht, sich einzufühlen und zu identifizieren; auch dankten es ihm die Frauen nicht. Daß Charlotte von Kalb ihr Ebenbild, die Linda, "innig haßte" (Nerrlich, 81) und nur widerwillig die Bedeutung des *Titan* zugab, ist verständlich; typischer ist Esther Bernards Reaktion vom 1. Juni 1800: "Wissen Sie, daß mich auch *Titan* nicht dem *Hesperus* untreu machen kann? Es war meine *erste* Liebe" (Denkw. III, 56).

Die beiden letzten Bände, auf die Richter besonders
stolz war, fanden am wenigsten Echo.[53] Eine Ausnahme
bildete vor allem das Haus Herder, wo man den eigenen
Geist wiederfinden konnte,[54] und wo die Tochter Luise
den *Titan* förmlich verschlang. Noch enthusiastischer
war das Lob der inzwischen verwitweten Karoline Herder über die *Flegeljahre*. Sie schrieb am 2. Mai
1806: "Ach was ist das für eine Welt- und Menschen-
und Herzens- und Geistesgeschichte! Luise und ich
meinen, es sei Ihr vortrefflichstes Buch" (Wht. VII,
87). "Wir lieben und zürnen mit Walt und Vult." Und
Karoline nahm ganz Partei für den unschuldigen Walt
und seine "himmlisch poetische Natur." Am 21. Mai
1809 schrieb sie noch einmal: "Wir sehnen uns sehr
nach den Flegeljahren, wir bitten um den 5. 6. 7. und
8. Theil herzlichst" (Denkw. III, 197).

Im allgemeinen jedoch sprachen Walt, Vult und Wina
die Leserinnen wenig an. Selbst Charlotte von Kalb,
die doch sachlich und verständnisvoll sein konnte,
meinte: "Das Buch kommt mir vor wie mancherlei Bilder, mittelmäßig und gut und herrlich, die an einem
Gold-, Seide- und Wergfaden gereiht sind" (Nerrlich,
102; 27. Juli 1804). Ausgerechnet gegen den "Flegel"
Walt war sie mißtrauisch: "...aber der Flegel ist
keiner, weiß nicht, ob er ein Mensch, ein Engel, ein
Flegel oder Satanas werden möchte. Wegen seiner un-
ruhigen Begierde, sich in alles zu denken und zu fühlen, glaube ich, hat er am meisten Neigung zu dem
letzten, nämlich zur Versuchung" (Nerrlich, 102). Es
gehört allerhand dazu, in Walt (und nicht Vult) Roquairol zu entdecken; dazu mußte man wohl den Autor
zu gut kennen. Hier war die Grenze von Charlottes
Urteilsvermögen; hier war die Kehrseite der Begeisterung der Leserinnen: es schien unmöglich, von der
Person des "Jean Paul" zu abstrahieren, als er selbst
sich distanzierte und die Geschichte selbst sprechen
lassen wollte.

In der *Vorschule der Ästhetik*, die ihm nicht für
Leserinnen geeignet schien, machte er sich denn auch
über das verständnislose Lesen der Frauen lustig
(Hanser V, 206), und in der 2. Auflage des *Siebenkäs*
von 1817 ließ er diesen sagen: "Die Weiber, wiederholte er, 'verstehen alles von weitem und fernen und
verschleifen daher eine Zeit, die besser anzuwenden
ist, mit keinen langen Einholungen von Urteln über
die ihnen unverständlichen Wörter'" (Hanser II, 165).

Richter dachte dabei an etwas Bestimmtes. Die
schwierigen Wörter und entlegenen Anspielungen hatten
Karl Reinhold auf die Idee gebracht, "Wörterbücher"
zu Richters Werken zusammenzustellen. Das *Wörterbuch
zu Jean Pauls Levana* von 1811 hatte jedoch keinen Absatz gefunden. "Indes ist dieser Umstand doch etwas
verdrießlicher für das 'Wörterbuch zu Jean Pauls Levana' und halb für mich" (Hanser II, 165). Richter
hatte vor allem die Leserinnen im Auge, wie er am 25.
August 1808 an Reinhold schrieb: "Der Anfang des
Wörterbuchs mit der Levana ist sehr recht; denn Weiber eben bedürfen es am meisten. So könnten Sie früher für den Hesperus als die doch mehr für Unsers
Gleichen geschriebene Vorschule ein Bändchen geben"
(3. Abt. V, 230, entspr. am 5. November 1808, 3. Abt.
V, 244). *Levana* fand in der Tat viele begeisterte
Leserinnen, und dieses Mal sprach Karoline Herder eine allgemeine Reaktion aus, wenn sie am 20. März 1807
schrieb: "Luise lebt ganz mit Ihnen. Ihre Levana
geht ihr über Alles und o wie selig sind wir Beide,
von diesem wahren Religionsbuch sprechen zu können"
(Denkw. III, 141). Doch unerwarteterweise fand auch
die *Vorschule* viele Leserinnen. Charlotte von Kalb
war besonders angetan (Nerrlich, 102). *Levana* lud
allerdings besonders dazu ein, als eine Reihe von
Aphorismen gelesen zu werden, und größer als der Erfolg seiner Werke war der der "Chresthomatie," einer
Blütenlese aus seinen Schriften, deren Lektüre er
noch bei seinem Besuch in München der Königin von Bayern auszureden versuchte (3. Abt. VIII, 40).[55]
War Richters allgemeine Erfahrung, daß Leserinnen
eher "schöne Stellen" suchten als das Verständnis eines ganzen Werkes, so erkannte er doch an, daß einzelne Frauen die Grenzen der weiblichen Natur, wie er
sie sich vorstellte, überschreiten konnten. So be-
merkte er: "Weiber, die Vorreden lesen, sind nie gemeine" (2. Abt. V, 186) und gab diesen Zug seiner bedeutendsten Frauengestalt Linda im *Titan* (Hanser III,
634). Die passiven Genies der *Vorschule* sind "weiblich," ihnen fehlt "Besonnenheit," d.h. die Fähigkeit, sich selbst zu sehen und zu analysieren. "Ein
Mann hat zwei Ich, eine Frau nur eines und bedarf des
fremden, um ihres zu sehen. Aus diesem weiblichen
Mangel an Selbstgesprächen und Selbstverdoppelung erklären sich die meisten Nach- und Vorteile der weiblichen Natur" (*Levana*, Hanser V, 684). Bei Frauen

ist eher das Leben poetisch als das Werk, sie sind
mehr "Gedicht" als Dichterinnen, ihre Briefe sind ihre eigentlichen Werke (2. Abt. V, 233).

Richter sah klar, wie schwer es für außergewöhnliche Frauen sein mußte, sich durchzusetzen: "Wieviel
Genies mögen erst unter dem weiblichen Pöbel verloren
gehen, da doch die männlichen einige Mittel der Em-
porhebung haben" (2. Abt. V, 396). Trotz der ironi-
schen "Nachlesung an die Dichtinnen" in der *Vorschule* (Hanser V, 433 ff.) wußte Richter Werke von
Schriftstellerinnen durchaus zu schätzen. Er erklärte Amalie Imhof zu einer wahren Dichterin, er fand
Karoline von Wolzogen sympathisch und lobte *Agnes von
Lilien*,[56] er erwähnte Julie von Krüdeners *Valerie*[57]
und lobte und besprach vor allem die Werke der Frau
de Staël,[58] die er der genialen Linda zuordnete (Hanser III, 634). Allerdings mit Einschränkung: "Weiber können keinen Herkules zeichnen, sooft er ihnen
auch unter dem Spinnen sitze, sondern leichter eine
kräftige Frau, so ist in der genialen Delphine nur
die Heldin eine, der Held aber keiner; so ebenfalls
in der idealen Valerie" (Hanser V, 213).

Im allgemeinen erwartete Richter jedoch von den
Frauen, daß sie Leben und Poesie vermischten, nämlich
Literatur als Wirklichkeit auffaßten und das Leben zu
"romantisieren" versuchten. Er wandte sich besonders
an unbefriedigte, trostbedürftige Frauen, von denen
es zumal in den oberen Schichten der Gesellschaft
viele gegeben haben muß, zumindest viele, die sich
für trostbedürftig hielten und sei es auch nur der
sentimentalen Mode folgend. Die Empfänglichkeit für
Bücher wie den *Hesperus* war durch frühe Leseerlebnis-
se vorgeprägt, in denen *Clarissa* oder das *Fräulein
von Sternheim* als Dokumente des Lebens erschienen.[59]
Im Falle Richters traf eine solche Tendenz der Leserinnen zusammen mit seiner anfänglichen Neigung, seine Gestalten als Vorausnahme des Lebens anzusehen und
Klotilde, Natalie und Hermine ebenso ins Leben zu
übertragen wie die Figur des Jean Paul. Seine Bücher
wurden Briefe an Unbekannte, die er in die Welt
schickte.

Der *Hesperus* schien anfangs wirklich Zauberwirkung
auszuüben, aber indem das Buch die Tür zur Freundschaft mit bedeutenden Menschen öffnete, mußte es zum
Zusammenstoß des Ideals und der Wirklichkeit kommen.
Richters Vorstellung einer schwärmerisch-platonischen

236

Seelengemeinschaft hielt vor den konkreten Wünschen der Frauen und den Forderungen einer realen Ehe nicht stand. In diesem Spannungsfeld der Wünsche, Erwartungen, Erfahrungen und Enttäuschungen entstanden die sehr persönlichen "Zwischenwerke" von den *Palingenesien* bis zu *Jean Pauls Briefe*; die Summe seiner Anregungen und Erfahrungen zog er in *Titan* und *Flegeljahre*. Vor diesem letzten Schritt der Problematisierung und Selbstkritik[60] machten die meisten Leserinnen halt; sie blieben lieber bei den sublimen Ideen und idealen Figuren des *Hesperus*, *Kampaner Thals* und von *Jean Pauls Briefe*. Erst die *Levana* und die *Vorschule* gewannen die Leserinnen zurück; der Verkaufserfolg von Richters Werken stimmt weitgehend mit dem Anteil der Leserinnen überein, vielleicht mit Ausnahme von Spätwerken wie *Katzenberger*.

Mit dem Abbruch der *Flegeljahre* begann eine Periode in Richters Leben, die hier nicht behandelt werden muß,[61] da sie in der Beziehung zu den Leserinnen keine wesentlich neuen Aspekte mehr brachte. Richter blieb als Journalist ein "Damenschriftsteller;" aber seine wichtigeren Spätwerke entfernten sich in ihrer resignierten Satire von den Leserinnen. Der *Hesperus* kann demnach als der Höhepunkt seines Werks für die Leserinnen aufgefaßt werden: er schuf eine ideale Romanwelt, über die hinaus eine Steigerung kaum denkbar war. Richters mächtigem Bedürfnis, das Ideal in die Wirlichkeit hineinzuzwingen, entsprach ein oft süchtiges Lesen und eine, wenn auch nicht zahlenmäßig allzu große, so doch höchst persönlich angesprochene und begeisterte Schar von Leserinnen, die begierig war, in Richter ihren Jean Paul zu finden. In der Begegnung mit diesen Frauen im Spielraum zwischen literarischer Phantasie und häuslicher Wirklichkeit entstanden die Werke bis zu den *Flegeljahren*. In seinen Urteilen über die Leserinnen, in den Erwartungen und Reaktionen der Leserinnen finden wir zeittypische Verhältnisse, wenn auch extrem; in der Verflechtung von Leben und Literatur geht Richter über das Zeittypische hinaus. Aus dieser Spannung zwischen Bücherwelt und wirklicher Welt, intendierter und erfolgter Wirkung wäre jetzt eine angemessene Beurteilung der Frauengestalten in den Werken möglich.

1 Esther Bernard an Richter, 16. Sept. 1800; *Denkwürdigkeiten aus dem Leben von Jean Paul Friedrich Richter*, hrsg. von Ernst Förster (München: E. A. Fleischmann, 1863), III, 63. Zitiert als "Denkw.," Bd. mit römischen, S. mit arabischen Zahlen.

2 Theodor Langenmaier, "Jean Paul und die Frauen," *Hesperus-Blätter der Jean-Paul-Gesellschaft*, 15 (1958), 1-19, befaßt sich vor allem mit der Biographie Richters.

3 Eduard Berend, "Karoline von Feuchtersleben," *Jahrbuch der Sammlung Kippenberg*, 2 (1922), 113-57; Albert Béguin, "Une Amie Française de Jean Paul, Madame de Monbart (Josephine de Sydow)," *Revue de Littérature Comparée*, 15 (1935), 30-59; ferner die unten zitierten Briefausgaben.

4 Josefine Zell, "Die Darstellung der Frau in den Romanen Jean Pauls." Diss. (masch.) Freiburg, 1950, ist die einzige umfassende Darstellung. Uwe Schweikert, *Jean Paul*, Sammlung Metzler, 91 (Stuttgart: Metzler, 1970), hat das Stichwort "Frau" oder "Frauengestalten" nicht.

5 Stefan George, *Werke in zwei Bänden* (Düsseldorf/München: H. Küpper, 1968), 2. Aufl., I, 514.

6 Eduard Berend, "War Jean Paul der meistgelesene Schriftsteller seiner Zeit?" *Hesperus*, 22 (1961), 4-12.

7 Selbst dort, wo die Modelle offensichtlich sind: der alte Oerthel und Roeper, Richters Mutter und Lenette, Charlotte von Kalb und Linda, ist wenig über die Gestalt im Kontext des Romans gesagt, ebenso wenn der Viktor-Flamin-Konflikt auf die Eifersucht zwischen Richter und Otto wegen Amöne zurückgeführt wird; vgl. Hans Bach, *Jean Pauls Hesperus* (1929; Reprint, New York: Johnson, 1970).

8 *Wahrheit aus Jean Paul's Leben*, hrsg. von Christian Otto und Ernst Förster (Breslau: Josef Max, 1826-33), 8 Bde., zit. "Wht."

9 Vgl. die Vorarbeiten bei Karl Freye, *Jean Pauls Flegeljahre. Materialien und Untersuchungen* (Berlin: Mayer & Müller, 1907).

10 "Mein Charakter ist Klarheit und Besonnenheit durch alle Verhältnisse hindurch, mitten unter allen starken Gefühlen" (Wht. II, 59; ähnlich 58).

11 Zitate aus Jean Pauls Werken entweder nach *Sämtliche Werke*, hist.-krit. Ausgabe, 1. Abt. *Werke* zit. mit Bd. u. S., 2. Abt. *Nachlaß*, zit. "2. Abt.," 3. Abt. *Briefe*, zit. "3. Abt."; oder

nach Jean Paul, *Werke* (München: Carl Hanser, 1970 ff.), zit. "Hanser."

12 Vgl. vor allem Uwe Schweikert, *Jean Pauls Komet. Selbstparodie der Kunst* (Stuttgart: Metzler, 1971).

13 Rolf Engelsing, *Der Bürger als Leser. Lesergeschichte in Deutschland 1500-1800* (Stuttgart: Metzler, 1974), bes. 322-30.

14 Briefe vom 22. u. 23. Aug., 14. Sept., 14. Okt. und 21. Nov. 1783; 3. Abt. I, 106-11.

15 Vgl. mein Buch *Erfolglosigkeit. Zum Frühwerk Jean Pauls* (München: Fink, 1977), bes. 140.

16 "In den Bordellen liegen viele *Von's* begraben" (Hanser, 2. Abt. I, 440) wurde z.B. zu "Gewisse Häuser--diese wahren Kirchhöfe von tausend adeligen *Von's*--mag ich gar nicht nennen" (I, 74).

17 Seit der Leipziger Studentenzeit trug Richter keinen Zopf mehr und "offene Hemden," und lange Zeit erhielt sich die Erinnerung an den "nackten Richter." Sogar Richters toleranter Wohltäter, Pfarrer Vogel in Rehau, war schockiert.

18 *Jean Paul und Herder.* Der Briefwechsel Jean Pauls und Karoline Richters mit Herder und der Herderschen Familie in den Jahren 1785 bis 1804, hrsg. von Paul Stapf (Bern/München: Francke, 1959), 10.

19 Dazu *Erfolglosigkeit*, 251-58.

20 Philipp Hausser, *Jean Paul und Bayreuth* (Bayreuth: Emil Mühl, 1969).

21 Extrablätter wie die "Strohkranzrede," "Sind die Weiber Päpstinnen?," "Extrazeilen über die Besuchsbräune," ferner die satirische Beschreibung von Unter- und Oberscheerau, der erste Sektor und die Beschreibung der Hofgesellschaft im 29. und 30. Sektor.

22 *Erfolglosigkeit*, 294-7.

23 Ulrich Profitlich, *Der seelige Leser. Untersuchungen zur Dichtungstheorie Jean Pauls*, Bonner Arbeiten zur deutschen Literatur 18 (Bonn: Bouvier, 1968), bes. 20 f.

24 An Christian Otto, 16. Mai 1799, 3. Abt. III, 65; 2. Abt. V, 289 u. Anm. 523.

25 Ein Beispiel ist Richters Briefwechsel mit dem Ehepaar Friedlaender in Königsberg; der erste Brief vom 8. Mai 1799 spendete Trost beim Tod ihres Kindes; 3. Abt. III, 188-90.

26 Hans Bach, Einl. zu SW III, S. XXXIX.

27 Denkw. III, 30. Seit den Arbeiten Nerrlichs und Berends ist bekannt, wie unzuverlässig die Wiedergabe der Dokumente in *Wahrheit* und *Denkwürdigkeiten* ist; für den vorliegenden Zweck sind jedoch die Daten nicht wesentlich; es handelt sich auch nicht um "peinliche" Stellen, die gemildert worden sind.

28 "Jean Pauls Locken," in: "Jean Paul in der Anekdote," *Hesperus*, 15 (1958), 57 f.

29 "Jean Paul in der Anekdote," 56 f.; Briefe an Karoline Richter 3. Abt. VIII, 172-5, 178-80, 181-3.

30 Berend, "War Jean Paul...?" 8; bis zum *Titan* hatte Richter nicht die Auflagenhöhe vertraglich festgelegt, die Höhe der Erstauflage des *Hesperus* ist also nicht sicher. Wenn sie groß gewesen wäre, hätte es sicher, wie Berend argumentiert, Nachdrucke gegeben.

31 Rolf Engelsing, *Analphabetentum und Lektüre* (Stuttgart: Metzler, 1975), 56 f.; nach Engelsing (59) rechnete Richter mit 300 000 potenziellen Lesern, von denen er also bestenfalls ein Fünftel erreichte.

32 *Jean Pauls Persönlichkeit in Berichten der Zeitgenossen*, hrsg. von Eduard Berend (Berlin/Weimar: Akademie-Verlag, 1956), zit. "Persönlichkeit."

33 *Briefe der Charlotte von Kalb an Jean Paul und dessen Gattin*, hrsg. von Paul Nerrlich (Berlin: Weidmannsche Buchhandlung, 1882), zit. "Nerrlich."

34 Ida Boy-Ed, *Charlotte von Kalb. Eine psychologische Studie* (Stuttgart/Berlin: J. G. Cotta, 1920), 47 f.

35 Boy-Ed, 17; Engelsing, *Der Bürger als Leser*, 307, 315.

36 An Christian Otto, 17. Juni 1796, 3. Abt. II, 212. "Wieland war des höhnischen Dafürhaltens, Flachsenfingen liege in Deutschland sehr zerstreuet."

37 Heinrich Düntzer, *Charlotte von Stein, Goethe's Freundin* (Stuttgart: J. G. Cotta, 1874), II, 36, 48, 101, 105.

38 Dazu auch das Urteil der Bremerin Meta Post bei Engelsing, *Der Bürger als Leser*, 326.

39 Einl. von Paul Nerrlich zu *Briefe von Charlotte von Kalb*, S. VI.

40 Walther Harich, *Jean Paul* (1925; Reprint, New York: AMS Press, 1971), 507.

41 Zit. nach der 1. Aufl. der *Briefe Jean Pauls*, hrsg. von
Eduard Berend (München: Georg Müller, 1926), Bd. IV.

42 Nerrlich, S. VI; Harich, 506 f.

43 Mai 1800; 3. Abt. III, 571.

44 Sophie von Brüningh schrieb Richter am 18. Juli 1799: "Sie
sagen nichts von Ihren gedruckten Briefen: so sag ich Ihnen,
daß dieß Buch so vorzüglich, so durchdacht und vollendet ist,
daß ich gewiß glaube, Sie werden sogar die Recensenten wo nicht
gewinnen, doch wenigstens nöthigen, sich in Zukunft vor Ihnen
tiefer zu geugen" (Wht. VI, 97). Karoline Herder schrieb am 10.
Dezember 1798: "Ach, das Testament an Ihre Töchter ist ein hei-
liges Testament. Ich und die meinigen gehören unter Ihre Töchter" (*Jean Paul und Herder*, 39).

45 3. Abt. III, 237; Berend, "Karoline von Feuchtersleben,"
115; ein Gedicht von Hermine an Victor, S. 124.

46 Karoline an Richter, 31. März 1800 (Denkw. II, 247); sie
machte sich Sorgen, "Du habest meine Liebe zu früh gesehen."

47 Franz Ilwof, "Jean Paul und Karoline von Feuchtersleben,"
Euphorion, 11 (1904), 493-503, bringt den Briefwechsel der Familie, besonders unter den Brüdern.

48 Berend, "Karoline von Feuchtersleben," 129.

49 Düntzer, II, 18-22, über ihre Tragödie *Dido*.

50 Denkw. II, 143; vgl. Albert Béguin, "Une Amie Française de
Jean Paul," 30.

51 Dorothea Berger, *Jean Paul und Frau von Krüdener im Spiegel
ihres Briefwechsels* (Wiesbaden: Limes Verlag, 1957).

52 *Jean Pauls Briefwechsel mit seiner Frau und Christian Otto*,
hrsg. von Paul Nerrlich (Berlin: Weidmannsche Buchhandlung,
1902), 215.

53 E. Berend, Einl. zu SW VIII, S. LXXX, u. Einl. zu SW X, S.
LXVII, ferner ders., "War Jean Paul...," 12.

54 Dazu nach den verschiedenen Darstellungen Max Kommerells
neuerdings Peter W. Nutting," Jean Paul and the Rise of Humor."
Diss. (masch.), Univ. of California, Berkeley, 1978, 116-32.

55 Das Werk heißt *Jean Pauls Geist oder Chresthomatie der vorzüglichsten, kräftigsten und gelungensten Stellen aus seinen
sämtlichen Schriften*; dazu Peter Horst Neumann, "Das Schaf oder
Karl Heinrich Pölitz' Jean Paul Kritik 'mit den Zähnen,'" *Text
und Kritik*, Sonderband Jean Paul (1974), 75-82.

56   3. Abt. III, 92; *Persönlichkeit*, 59.

57   Hanser V, 213, 225, 254. Richter erfüllte allerdings nicht ihren dringenden Wunsch, *Valerie* zu besprechen, vgl. Berger, 50 ff.

58   Margaret R. Higonnet, "Jean Paul Richter: Kunstrichter," *Journal of English and Germanic Philology*, 76 (1977), 471-90, bes. 482-4. Richter bezog nicht nur Linda auf Frau de Staël, sondern auch Charlotte von Kalb, die deren Bücher mit einiger Anerkennung las, vgl. Nerrlich, 20, 138.

59   Christine Touaillon, *Der deutsche Frauenroman des 18. Jahrhunderts* (Wien/Leipzig: Wilhelm Braumüller, 1919), 122.

60   Als Hinweis vgl. Ulrich Profitlich, "Risiken der Romanlektüre als Romanthema. Zu Jean Pauls Titan," *Leser und Lesen im 18. Jahrhundert* (Heidelberg: Winter, 1977), 76-82.

61   Dazu meine Diss. (masch.) Freiburg 1955, "Das Problem der Wirklichkeit im Spätwerk Jean Pauls;" vom Biographischen her Heidemarie Bade, "Biographische Marginalien zum alten Jean Paul," *Jahrbuch der Jean-Paul-Gesellschaft*, 9 (1974), 63-78.

10.

BARBARA BECKER-CANTARINO

(SOZIAL)GESCHICHTE DER FRAU IN DEUTSCHLAND,
1500-1800.
EIN FORSCHUNGSBERICHT.

I.
Zur Aufgabe und Problematik:
Frauenbilder, Gesichts- und Geschichtslosigkeit
der Frau.

"Um die Literatur von Frauen angemessen beurteilen
zu können, ist es wichtig, die Bedingungen zu kennen,
unter denen sie geschrieben haben und unter denen sie
gelesen wurden. Es ist daher die Bildungs- und Sozialgeschichte ebenso zu berücksichtigen wie die
Struktur des literarischen Lebens," konstatiert Gisela Brinker-Gabler in der Einleitung zu ihrer Anthologie *Deutsche Dichterinnen vom 16. Jahrhundert bis zur
Gegenwart* (1978),[1] in der sie selbst einen ersten,
informativen Überblick über sozialgeschichtliche Einflüsse und Wechselwirkungen für die literarische Tätigkeit von Frauen gibt. Ihre Ausführungen für den
Zeitraum von der Reformation zur Romantik müssen
ebenso wie der einleitende Aufsatz von Gabriele Bek-
ker u. a. "Zum kulturellen Bild und zur realen Situation der Frau im Mittelalter und in der frühen Neuzeit" (in *Aus der Zeit der Verzweiflung*, 1977) notge-
drungen skizzenhaft und unvollständig bleiben, da es
keine nennenswerte, umfassende Arbeit zur Sozialgeschichte der Frau in Deutschland gibt. Sozialgeschichtliche Grundlagen sind aber, wie Gisela Brinker-Gabler zurecht betont und wie die zahlreichen Untersuchungen aus dem anglo-amerikanischen Forschungs-
bereich der "women's studies" gezeigt haben, eine
wichtige, vielleicht die wichtigste Voraussetzung, um
den Komplex "Frau und Literatur," d.h. das Bild der
Frau in der Literatur und das literarische Schaffen
von Frauen, zu untersuchen, neu zu durchdenken und
adäquat zu verstehen. Ein solches Verstehen darf

nicht nur in einer Reduktion auf spezifisch weibliche
Leistungen bestehen, sondern sollte mit der Integra-
tion in die Literaturgeschichte zu einem veränderten
Verständnis und Wertung der etablierten Literaturtra-
dition führen.[2]

So versteht sich dieser Forschungsbericht als ein
erster Anfang, eine Grundlage für die dringend benötigte Sozialgeschichte der Frau. Die Forschung wird
daher mit besonderer Blickrichtung auf die ebenfalls
noch zu erarbeitende Geschichte der von Frauen verfaßten Literatur vorgestellt,[3] und es wird Arbeiten,
die für die Bildung und für die (im weitesten Sinne)
literarischen Äußerungen von Frauen aufschlußreich
sein können, besondere Aufmerksamkeit geschenkt. Dabei kommt es nicht auf eine vollständige Erfassung
und lediglich referierende Darstellung von Sekundärliteratur an; vielmehr soll das Wichtige und Charakteristische aufgezeigt und kritisch beleuchtet werden, zugleich auf viele offene Fragen und wenig er-
forschte Gebiete hingewiesen werden. Vergleichende
Ausblicke auf die ähnliche, aber keineswegs gleichar-
tige Situation in Frankreich und England sind dabei
ebenso wichtig wie Hinweise auf Forschungsansätze und
-ergebnisse aus diesen Ländern und aus der amerikanischen Forschung.

Die Sozialgeschichte der Frau ist ein problembe-
frachtetes Thema. Viele Studien legen bewußt oder
auch unabsichtlich ein vorgefaßtes Frauenbild zugrunde, eine an Ideologie, Mythen, religiöse oder psychologische Doktrin gebundene Vorstellung, d.h. eine auf
einem Kanon von geschlechtsspezifischen Eigenschaften
beruhende Konzeption von dem, was eine Frau ist (oder
sein sollte). Diese Studien gruppieren, interpretieren oder werten dann das Material in solcher Weise,
um ihr eigenes Bild damit zu bestätigen. So verfährt
aus katholischer Sicht Josef Mörsdorf, *Gestaltwandel
des Frauenbildes und Frauenberufes* (1958), dessen
breite und viel benutzte Untersuchung vermeintlich
das historisch-kulturgeschichtliche Material sichtet,
in der Anlage und Intention aber das christliche
Frau-Mutter-Ideal aus katholischer Sicht bestätigen
möchte. Innerhalb des Rahmens eines geschlechtsspezifischen Frauenbildes der Klassik und Romantik, das
der Hauptgegenstand der Untersuchung selbst ist, operiert auch die materialreiche, in der Germanistik
überaus wirkungsvolle und geschätzte Arbeit von Paul

Kluckhohn, *Die Auffassung der Liebe in der Literatur
des 18. Jahrhunderts und in der deutschen Romantik*
(1922)--und in ihrem Gefolge die meisten Liebe-[4] und
viele Frauenbilduntersuchungen[5] der Germanistik, wenn
Blickrichtung und Wertung auf die liebevolle (Ehe)-
Partnerin oder Freundin zielen. Für das 18. Jahrhundert hat nun (mit Hinweisen auf anthropologische Vorstellungen des 20. Jahrhunderts) Silvia Bovenschen,
Die imaginierte Weiblichkeit (1979) kritisch die
männlich normierte Darstellung der Frau in der Literatur, Ästhetik und Philosophie untersucht. Bovenschen macht es sich zum Ziel, was selten eine germanistische Untersuchung zum Thema Frauenbild überhaupt
als Problem wahrnimmt, die Präsentationsformen des
Weiblichen im literarischen Diskurs als solche zu
eruieren, auf ihren Stellenwert zu befragen und von
den realen, historischen Erscheinungen zu trennen
oder sie mit diesen zu konfrontieren. Zurecht kritisiert Bovenschen eine Methode wie die von Hans Mayers
Außenseiter (1975), wenn Frauen neben Juden und Homo-
sexuellen im Rahmen einer Aufklärungsphilosophie als
Außenseiter thematisiert werden und Reales und Weiblichkeitsvorstellungen aus der von Männern geschaffenen und beherrschten literarischen Tradition ständig
vermischt werden.

Über die in der Forschung, Lehre und Öffentlichkeit wirksamen Versuche, eine "Weiblichkeit" ge-
schlechtsspezifisch oder ideologisch festzulegen,
gibt es die ausgezeichnete, umfassende Darstellung
von Viola Klein, *The Feminine Character. History of
an Ideology* (1946), die auf sozialgeschichtlicher
Grundlage die spekulativen Weiblichkeitsvorstellungen
philosophischer, religiöser und psychologischer Sy-
steme analysiert. Kleins sachliche Arbeit war eine
ernsthafte, wissenschaftliche Replik auf das antifeministische Grundkonzept der Freudschen Psychoanalyse (inzwischen gibt es eine ganze Literatur mit ex-
perimentellen Daten darüber).[6] Nachhaltige Wirkung
ging auch von Otto Weiningers die Frau diffamieren-
dem, populärphilosophischen Bestseller *Geschlecht und
Charakter* (1903) aus, der die deutsche Öffentlichkeit, Literatur[7] und (viel begrenzter) die Literaturgeschichte und historische Forschung zum Thema "Frau"
nachhaltig beeinflußt hat. Ein Forschungsbericht zur
Sozialgeschichte der Frau muß also auf diese wie auch
immer begründeten, vorgefaßten Weiblichkeitsvorstel-

lungen, die viele Autoren in ihre wissenschaftliche
Untersuchung mit hineintragen, eingehen.

Zu diesem Problem der geschlechtsspezifischen Vorstellungen kommt ein zweites, das mit diesen Weiblichkeitsvorstellungen zusammenhängt und diese vielfach hervorgebracht hat: Es ist die *Gesichts-* und
Geschichtslosigkeit der Frau in der Öffentlichkeit
und in der historischen Tradition, während von Männern geschaffene, widersprüchliche Mythen und Typi-
sierungen ihr Leben sowie ihre Präsentationsformen in
Literatur und Geschichte weitgehend bestimmt haben.[8]

Mit *Gesichtslosigkeit* meine ich die (abgesehen von
einigen Ausnahmen) fehlende Eigenständigkeit von
Frauen besonders außerhalb aber auch innerhalb des
"ganzen Hauses" in der Ehefrau- und Mutterrolle, einer Rolle, die nicht öffentlich, nicht politisch, ohne individuelle kulturschaffende Funktion und damit
weitgehend ohne historische Dokumentation geblieben
ist. Die Stellung der Frau war rechtlich und ökono-
misch völlig abhängig von der des Ehemannes; ihr Wirken ganz auf das Wohl der Familie, d.h. des Mannes
und der Kinder ausgerichtet, ohne daß sie dabei ihre
eigene Persönlichkeit weiterentwickeln, eigene,
nicht an Ehefrau- und Mutterrolle gebundene Interessen verfolgen konnte. Die Frau konnte kein eigenes
Gesicht haben; ihr Wesen wurde durch ihre Funktion in
der Familie festgelegt; nur durch andere konnte sie
wirken. Sie gehörte der kollektiven Gattung der
"Hausmütter" an und erst die langsame Öffnung von
Bildung und Erziehung für Frauen im 18. Jahrhundert
verlieh Frauen ein Gesicht: Frauen konnten individuelle Konturen annehmen, mit ihrer durch Bildung ge-
wonnenen, geistigen Verselbständigung konnten Frauen
sich zum bewußten Individuum mit individuellen Ansprüchen und Leistungen entwickeln.

Daß es natürlich Ausnahmen bei außergewöhnlich begabten und zugleich begüterten Frauen gab, wie der
Aufsatz zur Maria Sibylla Merian im vorliegenden Band
bezeugt, unterstreicht nur die Tatsache, daß die ganz
große Masse von Frauen als schweigende Mehrheit im
"ganzen Hause" ihr Leben fristeten. Noch in Lessings
Generation ist der Unterschied an geistiger Bildung
zwischen Mann und Frau eklatant, wenn man z.B. das
gefeilte Deutsch der Briefe Gotthold Ephraims gegen
die durch miserable Orthographie und falsche Gramma-
tik verstümmelten, hungrigen Bittbriefe seiner

246

Schwester Dorothea Salome hält. Dieser himmelweite
Unterschied läßt sich nicht allein mit der unterschiedlichen Begabung der beiden Geschwister erklären, sondern dadurch, daß die Familie des Hauptpa-
stors von Kamenz für die geistige und berufliche Ausbildung der Söhne sich verschuldete und hungerte, für
die geistige Bildung der Töchter aber nichts tun
wollte oder konnte, so daß Dorothea später als alte
Jungfer ohne Lebensunterhalt für sich und ihre ver-
wittwete und kränkliche Mutter den berühmten Bruder
(und ihre anderen Brüder, die alle die Universität
besucht hatten) um Geld anbetteln mußte, um nicht zu
verhungern.

Wie problematisch und umstritten die Bildung für
Frauen und das Auftauchen weiblicher Individualität
aus dem Kollektiv der Familie wurde, dieses Verlas-
sen-Wollen von "Schattenexistenz und Bilderreichtum,"[9]
zeigen die zahlreichen Definitionsversuche des "weiblichen Geschlechts," die fast ausschließlich von
männlichen Autoren von Pockels bis Humboldt zu Ende
des 18. Jahrhunderts verfaßt wurden. Diese Definitionsversuche enden mit der (von Männern vorgenomme-
nen von Frauen zunächst *nolens volens* weitgehend akzeptierten) Bestimmung eines weiblichen Geschlechtscharakters in der Romantik; der Frau werden nun verbindlich bestimmte psychologische und moralische
Merkmale zugesprochen, die angeblich mit ihren biolo-
gischen Anlagen korrespondieren sollen: Liebe, Güte,
Gefühl, Rezeptivität, Religiosität, Passivität,
Selbstverleugnung, Hilfsbereitsschaft, Tugend, Anmut,
Schönheit. Daß diese romantische Bestimmung eines
weiblichen Geschlechtscharakters (mit Variationen) in
der Germanistik dominiert hat und bis heute noch Spuren hinterläßt, sei nur am Rande bemerkt.[10]

Mit der *Geschichtslosigkeit*[11] der Frau in unserem
Zeitraum bezeichne ich geringe historische Dokumentation zum Wirkungskreis von Frauen und insbesondere
den völligen Ausschluß von Frauen aus der Geschichtsschreibung. Frauen nahmen nicht am öffentlich-politischen Leben teil (für Maria Theresia schaffte erst
die vielumstrittene pragmatische Sanktion die Ausnah-
meregelung), seitdem die Reformation sie domestiziert
und ihnen als einzigen Platz den der "Hausmutter" zugewiesen hatte. Solange politische Geschichte allein
das Forschungsobjekt der Geschichtsschreibung war,
solange Frauen aus Politik und Öffentlichkeit ausge-

schlossen waren und am offiziellen Kulturleben nicht
beteiligt waren, konnte der Lebensbereich der Frau
keine Beachtung finden. Das Wirken der Frau als
"Hausmutter" aber, sowie ihre indirekte und andersar-
tige Tätigkeit wurden von der Geschichtsschreibung
überhaupt nicht zur Kenntnis genommen. Diese Geschichtslosigkeit wird für den Bereich der Sozialgeschichte im folgenden noch näher zu dokumentieren
sein.

II.

Sozialgeschichten und die Geschichte der Frau.

Wenn die offizielle Geschichtsschreibung mit ihrem
fast ausschließlichen Interesse an der politischen
Geschichte des Mannes am Thema "Frau" vorbeigegangen
ist, so müßte sich der Lebensbereich der Frauen wenigstens in den Sozialgeschichten finden, die als
Destillate erarbeiteter Ergebnisse und aktueller Forschungsansätze zu gelten haben. Das auf historisch-
soziologischer Grundlage konzipierte Werk, *Geschicht-
liche Grundbegriffe. Historisches Lexikon zur poli-
tisch-sozialen Sprache in Deutschland* (1972 ff.)[12]
enthält Stichwörter wie "Arbeiter," "Brüderlichkeit,"
nicht aber "Frau" oder "Feminismus." Im Artikel
"Gleichheit" werden Gleichberechtigung, Frauenwahl-
recht oder Frauenemanzipation nicht erwähnt; im Artikel "Familie" (Bd. II, 253-98) wird ausführlich das
Entstehen des "bürgerlichen" Familienbegriffes beschrieben, das Verhältnis von Eltern und Kindern dargelegt, wobei Eltern weitgehend mit Vater gleichgesetzt werden, die Mutter kaum erwähnt und auf die
Rolle der Frau innerhalb der Familie überhaupt nicht
eingegangen wird. Dieser vollkommene Ausschluß des
Wirkungskreises der Frau, wobei zur gleichen Zeit unter "Mensch" nur der "Mann" verstanden und gesehen
wird, spiegelt die Geschichtslosigkeit der Frau besonders vor dem ausgehenden 18. Jahrhundert.

Ein ganz ähnliches Ergebnis erbringt die Durch-
sicht der Wirtschafts- und Sozialgeschichten. Die
von Hausherr[13] und Bechtel[14] erwähnen die Frau überhaupt nicht; der aus marxistischer Sicht verfaßte
Grundriß von Mottek[15] widmet der Frauenarbeit einen
halben Satz für den Zeitraum von 16. bis zum ausgehenden 18. Jahrhundert. Lütge[16] bezeichnet "Frauen
und Kinder" als "schutzbedürftige Personenkreise"

(S. 312) im Arbeitsprozeß, sonst wird auf Frauen in
unserem Zeitraum nicht einmal hingewiesen. Im *Hand-
buch der deutschen Wirtschafts- und Sozialgeschichte*[17]
findet sich für den Abschnitt "Höfischer Absolutismus
und Gesellschaft im 17. Jahrhundert" einzig der lapi-
dare Satz: "Auch Alchimisten und andere Abenteurer
und ehrgeizige Frauen fanden hier [am Hof] ihre Gelegenheiten...[hier] begannen auch die bargeldschaffen-
den Hofjuden ihre Rolle zu spielen" (S. 575); für das
18. Jahrhundert wird das Mätressenwesen (S. 587) und
die Mädchenbildung (S. 591) mit je drei Zeilen behandelt, wobei das Mätressenwesen als mittelbar an der
"sozialen Hebung zunächst der adligen Frau in der
höfischen Welt des Rokoko" beteiligt angesehen wird.
Erst unter dem Thema "Emanzipationskrise" um 1800
wird der sozialen Stellung der Frau ein Absatz (S.
605-606) gewidmet, in dem die folgenden Themen mit je
einem Satz bedacht werden: ihre Stellung in der Familie, ihr neuer Anspruch auf Bildung, die Errichtung
von höheren Töchterschulen, das Ehe- und Scheidungs-
recht, Theodor Hippel, das Problem von unehelicher
Mutter und Kind, die letzte Hexenverbrennung (1775)
und die Prostitution in den Großstädten. Jedes dieser Themen hätte einer ausführlichen Darstellung be-
durft! An dieser Übersicht wird wiederum das Problem
deutlich, die völlige Verdrängung der Frau auch aus
der Sozialgeschichte. Sie erscheint allenfalls unter
Außenseitern (Alchimisten und Abenteurern) oder pro-
blemhaft als Mätresse, Hexe, mit unehelichem Kind,
als Prostituierte. Keine dieser Rollen wird ernsthaft untersucht und dargestellt, selbst die sozialen
Fragen des Hauses, bzw. der Familie und der Ehe werden übergangen.
     Die Sozialgeschichten spiegeln die einseitig männ-
liche Perspektive und das fast ausschließliche Interesse für Lebensformen des Mannes, wie es ebenfalls
in der Einzelforschung zum Ausdruck kommt. Vorarbeiten zur Sozialgeschichte der Frau gibt es ganz wenige, wie auch Eda Sagarra (S. 406) feststellt, die in
ihrer A *Social History of Germany 1648-1914* (1977)
ein Kapitel (von insgesamt 22) dem Thema "Women in
German Society" (S. 405-22) widmet. Was Sagarra
vielleicht ironisch mit "The Other Half" überschrie-
ben hat, wird auf wenigen Seiten knapp und oberflächlich referiert: der restriktive Einfluß der Kirche,
die patriarchalische Familienstruktur, Lesen und Bil-

dung im 18. Jahrhundert, Frauenschriftstellerinnen
(S. 407-13). Doch ist hier ein Anfang gemacht worden; die von Sagarra angeschnittenen Themen müßten
erweitert, vertieft und an den entsprechenden Stellen
in den Haupttext der Sozialgeschichte integriert werden.

Lediglich einige ältere Darstellungen unter den im
19. Jahrhundert beliebten Sitten- und Kulturgeschich-
ten sind ganz dem Thema "Frau" gewidmet. Johannes
Scherrs *Geschichte der Deutschen Frauenwelt* (1879)
bringt eine leicht lesbare, recht ausführliche Übersicht, die literarische und Briefquellen in den Text
einstreut und problemlos die Themen aneinanderreiht,
wie zum 16. Jahrhundert: "Sitten und Unsitten der
Zeit.--Bildung der Frauen.--Ihre Beteiligung am Re-
formwerk.--Die Frauen und der Cölibat.--...Das Badle-
ben und das 'Beiliegen'.--Die Tanzfreuden.--Frauen-
tracht.--Bäuerisches.--Die bürgerlichen Kreise.--
Hausrath, Küche und Keller.--Eine vornehme Trunken-
boldin....Die Verwelschung unseres Landes.--Der Jesu-
itismus und der Calvinismus" (Bd. 2, Buch III, S. 1-
69). Die Urteile und Vorurteile des 19. Jahrhunderts
werden hier deutlich; die kritiklos zusammengestellte
Materialsammlung wäre längst vergessen, würde nicht
bis heute oft daraus ab- und ausgeschrieben. Diese
Darstellung müßte vielmehr durch historische und sozialgeschichtliche Forschung ersetzt werden, die die
Frau in den Mittelpunkt stellt.

Die *Sozialgeschichte der Frau* (1973) ist lediglich
ein (nicht autorisierter) Reprint von Eduard Fuchs,
Die Frau in der Karikatur (1906).[18] Die kulturhisto-
risch höchst interessanten Karikaturen und der satirische Ton (unter dem eine antifeministische Haltung
verdeckt liegt) in der Behandlung von Themen wie "Des
Weibes Leib ist ein Gedicht" (S. 350-75) oder "Der
Unterrock in der Weltgeschichte" (S. 444-66) zielen
viel eindeutiger, als die meisten Sittengeschichten
der Frau auf ein zugkräfiges Gebiet, die Erotik, wo
die Frau als Sexualobjekt Interesse findet. Es ist
in diesem Zusammenhang erwähnenswert, daß Fuchs' Band
Die Juden in der Karikatur[19] bis jetzt noch nicht unter dem Titel "Sozialgeschichte der Juden" nachge-
druckt worden ist: Hier scheut man sich wohl--zu-
recht--vor dem Vorwurf des Rassismus und der Diskriminierung.

Dagegen ist das literarisch ausgerichtete Werk von

Adalbert von Hanstein, *Die Frauen in der Geschichte
des deutschen Geisteslebens des 18. und 19. Jahrhunderts* (1899-1900) noch immer eine gute und zuverläs-
sige Informationsquelle für die Frau im 18. Jahrhundert. Hanstein behandelt ausführlich Themen wie
Frauenbildung, Gottsched und die moralischen Wochenschriften, studierende Frauen im 18. Jahrhundert, die
Beziehungen der Dichter zu Frauen, Pietismus,
Schriftstellerinnen des 18. Jahrhunderts, das Frauenideal, die Empfindsamen, Fürstinnen und Musenhöfe
(Teil I und II sind einem Band enthalten; der Band
zum 19. Jahrhundert ist nicht erschienen). Aus literarischen Quellen (Biographie, Autobiographie,
Schriften und Dichtungen) stellt Hanstein eine lesbare, mit biographischen Einzelheiten angereicherte
Übersicht über die literarisch-geistige Tätigkeit von
Frauen des 18. Jahrhunderts zusammen. Im Gegensatz
zu vielen populärbiographischen Darstellungen bringt
Hanstein ein--nicht immer modernen Ansprüchen genü-
gendes--Quellenverzeichnis. Seine Übersicht ist ganz
an der traditionellen Literaturgeschichte und deren
Wertung orientiert; man mag bedauern, daß so viel von
den großen und kleinen Dichtern und ihren Beziehungen
zu Frauen die Rede ist, so viel weniger von der Perspektive dieser Frauen und deren Selbstverständnis.
Dennoch ist es noch immer eine grundlegende Darstellung, wie es sie für kein anderes Jahrhundert gibt.
    Verglichen mit Hanstein sind die entsprechenden
Kapitel in der vierbändigen, illustrierten *Histoire
mondiale de la femme* (1965) zu allgemein; das Werk
bietet jedoch eine gute einführende Übersicht über
die einzelnen Epochen und Länder. Die "Reformations-
zeit in Deutschland" (Bd. 2, S. 343-96, von Heinz und
Marianne Stallmann) wird idealisierend-oberflächlich
abgehandelt; für die "Moderne" (Bd. 4, S. 253-84, von
Geneviève Bianquis) schrumpfen 17. und 18. Jahrhundert unter Goetheschen Wertmaßstäben auf knapp drei
Seiten zusammen. Die Betonung dieser Kulturgeschichte liegt auf den "großen Frauen;" es fehlen Genauigkeit
bei historischen Details und sozialgeschichtliche
Entwicklungen in den traditionellen Wertungen dieses
populärhistorischen Werkes.--Zwar anekdotisch aber
mit geschickter Verwendung von Selbstaussagen (Briefstellen, Tagebüchern, Dichtungen) beschreiben Jules
und Edmond Goncourt *Die Frau im 18. Jahrhundert*
(1882; deutsche Übersetzung 1920) das tägliche Leben

von Frauen (besonders in Frankreich) von der Geburt
bis zum Alter. Die Frau als Individuum wird zum Mittelpunkt der Darstellung, ihre "Selbstsuche" und Suche nach "Glück" werden thematisiert. Das vielfach
veraltete, aber realistisch und kritisch auf die verschiedenen weiblichen Lebensphasen und auf Frauen
verschiedener Stände eingehende Werk zeigt, wie der
Rückgriff auf (zumeist literarische) Selbstzeugnisse
von Frauen erstaunliches Material zu Tage fördern und
zu einer veränderten Perspektive in die Darstellung
führen kann, der Perspektive der Frau. Es ist eine
Perspektive, die den deutschen wissenschaftlichen
Darstellungen durchweg fehlt.

Inhaltliche wie methodische Anregungen für die Sozialgeschichte der Frau in Deutschland lassen sich
auch aus Carolyn Lougees Studie *Le Paradis des Femmes*
(1976) gewinnen, die die Stellung der Frau, die Salons und die soziale Schichtung im Frankreich des 17.
Jahrhunderts aufgrund von literarischen Texten und
Traktaten untersucht, deren Aussagen biographische
und sozialgeschichtliche Daten gegenübergestellt werden. Lougee schätzt allerdings die Folgen des Feminismus in Frankreich viel vorsichtiger ein als Ian
MacLean, *Woman Triumphant* (1977), der die feministische Diskussion in der Literatur breit und unkritisch
darstellt, während jetzt Renate Büff, *Ruelle und Realität* (1979)[20] die Literatur mit der außerliterari-
schen Wirklichkeit konfrontiert hat und die konserva-
tiven Züge und Einschränkungen der so emazipatorisch-
progressiv scheinenden Situation im Frankreich des
17. Jahrhunderts aufgezeigt hat.

Eine vergleichende Untersuchung zur Lage der Frau
in England und den amerikanischen Kolonien, die besonders auf die Unterschiede und Ähnlichkeiten der
Lebensbedingungen und -erwartungen der Frau eingeht,
hat Roger Thompson vorgelegt, *Women in Stuart England
and America* (1974). Diese und eine Anzahl ähnlicher
Arbeiten, wie jetzt die informativen Aufsatzbände *Becoming Visible. Women in European History* (1977) und
*What Manner of Woman. Essays on English and American
Life and Literature* (1977), spiegeln die ernsthafte
Beschäftigung mit Frauenthemen in Soziologie, Geschichte und Literatur. Die *Geschichtslosigkeit* der
Frau in Deutschland wäre mit ähnlichen Quellenstudien
und Darstellungen ebenfalls zu beseitigen. Deshalb
sollen im folgenden zu einzelnen Gebieten des weibli-

chen Lebensbereiches in Deutschland von 1500 bis 1800
eine Reihe von differenzierten Untersuchungen und offene Forschungsfragen vorgestellt werden.

III.
"Hausmutter" und Familie.

Nachdem das "ganze Haus" und die "Hausväterliteratur" von Otto Brunner für die Sozialwissenschaften
wiederentdeckt worden sind,[21] und J. Hoffmann die
"Hausväterliteratur" zusammenhängend dargestellt hat,
hat Gotthard Frühsorge nun auch die Rolle der Frau,
der "Hausmutter," anhand der deutschen Ökonomieliteratur vom 16. bis zum 18. Jahrhundert untersucht.[22]
Von der Seinsbestimmung ihres Wesens bis zum Katalog
ihrer Pflichten läßt sich in diesen präskriptiven,
von Männern verfaßten "Lebenshilfe"-Schriften, wie
etwa in der Enzyklopädie des Haushalts von Christian
Friedrich Germershausen, *Die Hausmutter in allen ihren Geschäften* (5 Bände; 1778-81) der Aufgabenbereich
der Hausfrau als Gehilfin des Mannes, die ganz unter
dessen Gehorsam steht, verfolgen. Es ist ein ar-
beitsreicher, monotoner Alltag (mit 16-18 Arbeits-
stunden, da die Frau nie untätig erscheinen durfte),
der für geistige Bildung oder literarische Betätigung
weder Möglichkeit noch Anreiz bot.
Für den Verlauf dieses arbeitsreichen, eingeengten
Alltages zählt die Arbeit von Heinrich Schmidlin, *Arbeit und Stellung der Frau in der Landgutswirtschaft
der Hausväter* (1941) minutiös die weiblichen Aufga-
benbereiche in den einzelnen Wirtschaftszweigen auf
(vom Kochen, Einmachen, Lichte ziehen, Seife kochen,
Spinnen, Weben usw. bis zur Erziehung der Kinder und
Regierung des Gesindes). Ähnlich materialreich ist
die Darstellung von Alwin Schultz, *Das Alltagsleben
einer deutschen Frau zu Anfang des achtzehnten Jahrhunderts* (1890), die aus der "Hausväterliteratur" das
tägliche Leben der Frauen in den Städten herausgele-
sen hat und der "tüchtigen Hausfrau" ins Gedächtnis
rufen möchte.
Einige über die reine Wiedergabe der "Hausväterliteratur" hinausgehende Bemerkungen zum Lebensbereich
der "Hausmutter" bringt Helmut Möller, *Die kleinbürgerliche Familie im 18. Jahrhundert. Verhalten und
Gruppenkultur* (1969), eine umfassende, soziologische
Studie, die jedoch auf die Geschlechterrollen leider

nicht eingeht und in der ausgreifenden Bestandsaufnahme kleinbürgerlicher Gruppenkultur nur die Lebensläufe einer Reihe Männer als typische Einzelvertreter
zugrunde legt. Eine ähnlich angelegte Studie für die
Kleinbürgerin (oder Bürgerin, Adelige, usw.) ließe
sich mit dem vorhandenen Quellenmaterial (Dokumentar-
prosa wie Briefe, Erinnerungen, Verordnungen, Zeit-
schriftenartikel) durchaus für die weiblichen Vertreter der verschiedenen sozialen Schichten erarbeiten
und wäre besonders für die sich ändernden Lebensumstände und -ansprüche der Frau im 18. Jahrhundert
sehr wichtig.

Informativ und auf größere Zusammenhänge gerichtet
ist Ingeborg Weber-Kellermanns volkskundlich-sozial-
geschichtlich orientierte Darstellung *Die deutsche
Familie. Versuch einer Sozialgeschichte* (1974; 1977
in erweiterter Fassung).[23] Anhand von literarischen
Quellen (im weitesten Sinne) werden Einsichten vermittelt und auf den Lebensbereich der Frau besonders
hingewiesen, ohne daß dem Thema entsprechend für unsere Periode detaillierte neue Informationen gegeben
werden können. In dem Kapitel "Frauen und Sexualität
in den Städten" (S. 41-50) wird leider nur auf das
späte Mittelalter eingegangen; für das 16. bis 18.
Jahrhundert werden die Handwerker-, Bürger- und Bau-
ernfamilie charakterisiert, die höfische Kultur wird
nicht berührt. Weber-Kellermann warnt vor der Idealisierung der Familie als Gruppe und der ihrer Träger. Die Familie konnte wohl festes Unterkommen und
sozialen Schutz gewähren, enthielt jedoch keine festen Regelungen von Arbeitszeit oder -lohn (deutlich
erkennbar in der gesellschaftlich und religiös ge-
ringen Werteinschätzung der dienenden, arbeitenden
Frau), keinen Schutz für die abhängigen Mitglieder
(Frauen, Kinder, Dienstboten) gegen die Übergriffe
des autoritären Hauspatriarchen (körperliche Züchtigung, sexuelle Übergriffe), erlaubte keine eigene
Entscheidung über lebenswichtige Fragen (Beruf, Heirat) und keine Verfügungsgewalt über eigenes Vermögen; die Familie gewährte der Frau weder Anerkennung
noch Schutz als eigenständige Rechtsperson. Für alle
diese Bereiche traf einzig und allein der "Hausvater"
rechtlich und moralisch alle Entscheidungen. Das in
der "Hausväterliteratur" propagierte, im 19. Jahrhundert sentimental verfälschte Bild vom "gütigen Hausvater" und der "tüchtigen, guten Hausfrau" (wie sie

254

uns schon in *Hermann und Dorothea* entgegentreten)
sind idealisierte Leitbilder, die nicht mit der sozialen Wirklichkeit verwechselt werden dürfen.

In diesem Zusammenhang ist besonders auf die
rechtliche Stellung der Frau hinzuweisen, die die
vollkommene Abhängigkeit und Unselbständigkeit der
Frau spiegelt und zugleich verankert hat. Marianne
Weber hat in ihrer umfassenden, grundlegenden Untersuchung *Ehefrau und Mutter in der Rechtsentwicklung*
(1905) ausführlich für unsere Periode "Eheauffassung
und Eherecht im Zeitalter des Rationalismus und der
Kodifikation" (S. 279-406) aus sozialgeschichtlicher
Perspektive dargestellt. Der Aufsatz von Floßmann
(1977) geht auf die Entwicklung der Privatrechtsgeschichte ein. Die komplizierten Verhältnisse und
Probleme, die sich z.B. aus der rechtlichen Unselbständigkeit der Frau innerhalb und außerhalb der Familie ergeben, spiegeln sich in den Biographien
schreibender Frauen und müßten in Bezug auf die Möglichkeiten literarischer Produktion und Publikation
untersucht werden.

Eine umfassende Untersuchung wie die von Lawrence
Stone, *The Family, Sex and Marriage in England 1500-
1800* (1977) macht deutlich, wie sehr die deutschen
Darstellungen zur "Hausmutter" im System des "ganzen
Hauses" befangen bleiben, wie sehr sie an den "Hausväter"-Texten und oft auch an deren Vorstellungen
kleben, wenn sie durch Textinterpretation dieser normativen Literatur *allein* auf den wirklichen Lebensbereich der Frau schließen wollen. Stones anthropolo-
gisch-sozialgeschichtliche Untersuchung ist in erster
Linie auf die Familie gerichtet,bringt aber für den
Lebensbereich der Frau wichtige Daten und Einsichten.
Stone benutzt ein breites historisches Quellenmaterial (von Lebensdatenstatistik, Familien- und Krank-
heitsgeschichten bis hin zu literarischen Texten,
Biographien und Briefen), um z.B. über das sich wan-
delnde Verhältnis von Mann und Frau, über das Patriarchat, über sexuelle Praktiken differenzierte und
zugleich überpersönliche Aussagen zu machen. In diesem Rahmen gewinnt Stones Darstellung der "Early Fe-
minist Movements" (S. 336-59) eine ganz andere Perspektive. Vergleichende Ausblicke sind bezeichnen-
derweise auf Frankreich und Neuengland gerichtet,
nicht auf deutsche Verhältnisse. Deutschland wird
nicht etwa deshalb übergangen, weil es nicht ver-

gleichbar wäre, sondern weil es keine nennenswerte
anthropologische oder soziologische Forschung zum Bereich der Familie vor 1800 in Deutschland gibt.
Erst im Rahmen einer solchen interdisziplinär ausge-
richteten Forschung, die nicht auf politische Macht-
verhältnisse und herrschaftliche Strukturen der Män-
nergesellschaft fixiert ist, kann der Lebensbereich
der Frau in der Familie, ihr Wirken im "ganzen Haus"
adäquat dargestellt werden. Erst von daher kann die
(größtenteils nicht publizierte) literarische Tätigkeit von Frauen im 17. Jahrhundert, die sich vornehmlich der Erbauungsliteratur und Erziehungsfragen wie-
met, erschlossen werden.

IV.
Außerfamiliäre Rollen:
Mätresse, Hexe, Kindsmörderin, Schauspielerin.

In einigen wenigen Bereichen gibt es sozialgeschichtliche Zeugnisse über Frauen außerhalb des
"ganzen Hauses," wo sie aber nur als Außenseiterinnen
oder Verstoßene problembeladen wirksam werden konnten: als Mätresse auf Sexualität reduziert, als Hexe
oder Kindsmörderin im Namen von Religion und Recht
von der Gesellschaft vernichtet, als Schauspielerin
vielleicht bewundert aber nicht respektiert. Obwohl
diese Rollen recht unterschiedlich dokumentiert und
bewertet worden sind, wird hier wenigstens etwas
Quellenmaterial greifbar, während wir für die zahllo-
sen Witwen und Unverheirateten, die bestenfalls im
Schatten einer anderen Familie ihr Leben fristeten,
und für die Bediensteten und Mägde vor etwa 1750 allenfalls auf vage Vermutungen angewiesen sind.[24]
Zu den oft erwähnten und zumindest indirekt ein-
flußreichen Mätressen schweigt sich die Forschung
aus. Weder die Rolle der Mätresse als gesellschaftlich akzeptierte, etablierte Instituion beim Adel bis
zum ausgehenden 18. Jahrhundert, noch einzelne Figuren sind untersucht worden; sie werden allenfalls in
der Regierungsgeschichte des jeweiligen Fürsten erwähnt, wie etwa die (zur Landesmutterrolle stilisierte) Franziska von Hohenheim.[25] Von der Problematik
des Mätressenwesens, von Prostitution und Sexualität
hört man nichts, da hier die Frau in der moralisch
deklassierten und zugleich heimlich gefürchteten Rolle der Verführerin, der Eva, gesehen wird. Germani-

stische Behandlungen dieser Rolle bleiben denn auch
an der problemlosen Oberfläche motivgeschichtlicher
Studien, wie etwa die materialreiche Dissertation von
Fritz Landsittel, "Die Figur der Kurtisane in der
dramatischen Literatur des 18. Jahrhunderts" (1923).
So bringt Ursula Friess, *Buhlerin und Zauberin* (1970)
literarische Querverbindungen von "Frau Welt" zur
Buhlerin und Mätresse, von Figuren wie der Marwood,
Lady Milford oder Adelheid; doch fehlt abgesehen von
einigen vagen Hinweisen eine sozialgeschichtliche
Grundlage, so daß die Aussagen nur ein Spiel mit den
aus männlicher Phantasie und Perspektive entstandenen
Frauentypen bleiben. Der sexistische Rahmen wird weder erkannt, noch werden den literarischen Figuren
ergänzende, erklärende, kritische sozialgeschichtliche Dimensionen verliehen. Dasselbe gilt für H.
Petriconis vielzitierte Studie, *Die verführte Unschuld. Bemerkungen über ein literarisches Thema*
(1953), in der akademisch-geistesgeschichtlich abgehandelt wird, was als Thema selbst nie hinterfragt
wird: die aus männlicher Optik deklarierte Unschuld/
Schuld weiblicher Sexualität, für deren Gebrauch/Miß-
brauch dann die jeweilige Frau zu leiden/sühnen hat.
Petriconis auf die Gretchenfigur hin angelegte Studie
bleibt, wie so viele Kommentare zu dieser Figur innerhalb eines Denksystems sexistischer, patriarchali-
scher Vorstellungen befangen.

Aus zwei neueren Untersuchungen über den Kindes-
mord im 18. Jahrhundert geht aber zumindest die
Tragweite des Problems hervor, das mit der extremen
Pönalisierung außerehelicher Sexualbeziehungen, mit
gesellschaftlicher Umschichtung und demographischen
Veränderungen, dazu mit einer sich wandelnden straf-
rechtlichen Praxis (subjektive Tatumstände rücken ins
Blickfeld) eng verbunden ist. Wilhelm Wächtershäuser, *Das Verbrechen des Kindesmordes im Zeitalter der
Aufklärung* (1973) stellt dar, wie sich die straf-
rechtliche Behandlung der Kindestötung im Verlauf des
18. Jahrhunderts ändert. Für die rechtsgeschichtliche Entwicklung bringt Wächtershäuser die geistesge-
schichtliche Perspektive; eine neue Wahrnehmung des
Problems der Kindestötung setzt sich durch, das De-
likt wird von der Täterin und ihrer subjektiven Not-
lage her mitgesehen (Bedrohung durch familiäre und
öffentliche Ächtung, Angst vor Unzuchtgesetzen, soziale Not der ledigen Mutter, verminderte Zurechnungs-

fähigkeit bei der Geburt). Beat Weber hat *Die Kinds-*
mörderin im deutschen Schrifttum 1770-1795 (1974) als
literarisches Motiv textimmanent und unter Einbeziehung des nach Webers Meinung "sozialpsychologischen"
Hintergrundes untersucht. Weber stellt fest, daß den
literarischen Motivverarbeitungen das Umkreisen der
tragischen Konfliktsituation der Täterin gemeinsam
ist und möchte dieses Verhalten mit psychoanalyti-
scher Theorie (Freud) erklären. In Webers germani-
stisch-beschränkter Arbeit werden damit die aus männlicher Anschauung entsprungenen Vorstellungen darüber, wie und weshalb eine Kindsmörderin handelt,
völlig undifferenziert hingenommen (Goethe wird
selbstverständlich bescheinigt, er habe das Motiv auf
ganz "originale Weise" behandelt, S. 153); dann werden diese Vorstellungen mit einem die Frau diskrimi-
nierenden System zu erklären versucht--ein sozialgeschichtlich unakzeptables, weil zweimal die Realität
verfälschendes Verfahren. Somit steht ein adäquates
Verständnis der Kindsmörderin als literarische Figur
noch immer aus, ebenso wie eine sozialgeschichtliche
Studie des historischen Problems. Auch Wächtershäuser hat die demographischen, schichtspezifischen und
ökonomischen Veränderungen, sowie die Perspektive der
unehelichen Mutterschaft und Tabus für weibliche Sexualität kaum gestreift.

Die Hexenverfolgung ist verhältnismäßig gut dokumentiert und erforscht, zugleich aber am schwierig-
sten zu verstehen. Unmenschlicher Fanatismus im Namen von Recht und Religion, alte Mythen und neuer
Wahnsinn, Sexismus und Misogynie sind bei den historisch greifbaren Hexenprozessen und -verbrennungen
schwer voneinander zu trennen. In der Literatur
spielen Hexen angefangen vom Märchen bis zum *Faust*
eine nicht zu übersehende Rolle, für die Sozialgeschichte der Frau ist die Hexenverfolgung ein nicht
genügend erforschtes, gern akademisch verharmlostes
Phänomen, dessen verheerende Auswirkungen auf das
Frauenbild und die Behandlung von Frauen in diesen
Jahrhunderten noch nicht zu übersehen sind. Die historische und juristische Forschung hat inzwischen
viele Einzeluntersuchungen vorgelegt; Midelfort hat
einen Forschungsbericht geliefert, so daß hier lediglich auf für die Sozialgeschichte der Frau wichtigen Aspekte eingegangen werden soll. Gerhard Schormann, *Hexenprozesse in Nordwestdeutschland* (1977) re-

feriert im Anschluß an seine Darstellung die Erklärungsmodelle der Forschung für die Hexenverfolgung (S. 147-55) und formuliert dann thesenhaft seine eigenen Ergebnisse, daß Hexenprozesse Strafverfahren ohne Straftat sind, daß diese Verfahren aufgrund der im *Hexenhammer* und anderen Schriften umfassend formulierten Lehre durchgeführt wurden, die von den meisten deutschen Intellektuellen (Männern) des 16. und 17. Jahrhunderts als wissenschaftlich verbindlich akzeptiert wurde. Schormann betont, daß Hexenprozesse ein besonders gegen die Unterschichten gebrauchtes Mittel der Unterdrückung durch die Obrigkeit waren, und daß die Prozesse nicht selten für den Fiskus (und dessen Nutznießer) lukrativ waren. Wenn Schormann jedoch weiter feststellt, daß die Prozesse wegen völliger Irrationalität nicht an bestimmte Personenkreise gebunden sind, so übersieht er die auch in Schormanns Material eindeutig belegbare Tatsache, daß die Verurteilten vorwiegend Frauen sind (gelegentlich wird ein Sohn, Bruder oder Ehemann einer zuvor als Hexe "überführten" Frau mithingerichtet).[26]

Viel Betonung ist in der deutschen Forschung auf das Ausklingen dieser unmenschlichen Verfolgung gelegt worden, wie auch die Studie von Peter Kneubühler, *Die Überwindung von Hexenwahn und Hexenprozeß* (1977) den Sieg von Vernunft und Menschlichkeit im Zeitalter der Aufklärung thematisiert. Damit sind aber Probleme wie Sexismus und Misogynie, die Auswirkungen für die Rolle der Frau und vor allem die menschliche Perspektive der betroffenen Frauen (es gibt viele genaue Verhör- und Prozeßprotokolle, die neben den festgelegten Formeln ebenso genau die Abweichungen, die gelegentlich "verrückten" Bemerkungen und Reaktionen der Gefolterten verzeichnen) vollkommen übergangen worden. Schon die Forschung des 19. Jahrhunderts hatte auf die "Zuspitzung des Hexenwahns auf das weibliche Geschlecht" hingewiesen,[27] für die der eindeutig misogyne *Hexenhammer* die theoretischen (psychologischen und religiösen) Grundargumente lieferte. E. Midelfort, *Witchhunting in Southwestern Germany 1562-1648* (1972) bringt die große Welle der Hexenverfolgungen in Europa im 16. und 17. Jahrhundert in Verbindung mit Veränderungen in Heiratsgewohnheiten und Ehestrukturen und dem sich daraus ergebenden Anschwellen von unverheirateten (d.h. alleinstehenden, unversorgten) Frauen (Ledige und Wit-

wen), die nicht in einen patriarchalischen Haushalt
eingefügt waren und deshalb als Bedrohung des gesellschaftlichen Systems angesehen wurden. W. Monter,
"Pedestal and Stake: Courtly Love and Witchcraft"
(1977) betont den Zusammenhang von polarem Frauenbild
der Maria und der Eva mit der Frauenverehrung des
höfischen Liebesideales auf der einen und der Frauen-
verachtung auf der anderen Seite, die in der Hexenverfolgung kulminiert. Monter konstatiert, daß die
Historiker die Rolle der Frau in der Hexenverfolgung
wenig, die Auswirkungen der Hexenverfolgung auf die
Geschichte der Frau überhaupt noch nicht beachtet haben. Monters kurz hingeworfene Vermutung, daß Hexe-
rei für die alleinstehende Frau das einzige Ventil
einer Rache und Mittel physischer Gewalt waren (Kindestötung war daneben die einzige Gewalttat von Frau-
en), wird durch Schormanns Nachweis, daß den verurteilten Hexen keine Straftat irgendwie nachzuweisen
ist, sehr in Frage gestellt.[28] In der deutschen Forschung haben sich jetzt erstmals mehrere Aufsätze in
dem Band *Aus der Zeit der Verzweiflung. Zur Genese
und Aktualität des Hexenbildes* (1978) mit der Frau
als Hexe befaßt. Durch Interpretation von historischen Dokumenten werden hier die Entstehung des Hexenbildes und seine Befestigung untersucht und mit
der Polarisierung des Wertbildes der Frau (Maria-Eva)
in Beziehung gesetzt. Silvia Bovenschens feministi-
scher Aufsatz "Die aktuelle Hexe, die historische
Hexe und der Hexenmythos" (S. 259-312) bringt viele
anregende Beobachtungen zur Bedeutung und Auswirkung
des Hexenbildes; besonders ihren Ausführungen zum
Einfluß des Hexenwahns und der Hexenverfolgung auf
die Sozialgeschichte der Frau müßte weiter nachgegan-
gen werden.[29]
    Wenn hier noch kurz auf die Rolle der Schauspie-
lerin hingewiesen wird, so muß auf den Unterschied
zur Rolle der Mätresse, Kindsmörderin und Hexe hingewiesen werden. Gemeinsam ist allen, daß die Frau
sich im außerfamiliären Bereich befindet. Ganz verschieden jedoch sind die Art, die Motivation und die
Folgen des Heraustretens aus der Familie: Die Mätresse kann beim Adel gezwungen oder freiwillig eine
mehr oder (meistens) weniger dauerhafte Stellung neben der Familie erlangen, die ihr bei günstigen Umständen (und wenn sie ihre Sexualität mit Intelligenz
zu handhaben weiß) einen individuellen Wirkungskreis

oder eine pseudo-familiäre Rolle verschaffen kann. Kindsmörderin und Hexe werden von der Gesellschaft vernichtet, die Kindsmörderin ist--aus welchen Gründen auch immer--gar nicht erst zur Hausmutterrolle zugelassen worden, die Hexe daraus ausgeschlossen worden. Die Schauspielerin erhält ihre Stellung zunächst aus ökonomischen Zwängen (Tochter oder Ehefrau eines Schauspielers); die Popularität, bzw. die Etablierung des Theater im 18. Jahrhundert als *die* außerhäusliche Vergnügungsform, verschafft dann der Schauspielerin einen öffentlichen Wirkungskreis und Erfolg, der direkt (aber nicht ausschließlich) von ihren Fähigkeiten abhängig ist. Schauspielerin sein (mit den Einschränkungen, die sich aus der rechtlich unselbständigen Lage der Frau ergaben) wird ein Beruf.

Frauen sind als Darstellerinnen von Frauenrollen in Deutschland bei Wandertruppen und als Sängerinnen seit der ersten Hälfte des 17. Jahrhunderts belegt; als Witwen eines Prinzipals führen sie wie die erfolgreiche Veltin gegen Ende des Jahrhunderts das Geschäft fort; im frühen 18. Jahrhundert hat jede Truppe eine genügende Anzahl von weiblichen Darstellerinnen. Aber erst das Leben der Neuberin und die Memoiren erfolgreicher Schauspielerinnen, wie die der Schulze-Kummerfeld, die Walter Wetzels im vorliegenden Band benutzt hat, gestatten einen besseren Einblick. Hannah Sasse, *Friederike Caroline Neuber* (1937) zeigt den Existenzkampf der Neuberin, deren Ende (sie wurde totkrank noch aus ihrem Dorfgasthausquartier ausgewiesen, ihr Sarg nachts heimlich über die Kirchhofsmauer gehoben) den Ausschluß der Schauspieler aus der bürgerlichen Gesellschaft unterstreicht. Aus der Untersuchung von Gertrud Schubart-Fikentscher, *Zur Stellung der Komödianten im 17. und 18. Jahrhundert* (1963) geht hervor, wie problematisch besonders die Stellung der Frauen innerhalb der Truppe und gegenüber der bürgerlichen Gesellschaft war; die Doppelmoral, nach der die Schauspielerin einerseits auch über den bloßen Verdacht sexueller Beziehungen erhaben sein mußte, andererseits aber ihre Bewunderer und Bewerber nicht abweisen durfte, brachte ständig Konflikte, wie Gisela Schwanbeck, *Sozialprobleme der Schauspielerin im Ablauf dreier Jahrhunderte* (1957) dargelegt hat. Schwanbeck hat eine erste Einführung in das Leben der Schauspielerin gebracht

und für das 18. Jahrhundert besonders auf Schauspie-
lermemoiren und Theaterquellen zurückgegriffen.

Erst die Erarbeitung der Biographien einzelner
Schauspielerinnen (Schwanbeck gibt eine knappe Chro-
nologie für eine ganze Anzahl bekannter Darstellerinnen des 18. Jahrhunderts) kann auch deren Bedeutung
für das Theater und die dramatische Literatur erst
richtig würdigen. Mit der an der Peripherie des kulturellen Lebens agierenden Schauspielerin bildet sich im 18.
Jahrhundert ein erster Frauenberuf (noch vor der Er-
zieherin-Lehrerin) heraus, der je nach Glücksumstän-
den der Entfaltung des eigenen Talentes der Frau einen gewissen Spielraum gewährt und bedingt eine finanzielle Grundlage (natürlich ohne irgendwelche Ab-
sicherungen gegen Krankheit, Alter oder andere Un-
glücksfälle) und damit einen Anfang zur Selbständigkeit ermöglicht.

V.

Bildung und Erziehung.

Zur Geschichte der Mädchenerziehung liegen eine
Reihe von Studien vor, die besonders die Geschichte
der Institutionen und der Pädagogik behandeln. Die
meisten Arbeiten beginnen mit allgemeinen Hinweisen
auf das 18. Jahrhundert, wo im Zuge der Aufklärung
den Frauen der (wohlhabenden) Ober- und Mittelschichten besonders in den Städten und beim Landadel geistige Bildung langsam ermöglicht wurde. Ulrich Herr-
manns "Erziehung und Unterricht für Mädchen im 18.
Jahrhundert" (1976) gibt eine ganz knappe Übersicht
über die Bildungsziele (Erziehung zur Sittsamkeit und
Seligkeit; Erziehung nach der Ordnung der Natur; Erziehung zur bürgerlichen Brauchbarkeit, Nützlichkeit
und Vernünftigkeit; Bildung zur Humanität und Individualität), über private Erziehungseinrichtungen und
Schulen für Mädchen. Die Bildungsziele machen deutlich, daß Bildung der Persönlichkeit und praktische
Anleitung zur Ehefrau- und Mutterrolle angestrebt
wurden, nicht etwa eine Vorbereitung auf irgendeine
berufliche, außerhäusliche Tätigkeit. Herrmann
bringt nützliche "Literatur- und Quellennachweise"
(S. 114-25): 1) allgemeine Darstellungen zur Frauenerziehung (zumeist wenig brauchbare Dissertationen);
2) zeitgenössssische pädagogische Schriften (eine gute
Übersicht) und 3) Einzelschriften zu Institutionen

des 18. Jahrhunderts (obwohl es nur wenig Forschung
gibt, enthalten diese Arbeiten oft erstaunlich detailliertes und aufschlußreiches Material).

Da die langsame Öffnung von Erziehung und Bildung
so wichtig für die sich entwickelnde literarische Tätigkeit von Frauen ist, sollen die Ergebnisse der Arbeiten, die sich mit dem 16. und 17. Jahrhundert beschäftigt haben (vgl. besonders Roth, Kuckhoff,
Theel, Desselberger, Heigenmooser, Stricker, Voss)
etwas ausführlicher referiert werden. Es handelt
sich hier zumeist um ältere, positivistische Studien,
die auf Quellenforschung beruhen, und deren teilweise
sentimentale Neigung, ein tugendhaft-christliches Er-
ziehungsmodell zu eruieren, hier stillschweigend
überganzen wird (erst bei einigen Arbeiten zum 18.
Jahrhundert lohnt es sich, auf deren vorgefaßtes
klassisch-romantisches Frauenbild einzugehen, da dieses zum Teil noch heute in der Pädagogik nicht ganz
überwunden worden ist).

Ausgehend von den Bildungsforderungen der Humani-
sten (Luis Vives, Thomas Moore, Erasmus) und der Reformatoren (Luther und Calvin; Zwingli dagegen lehnte
den weiblichen Anspruch auf Bildung ab) gibt es be-
scheidene Anfänge für Frauenbildung außerhalb der
adeligen und gelehrten Familien, aus denen im 16.
Jahrhundert fast alle gebildeten Frauen hervorgehen.
Protestantische Kirchenordnungen enthalten--mit Ein-
schränkungen--Anweisungen für den Unterricht von Mädchen. Auch wenn von Ort zu Ort die Zustände sehr unterschiedlich waren und die Verordnungen nur teilweise ausgeführt wurden, so lassen sich (kleine) Schulen
für (nichtadelige) Mädchen in einigen Städten und
Dörfern nachweisen, an denen zumeist "Schulfrauen"
(oft ehemalige Nonnen, Ehefrauen, Witwen, dann deren
Töchter) unterrichteten. Lesen, Schreiben und der
Katechismus wurden gelehrt; außerdem gab es "Lehrmüt-
ter," die mehrere Mädchen zu sich nahmen und neben
Lesen und Schreiben "nützliche" weibliche Tätigkeiten
wie Nähen und Sticken lehrten. In den katholischen
Gebieten übernahmen größtenteils Klosterfrauen den
Unterricht, dessen Hauptziel--wie auch in den protestantischen Teilen--die Unterweisung in *christlichen
Tugenden* und *weiblichen Aufgaben* bestand. Wenn man
die spärlichen Angaben betrachtet, die weder durch
breite Erforschung der Quellen ergänzt noch systematisch ausgewertet worden sind, so scheint es, daß die

artikulierten, theoretischen Forderungen und ganz
spärlichen praktischen Anfänge der Mädchenbildung mit
dem Ende des 16. Jahrhunderts mehr und mehr erlahmen.
Mädchenerziehung wird eine Sache der "Klipp-" oder
"Winkelschulen," die mühsam von den Behörden zwar eine Konzession erlangen, aber keine (finanzielle) Unterstützung und dabei kein Ansehen genießen. Während
für die Erziehung der Jungen in den Lateinschulen und
Akademien zumeist angesehene, oft öffentlich unterstützte Institutionen sich weiterentwickeln, geht die
Mädchenerziehung nach kurzen Versuchen mit kleinsten
Schulanfängen auf private, kaum vorgebildete, auf
Verdienst angewiesene Träger über (oft Witwen, "ge-
fallene" Frauen--Ammen und Prostituierte--, die sich
im Alter einen Lebensunterhalt verschaffen mußten),
um dann im 17. Jahrhundert fast völlig wieder zu ver-
schwinden. Für dieses Jahrhundert gibt es weder Studien über Mädchenbildung noch irgendwelche Hinweise
auf (wie auch immer gestaltete) Institutionen--wie
hätte auch der Dreißigjährige Krieg den Luxus einer
Mädchenbildung fördern können? Es gab lediglich private Initiative in zumeist adeligen und großbürgerli-
chen Familien, die ihren Töchtern Unterricht mit oder
neben ihren Söhnen (z.T. als Heranbildung einer Ar-
beitskraft für das Familienunternehmen) vermittelten.
Diese Privatinitiativen, die sich aus den Lebensläu-
fen einzelner Frauen, aus Quellen, Briefen, Leichen-
predigten durchaus ermitteln ließen, müßten dringend
weiter untersucht werden.
    So muß der niedrige Bildungsstand von Frauen im
16. und besonders im 17. Jahrhundert gegenüber ver-
gleichbaren Männern (ihren Brüdern, Söhnen, Vätern,
Ehemännern) betont werden. Viele Frauen des Adels,
aus Gelehrtenfamilien und aus dem Großbürgertum konnten zwar lesen (und bildeten das Lesepublikum der Erbauungsliteratur und Romane); ihre Schreibkünste be-
schränkten sich dagegen zumeist auf recht primitive
Briefe, es sei denn daß eine außergewöhnliche Begabung der einzelnen Frau *und* die Möglichkeit einer
Ausbildung (Latein, Sprachen, Wissenschaften) zusam-
menkamen, weil die Frau z.B. aus einer Gelehrtenfami-
lie stammte oder von einem Manne (ganz selten der
Mutter) eine Ausbildung erhalten konnte. Hierfür
sind der Lebensweg der Maria Sibylla Merian, der
Greiffenberg, der Sybille Schwarz oder der Sophie
Elisabeth (der dritten Frau Herzog Augusts von Braun-

264

schweig) ein gutes Beispiel.

Diese Lage sollte sich im 18. Jahrhundert weitgehend ändern: die Notwendigkeit einer Bildung für die Frau wird allgemein akzeptiert und am Ende des Jahrhunderts liegen die Anfänge der institutionalisierten Mädchenerziehung. Über diese Vorgänge sind wir viel besser informiert. Leider leiden viele Einzeldarstellungen jedoch daran, daß sie kaum historische Quellen einbeziehen, sondern zumeist nur aus der pädagogischen und schönen Literatur des 18. Jahrhunderts Material und Ansichten kritiklos abschreiben. So gibt Ferdinand Straßburger, *Mädchenerziehung in der Geschichte der Pädagogik des 17. und 18. Jahrhunderts* (1911)[30] zwar einen guten Überblick über die Theoretiker und Praktiker der Mädchenerziehung (er behandelt nur Männer und deren Ansichten und Wirken), doch macht diese Arbeit deutlich, wie eine von Männern konzipierte und getragene Pädagogik nunmehr auf eine bedürftige, neue Gruppe, die ungebildeten Frauen, übertragen wird. Ähnlich wie Hilde Herlemann, *Die Frau als Erzieherin in der Sicht des 18. Jahrhunderts* (1934)[31] Wesen und Aufgabe der Frau auf "soziale und individuelle Hilfeleistung" (S. 91) festlegt, geistert durch viele Arbeiten das klassisch-romantische Frauenideal des ausgehenden 18. Jahrhunderts. So schließt Käthe Hildebrandt, "Die Stellung der Frau in der Deutschen Bewegung" (1952)[32] ihre Untersuchung mit der Feststellung, das 18. Jahrhundert habe uns "die Erkenntnis einer im Wesen [der Frau] verankerten natürlichen Sittlichkeit und Reinheit [gebracht], die zwingend und reinigend auf ihre Umgebung ausstrahlt," --eine Art Goethesche Iphigenie also. Das Frauenbild der "schönen Seele," eine spätestens seit Goethe etablierte kulturelle Stereotypie, durchzieht vielfach die wissenschaftlichen wie populären Darstellungen und besonders die auf älterer Forschung beruhenden Handbücher und Geschichten der Pädagogik und führt zu entstellenden Behauptungen.

Mit der Kritik an diesem idealisierten Frauenbild haben neuere Arbeiten differenziertere Ergebnisse vorgelegt. Wohl die wichtigste Arbeit ist Elisabeth Blochmann, *Das 'Frauenzimmer' und die Gelehrsamkeit. Eine Studie über die Anfänge des Mädchenschulwesens in Deutschland* (1966). Der erste Teil dieser historisch-anthropologische Konzepte mit einschließenden Studie behandelt die Auffassungen über die Frau und

weibliche Bildung zwischen Aufklärung und Romantik in
einer sachlichen Art, die nicht von einem vorgeformten Frauenkonzept (sei es nun ein idealisiertes oder
ein emanzipiertes) entstellt wird. Blochmann geht
vom "Haus" als Lebensraum der Frau aus, dem theoretisch begründeten, religiös sanktionierten und wirtschaftlich bedingten Gefüge. An einzelnen Biographi-
en (u.a. den Schwestern Lengefeld, Dorothea Schlözer)
wird dargestellt, wie sich ein mit dem Lesen erwa-
chendes Bildungsstreben, ein Anspruch auf geistige
Selbständigkeit und ein Verlangen nach Teilnahme an
der Welt außerhalb des Hauses langsam entwickeln und
dann bald auf die konservative, patriarchalische Kritik (z.B. Mösers) stoßen. Blochmann sieht den *Emile*
(1762) als entscheidenden Ausgangspunkt für die konservative Diskussion über Ziele und Aufgaben der Mädchenbildung in Deutschland, wenn von den Philanthro-
pen (Basedow, Campe u.a.) die Bestimmung der Frau
wieder auf die einer guten Hausfrau und Mutter festgelegt, von der Klassik die Frau in einem Weiblich-
keitskonzept von Liebe, Tugend und Kunst idealisiert
wird, von Pestalozzi die Mutterrolle als Lebensauf-
gabe der Frau bezeichnet wird. Während die Menschen-
rechtsforderungen der Französischen Revolution[33] auch
auf die Frau ausgeweitet werden (Olympe de Gouge,
Wollstonecraft, Hippel) und zunächst auch die Forderungen nach Mädchenbildung in Deutschland aktualisie-
ren, werden um 1800 wieder konservative propagiert:
die "gebildete Dame," Mütterlichkeit, häusliche Tugenden, zarte Weiblichkeit, erhöhtes Sein. Von diesen Bildungskonzepten bleiben die Ledigen, die nicht-
bürgerlichen Frauen (Mägde, Dienstmädchen, Arbeite-
rinnen) und der ganze Komplex von Berufsausbildung
und Erwerb eines Lebensunterhaltes ausgeklammert.
Lediglich einige Frauen (z.B. Eleonore Elisabeth
Bernhardi in einer *anonymen* Schrift: *Ein Wort zu
seiner Zeit. Für verständige Mütter und erwachsene
Töchter*, 1798) nehmen zu diesen Fragen Stellung, ohne
überhaupt Beachtung zu finden, während die herrschenden Bildungstheorien der Zeit (Herbert, Schleierma-
cher, Niemeyers *Grundsätze*, 1796) von Männern und aus
männlicher Sicht entwickelt werden, denen dann ein
Kapitel über Mädchenbildung (Erziehung zur gebildeten
Ehefrau und fürsorglichen Mutter) angehängt wird.
    Im zweiten Teil bespricht Blochmann die neuen
Schulen, die zumeist gegen Ende des 18. Jahrhunderts

für "höhere Töchter" eingerichtet wurden. Wenig bekannt sind die Leistungen der katholischen Bemühungen (Klosterschulen), der Hugenotten (die als "französische" Erzieherinnen oft negativ gewertet wurden) und der Pietisten für die Mädchenbildung. Zusammenfassend darf man annehmen, daß im 18. Jahrhundert lediglich Mädchen in den Städten aus der Mittel- und Oberschicht eine minimale Schulbildung erhielten (Lesen, Rechnen, Schreiben, Religion), daß in zunehmendem Maße Familien des niederen Adel und reichen Bürgertums ihre Töchter durch Privatunterricht oder in Pensionaten (Frankreich, französische Schweiz, Klosterschulen) in geselligen Künsten und weiblichen Fertigkeiten ausbilden ließen, bevor sie ihr Debut in der Gesellschaft gaben. Erst auf dem Hintergrund dieser Bildungsziele und -möglichkeiten für Frauen lassen sich viele Einzelfragen zum Problem "Frau und Literatur" adäquat verstehen.

Eine Weiterführung der Thematik und Ergänzung zu Blochmann findet sich in Gerda Tornieporths *Studien zur Frauenbildung* (1977), wo der Zusammenhang von Frauenbildung und der jeweiligen historischen Ausprägung der Frauenrolle aufgezeigt wird. In der Hausväterliteratur wurden die Lebensformen der bäuerlich-patriarchalischen Familie im Kontext der christlichen Lehre fixiert; die Tugend der Häuslichkeit bedeutete für die Frau Verzicht auf individuelle Entfaltung und Unterordnung unter die Ziele des häuslichen Zweckverbandes (Sozial- und Produktionsfunktionen). Dann analysiert Tornieporth die Rolle der bürgerlichen Frau als "Hausfrau, Gattin und Mutter," die der Frau Autonomie in Bezug auf ihre Pflichterfüllung zugestand, aber die Möglichkeit weiblicher Selbstbestimmung außerhalb dieser Pflichterfüllung leugnete. Tornieporths Arbeit, deren Hauptteil dem 19. und 20. Jahrhundert gewidmet ist, zeigt überzeugend die sozialgeschichtliche Bedingtheit der Geschlechtsrollen auf, eine wichtige Abhängigkeit, die besonders bei der Diskussion literarischer Frauenbilder nicht übersehen werden darf.

VI.

Leserin und Autorin.

Erst die langsame Wandlung der Lebensform des "ganzen Hauses" zusammen mit dem wirtschaftlichen Auf-

stieg des Bürgertums brachte für die Bildung der Frau
günstigere Bedingungen. Besonders in einer Erscheinungsform, dem Lesen, ist die langsame Aneignung von
Bildung von der Forschung untersucht worden. Nachdem
schon Joachim Heinrich, *Die Frauenfrage bei Steele
und Addison* (1930)[34] die für deutsche Verhältnisse
Vorbild gebende Situation in England ausführlich untersucht hatte, beschäftigte sich Ursula Menck, *Die
Auffassung der Frau in den moralischen Wochenschriften* (1940) mit dem weiblichen Zielpublikum aus geho-
benem Bürgertum und ländlichem Adel (d.h. den neuen
Leserschichten für die schöne Literatur) der deutschen moralischen Wochenschriften. Wolfgang Martens
hat diese Vorarbeiten im letzten, angehängten Kapitel
"Das lesende Frauenzimmer" in seiner breit angelegten
Studie *Die Botschaft der Tugend* (1971) erweitert: Im
Interesse des weiblichen Lesepublikums wird in den
Wochenschriften Literatur beurteilt, empfohlen oder
verworfen. Martens schließt auf die weiblichen Leserschichten vom Inhalt der moralischen Wochenschriften her und rundet das Bild mit Material ab, das bei
Blochmann und anderen Arbeiten zur Bildungsgeschichte
der Frau im 18. Jahrhundert zu finden ist. Detail-
lierter untersucht Martens in seinem Aufsatz "Leserre-
zepte fürs Frauenzimmer. Die Frauenzimmerbibliotheken der deutschen moralischen Wochenschriften"
(1975), das für Frauen zusammengestellte Leseprogramm
im *Patrioten* (1724), in den *Discoursen der Mahlern*
(1723, 1746) und in den *Vernünftigen Tadlerinnen*
(1725). Martens Schüler, Peter Nasse, hat in minu-
tiöser Kleinarbeit *Die Frauenzimmer-Bibliothek des
Hamburger 'Patrioten' von 1724* (1975) vorgestellt;
bei dem von Nasse ausgebreiteten Bücherwald (jedes
Werk des Leseprogramms wird bibliographisch und inhaltlich untersucht) sieht man von den Leserinnen
selbst allerdings nichts. Nasses magere Ergebnisse
zur weiblichen Bildung in der Frühaufklärung wiederholen Bekanntes und unterstreichen die Einseitigkeit
und Fragwürdigkeit dieser Art von Leserforschung,
in der lediglich von Männern aufgestellte Leselisten
und Ratschläge als Programme für Frauen untersucht
werden, die Leserinnen selbst aber überhaupt nicht in
den Blick kommen, sondern wie stumme, statische Objekte behandelt und in die "ideale Leserin" umdekla-
riert werden.
     In seiner umfassenden Studie *Der Bürger als Leser*

268

(1973), in die verschiedene soziologische Einzeluntersuchungen zu Lese- und Bildungsfragen der Mittel-
und Unterschichten eingegangen sind, hat Rolf Engelsing "Die Bildung der Frauen durch das Lesen" (S.
296-338) gesondert behandelt. Engelsing stellt die
These auf, daß sich die Belletristik etwa um 1750
durchsetzt, weil die Frau als Leserin zur Richterin
des Geschmacks wird. Der Anstieg der schöngeistigen
Produktion nach 1750 sei ein Ausdruck des wachsenden
Einflusses der Frau auf das kulturelle Leben der Nation. Nur als Leserin in ihrer Wandlung von der
Haushälterin zur gebildeten Frau habe sich die Frau
emanzipiert, nicht aber im außerhäuslichen Bereich.
Diese im Ganzen einleuchtende These könnte viel differenzierter dargestellt werden, da Engelsings Material zwar eine Übersicht über die sich wandelnden
männlichen Einschätzungen und Beurteilungen von Frau-
en erlaubt, Aussagen von Frauen selbst aber auch hier
wenig herangezogen werden.

Eine Art von Negativ-Befund zum weiblichen Lesepublikum bringt die ausgezeichnete Arbeit von Marlies
Prüsener "Lesegesellschaften im 18. Jahrhundert. Ein
Beitrag zur Lesergeschichte" (1972).[35] Prüsener analysiert die seit etwa 1750 entstandenen Lesezirkel
und Lesegesellschaften (für Sach- und höhere Literatur), von denen Frauen (und Studenten) in den Statuten ausdrücklich ausgeschlossen waren. Erst gegen
Ende des 18. Jahrhunderts werden Frauen in einige auf
geselliges Leben ausgerichtete Clubs aufgenommen;
Frauen bilden dann aber das Hauptpublikum der Leihbi-
bliotheken, die zumeist Romane und Unterhaltungslite-
ratur billig zugänglich machen. Prüsener zeigt damit
indirekt, wie Frauen bewußt von informativem, wissen-
schaftlichem, anspruchsvollem Schrifttum ferngehalten
wurden. Gleichzeitig warnte man mit moralisch-theo-
logischer Kritik die Frauen vor der Lesewut und den
idealisierten Darstellungen in den Romanen, wie Gerhard Sauder an einem Schweizer Essay von 1780 exem-
plarisch in "Gefahren empfindsamer Vollkommenheit für
Leserinnen und die Furcht vor Romanen in einer Damenbibliothek" (1977) gezeigt hat. Für die wachsende
Anteilnahme von Frauen am literarischen Leben hat die
Leseforschung erste Ergebnisse gebracht, doch hat sie
einseitig die von Männern vorgeschlagenen, entwickel-
ten, diskutierten Leseprogramme für Frauen und die
von Männern konzipierte "ideale Leserin" aufgezeigt.

Wo bleiben die Stimmen der Leserinnen selbst?

Hier hat die Arbeit von Edith Krull, *Das Wirken der Frau im frühen deutschen Zeitschriftenwesen* (1939) wichtige Vorarbeit geleistet, indem sie die Mitarbeit von Frauen an den moralischen Wochenschriften und Zeitschriften und deren Herausgebertätigkeit untersucht und dabei viele interessante Einzelheiten und Quellenbelege zu Lesegewohnheiten, Bildungsgang, Literatureinschätzung von Frauen mit einstreut. Eine systematische Bestandsaufnahme und Auswertung des Publikationszieles der für ein ein weibliches Lesepublikum publizierten Zeitschriften, die weit über Lachmanskis[36] unvollständige und unkritische Arbeit hinausgeht, bringt Sabine Schumann im vorliegenden Band. Diese Frauenzeitschriften werden selten in Literaturgeschichten auch nur erwähnt (es sei denn, ein berühmter Autor war der Herausgeber); dennoch spiegeln sie die Bedeutung des weiblichen Lesepublikums für die literarische Produktion im 18. Jahrhundert, als die Frau zu einem wichtigen, indirekten Faktor im offiziellen, männlichen Literaturbetrieb wurde.

Die direkte Beteiligung, die Frau als Autorin, ist weitaus komplizierter und relativ wenig erforscht, obwohl auch in Deutschland Anfänge im 16. Jahrhundert liegen. Stupperich konstatierte 1955: "In der reichen Literatur über die deutsche Reformationsgeschichte ist von dem Anteil der Frau kaum irgenwo die Rede" (S. 204); seitdem hat sich wenig geändert. Stupperich stellte in seinem quellenkundlichen Aufsatz wichtiges Material über schreibende Frauen (zumeist adelige Frauen wie Elisabeth von Münden, Ursula von Münsterberg, Argula von Grumbach) zusammen. Roland Bainton, *Women of the Reformation in Germany and Italy* (1971) hat einige bekannte Frauen im Umkreis der Reformatoren vom lutherischen Standpunkt aus vorgestellt. Seine Kurzbiographien von u.a. Ursula von Münsterberg, Elisabeth von Braunschweig oder Elisabeth von Brandenburg beruhen auf den (wenigen) Aufsätzen in der theologischen und historischen Fachliteratur und betonen die Leistungen dieser Frauen für Haus und Familie.[37] Außer dem kurzen Kapitel zu den Frauen der Wiedertäufer findet sich hier wenig über die Äußerungen der Frauen selbst. Hier liegt ein weites Feld von Texten von und über Frauen, die allerdings ausschließlich *nicht* in Neuausgaben zugänglich sind. Auch für den Literaturhistoriker sind

hier Entdeckungen zu machen, darüber hinaus liegt
hier unerschlossenes Material für die Sozialgeschichte der Frau.[38]
Eine Hauptschwierigkeit bereiten die Texte von
Frauen vor etwa 1750, weil sie kaum zugänglich sind.
Jetzt hat Gisela Brinker-Gabler, *Deutsche Dichterinnen vom 16. Jahrhundert bis zur Gegenwart* (1978) eine
repräsentative, wenn auch für unseren Zeitraum ganz
knappe Lyrikauswahl mit Kurzbiographien und biblio-
graphischen Hinweisen gebracht; nach etwas anderen
Gesichtspunkten hatte die erste und bislang einzige
Anthologie von Heinrich Groß, *Deutsche Schriftstellerinnen in Wort und Bild* (Bd. 1, 1885) ausgewählt.
Zwar hatten schon die Schriftstellerinnen-Lexika vom
frühen 18. Jahrhundert von Eberti (1706), von C. G.
Lehms (1715; Reprint 1966 und 1973) und von Paullini
(1705 und 1712) eine Anzahl von heute vollkommen unbekannten Autorinnen und verschollenen Schriften zu-
sammengestellt; das von Maria Fürstenwald und Jean
Woods bearbeitete bio-bibliographische Verzeichnis[39]
von Autorinnen zwischen 1600 und 1740 wird hier vieles ergänzen und wieder ans Licht bringen. Pischon
und Otto haben eine nützliche Übersicht über die
Frauen in den Sprachgesellschaften gebracht. Daß
aber viele Texte (vielleicht die meisten) im 17.
Jahrhundert ungedruckt blieben, daß Schriftstellerei
problematisch für die der Frau zudiktierte Rolle war,
macht der Aufsatz von Jean Woods in diesem Band deutlich. Hier fehlen weitere Quellenstudien und Einzel-
arbeiten, die das verschüttete Material unter Einbeziehung der Sozialgeschichte der Frau und nicht nach
den Wertmaßstäben der offiziellen Literaturgeschichte
sichten. Nicht die literarische Produktion eines
Opitz oder Gryphius sind als Vorbild zu nehmen, nicht
die Tradition oder Struktur des geistlichen Liedes
sind bei den literarischen Texten von Frauen des 17.
Jahrhunderts zu untersuchen (wie es z.B. die Dissertation von Archibald zu den Gräfinnen von Schwarzburg-Rudolstadt oder der Aufsatz von Kröll zur Anna
Margareta Dobenecker mit Textpublikationen tut), sondern diese Schriften sind im Kontext der Lebensbedingungen und des Lebensbereiches ihrer Verfasserinnen
zu erforschen. Erst dann kann diese Literatur in ihrer Aussage und in ihrer Form adäquat verstanden werden.
Auch die wenigen bekannten Einzelgängerinnen sind

kaum mehr als ein Name in der Literaturgeschichte des
17. Jahrunderts; über die spätendeckte, dann viel beachtete Greiffenberg gibt es--neben einer Reihe von
rein ästhetischen Studien[40]--die aufschlußreiche Arbeit von Frank; Jane Mehl versucht zu einem neuen
Verständnis ihrer Persönlichkeit zu kommen; hier
dürfte weiteres zu erwarten sein, wenn die von Martin
Bircher angekündigte Ausgabe endlich ihre Texte er-
schließt und die Greiffenberg nicht nur auf die Verfasserin geistlicher Lieder und Sonette festgelegt
bleibt. Zu Sibylle Schwarz hat Harald Ziefle eine
literarhistorische Monographie vorgelegt, die kaum
über bekannte Urteile hinausgeht (eine Werkausgabe
von Ziefle ist in Vorbereitung). Auch Anna Owens
Hoyers, zu der die gründliche Arbeit von Adah Blanche
Roeh (1915) und der quellenkundliche Aufsatz von J.H.
Schoeps wertvolles Material bringen, wartet noch auf
eine Entdeckung und Erschließung.

Zu den dichtenden Einzelgängerinnen des 18. Jahrhunderts vor der Frühromantik gibt es wohl eine hand-
voll Studien, die oft die betreffende Frau im sozialgeschichtlichen Vakuum betrachten und dafür an der
männlichen Tradition messen, wie Gehrings Dissertta-
tion (1973) zur Charlotte Unzer-Ziegler. Zur Sidonia
Hedwig Zäunemann bringt dagegen Gisela Brinker-Gabler
wertvolle Bemerkungen in "Das weibliche Ich. Überlegungen zur Analyse von Werken weiblicher Autoren..."
(1979), während die Dissertation von De Berdt kaum
über biographische Einzelheiten hinausgeht. Zur Marianne von Ziegler (1695-1760) gibt es keine nennenswerte Arbeit, zur Anna Louisa Karsch leider nur die
zu einer interessanten, aber nicht einzeln dokumen-
tierten Biographie zusammengestellten Briefstellen
von Elisabeth Hausmann und die ganz knappe Würdigung
von I. Molzahn.[41] Die Neuwertung der Gottschedin von
Ruth Sanders im vorliegenden Band hat deutlich gemacht, wie wenig rezipiert und gewürdigt das *eigene*
literarische Schaffen dieser Frau eigentlich ist.
Auch die La Roche, die als einzige (!) Frau in Benno
von Wieses Anspruch auf Repräsentativität erhebendes
Werk *Deutsche Dichter des 18. Jahrhunderts* (1978)
aufgenommen worden ist--S. Sudhoff zeichnet lediglich
altbekannte Züge in ihrem Werk nach--, ist noch neu
zu entdecken, wie jetzt die kleine Arbeit von K. Th.
Plato, *Sophie La Roche in Koblenz/Ehrenbreitstein*
(1978)[42] wieder gezeigt hat.

Erst etwa nach 1780 und im Gefolge der La Roche
treten Frauen in breiter Anzahl--oft mit anonymen
oder unselbständigen Veröffentlichungen--mit literarischer Tätigkeit hervor, von denen wir am besten
über die die bekannten Dichter umkreisenden Gefähr-
tinnen unterrichtet sind. Zu den vielen ruhmlosen
und unbekannten schreibenden Frauen dieser ersten Generationen, in denen Frauen in Deutschland sich in
immer größerer Anzahl selbst literarisch betätigen,
hat die (leider schwer zugängliche) Dissertation von
Natalie Halperin (1935) eine soziologische Analalyse
versucht. Halperin hat 233 (!) Schriftstellerinnen,
deren gedruckte Werke in die zweite Hälfte des 18.
Jahrhunderts fallen (d.h. die vor 1800 veröffentlicht
haben) für ihre Studie benutzt (vielfach anhand von
Daten aus Schindels *Schriftstellerinnen-Lexikon*, der
in seinen Übersicht alle im Jahre 1800 noch lebenden
Autorinnen mit aufgenommen hat). Diese Arbeit müßte
unbedingt mit modernen soziologischen Methoden vertieft und erweitert werden.
Die breit angelegte, ganz literarisch orientierte
Studie von Christine Touaillon bringt neben einer
ausführlichen Besprechung der Romane eine Fülle von
biographischen Informationen (leider zu wenig Dokumentation) zu schreibenden Frauen (zu Sophie La
Roche, Friederike Unger, Benedikte Naubert, Johanna
von Wallenrodt, Caroline von Wolzogen, Charlotte von
Kalb, Auguste Fischer und vielen anderen) und deren
Lebensbedingungen. Auch wenn die Abtrennung einer
"Frauendichtung"[43] und die Deklassierung dieser Grup-
pierung im 19. Jahrhundert und in der germanistischen
Forschung heute fragwürdig erscheint, so trägt Touaillon doch fundierte historische Kenntnisse und
Grundlagenforschung an ihre Darstellung heran. Zu
den vielen von ihr behandelten Autorinnen ist seit
ihrer Studie (1919) so gut wie nichts mehr erschienen. Nur Renate Möhrmann, *Die andere Frau* (1977)
geht in der Einleitung zu ihrer Untersuchung sich
emanzipierender Autorinnen des 19. Jahrhunderts (Luise Mühlbach, Ida Hahn-Hahn, Fanny Lewald, Louise As-
ton) in großen Zügen auf die Lage der Schriftstellerin vor 1800 ein (S. 10-29). Viele interessante Angaben finden sich bei Hanstein und bei Kluckhohn,[44]
der natürlich das Thema Liebe in den Vordergrund gestellt hat und von daher die Charakterisierung der
Frauen oft verzeichnet, eigene Leistungen zu wenig

berücksichtigt und diese zumeist im Schatten des jeweiligen großen Dichters sieht. W. Köpke hat jetzt
die engen Schranken aufgezeigt, die für die emanzipierte Frau der Goethezeit in der literarischen Welt
gültig waren.

Wenn aber für die Zeit von etwa 1750 bis 1800 eine
Reihe von Frauen als berühmte Namen in die Literaturgeschichte eingegangen sind, so handelt es sich hier
(abgesehen von der La Roche) um Dichterfrauen, die
die mehr oder weniger berühmten Männer umkreist und
angeregt haben. Auch hier wäre eine neue Perspektive
nötig, die diese Frauen in den Mittelpunkt stellt und
deren eigene Äußerungen und Schriften untersucht,
statt wie der neueste Aufsatz von Eva Horvath zu Meta
Moller nur die pietätvolle Ausrichtung auf Klopstock
zu wiederholen, die Fürstin Gallitzin im Münsteraner
Kreis ganz aufgehen zu lassen oder nur in der Verbindung zu Goethe zu sehen, wie Bruford[45] es getan hat.
Elisa von der Recke, deren Tagebücher und Briefe in
Auswahl herausgegeben sind,[46] Susanna von Klettenberg,
Charlotte von Kalb oder Charlotte von Stein sind nur
einige Namen, deren geistige Persönlichkeit und literarische Tätigkeit es neu zu entdecken gilt. So ha-
ben die Aufsätze von Heinrich Sieveking und Berta
Badt-Strauß zu Elise Reimarus wertvolles Material
vorgestellt. Eine umfassende Biographie dieser interessanten Frau, wie auch neue Darstellungen zu Eva
König, Caroline Rudolphi oder Therese Huber sind ein
Desideratum.

Auch die namenlosen Frauen können entdeckt werden.
So hat z.B. der Historiker Percy Ernst Schramm seine
Vorfahrin Maria Schramm (1734-1777) dargestellt, deren Biographie ihr Mann als "Seelengeschichte" über-
arbeitet hatte und nach ihrem Tode (sie gebar in 16
Jahren 11 Kinder) drucken ließ.[47] Solche Studien,
die archivalisches und literarisches Material von und
über eine Frau im Lebensbereich und Kulturkreis ihrer
Zeit historisch aufarbeiten und interpretieren, sind
dringend nötig. Dabei muß auf ein fast vollkommen
unerschlossenes Material hingewiesen werden, auf die
Briefe von Frauen. Während in der Germanistik immer
wieder dieselben berühmten Briefstellen weitergereicht werden, hat schon Steinhausens veraltete, aber
noch nicht ersetzte *Geschichte des deutschen Briefes*
(1889) wichtige Hinweise auf Art und Bedeutung der
Frauenbriefe gebracht; die Dissertation von Brockmey-

er und Reinhard Nickisch haben eine erste Übersicht über "Die Frau als Briefstellerin im Zeitalter der deutschen Aufklärung" gegeben. Wie viel unbekanntes und ungedrucktes Material es da auch noch für das sonst so gründlich durchforschte 18. Jahrhundert gibt, hat die Sammlung *Frauen der Goethezeit in Briefen, Dokumenten und Bildern* (1960) gezeigt, in der jedoch Auswahl und Begleittexte von einer der Frauendarstellung oft abträglichen Klassik-Verehrung bestimmt sind. Diese patriarchalische, am traditionellen literarischen Wertsystem der "hohen Literatur" orientierte Perspektive muß aufgegeben werden, wenn die besonders nach etwa 1750 reichlich vorhandenen, vielfach ungedruckten Briefe von Frauen für die Individual- und Sozialgeschichte der Frau ausgewertet werden. Diese Briefe (und Tagebücher) sollten als literarische Ausdrucksform erkannt und behandelt werden. Hier sind neue Entdeckungen zu machen, nicht aber bei dieser oder jener Frauengestalt im Werke Goethes oder Schillers, nicht bei dem Streit um die (absurde) Schuldfrage der Emilia Galotti.

Auch wenn die Sozialgeschichte der Frau noch geschrieben werden muß, wenn die historisch greifbaren Lebensformen und -äußerungen der Frau noch in eine nicht mehr allein an Schlachten, großen Männern und Herrschaftsverhältnissen interessierte Geschichtsschreibung integriert werden müssen, so hat die Übersicht über Einzelstudien zu·den Lebensbereichen der Frau doch erstaunlich viel detailliertes Material zu Tage gefördert. Von dieser historisch-sozialgeschichtlichen Realität wird auszugehen sein, wenn die literarische Betätigung von Frauen von der Reformation bis zur Romantik adäquat betrachtet und verstanden werden soll.

ANMERKUNGEN

1 (Frankfurt: Fischer Taschenbuchverlag, 1978), S. 4.--Vollständige Titel der in diesem Forschungsbericht besprochenen Werke finden sich in der Auswahlbibliographie.--Studien, die wenig oder nichts zu unserem Thema enthalten, werden in den Anmerkungen aufgeführt.

2 Mein Ansatz unterscheidet sich von Silvia Bovenschens Suche nach einer "weiblichen Ästhetik," die ein weibliches Sensorium

und weibliche Formen des sinnlichen Erkennens finden möchte, vgl. "Gibt es eine weibliche Ästhetik?" *Ästhetik und Kommunikation*, 25 (1976), 60-75; enlg. Übersetzung in *New German Critique*, 10 (Winter 1977), 111-38.

3 Meine Gliederung des Materials folgt absichtlich nicht soziologischen Kategorien, wie sie etwa Juliet Mitchell, *Women's Estate* (New York: Pantheon, 1971) aufgestellt hat; Mitchell unterscheidet die Bereiche der Produktion, Sozialisierung und Sexualität. Ich möchte die im *deutschen* Raum von etwa 1500 bis 1800 historisch-sozialgeschichtlich greifbaren Rollen vorstellen, die ich als eine Art Folie für eine Geschichte von "Frau und Literatur" betrachte.

4 Z.B. Gerhard Wilhelm Stern, *Die Liebe im deutschen Roman des siebzehnten Jahrhunderts*. Germanische Studien, 120 (Berlin: Ebeling, 1932). Ähnlich wie Kluckhohn aber mehr aus der psychologischen Perspektive seiner Zeit argumentiert das gleichzeitig mit Kluckhohn entstandene Werk von Alfred Schier, *Die Liebe in der Frühromantik mit besonderer Berücksichtigung des Romans*. Beiträge zur deutschen Literaturwissenschaft, 20 (Marburg: Elwert, 1913).

5 Man denke nur an die wertende Betrachtung der Frauengestalten Goethes, die dazu noch oft mit dem eigenen Erleben des Dichters erklärt worden sind, wie etwa in Wilhelm Bode, *Weib und Sittlichkeit in Goethes Leben und Denken* (1920), bei Louis Lewis, *Goethes Frauengestalten* (1900, 2. Auflage), bei Korff, Friedenthal oder in den Kommentaren von Trunz, Atkins oder Scheithauer. Eine kritische Stimme gegen diese im Denksystem des 18. Jahrhunderts befangene, wertende Analyse von Frauengestalten in der Literatur ist die monumentale Arbeit von Pierre Fauchery, der am englischen, französischen und deutschen Roman des 18. Jahrhunderts gezeigt hat, daß die "natürliche Weiblichkeit" der Frauengestalten wohl einer historischen Rollenverteilung entspricht, aber ein überlegtes Unternehmen der androkratischen Gesellschaft ist, das als solches erkannt und nicht weiterhin die wertende Interpretation der Literaturwissenschaft bestimmen sollte (vgl. bes. S. 832-48).--Ähnlich wie Bovenschen aber nicht so differenziert argumentieren die feministische Dissertation von Tilton "Opfer, Jungfern und Kindesmörderinnen" (1974) und Naomi I. Stephan, "The Women of *Kabale und Liebe*: A Teaching Approach," *Die Unterrichtspraxis*, 9 (1976), 46-54, die interessante, neue Perspektiven aufzeigen, wie auch die ältere, mehr im traditionellen Wertsystem verfangene Arbeit von E. S. Schreiber. Typisch für eine historisch ungenaue Argumentationsweise, die Bilder, Erscheinungsformen und Traditionen vermengt, ist der

Aufsatz von Gerhart Hoffmeister, "Engel, Teufel oder Opfer: Zur Auffassung der Frau in der sentimentalen Erzählung zwischen Renaissance und Aufklärung," *Monatshefte*, 69 (1977), 150-58. Andreas Huyssen, "Das leidende Weib in der dramatischen Literatur von Empfindsamkeit und Sturm und Drang: Eine Studie zur bürgerlichen Emanzipation in Deutschland," *Monatshefte*, 69 (1977), 159-73, ist typisch für die Unfähigkeit politisch-ideologisch motivierter Argumentationsweise, die Perspektive der Frau überhaupt wahrzunehmen. Huyssen möchte den Typus des "leidenden Weibes" als Ausdruck der mißlungenen bürgerlichen Emanzipation, als Symbol von Passivität und Hilflosigkeit verstanden wissen.-- Es erübrigt sich, auf die zahlreichen germanistischen Einzeluntersuchungen zu dieser oder jener Frauengestalt in der Literatur einzugehen, da diese fast ausschließlich innerhalb des Gesichtskreises des jeweiligen Werkes, allenfalls mit ganz nebulösen Vorstellungen der historisch-sozialgeschichtlichen Wirklichkeit argumentieren.

6 Vgl. u.a. Adrienne Windhoff-Heretier, *Sind Frauen so wie Freud sie sah? Weiblichkeit und Wirklichkeit. Bausteine zu einer neuen analytisch-sozialpsychologischen Theorie der weiblichen Psyche* (Reinbeck b. Hamburg: Rowohlt, 1976); Carol E. Tauer, "Freud und Female Inferiority," *International Journal of Women's Studies*, 2 (1979), 287-304.

7 Dazu jetzt Gisela Brude-Firnau, "Wissenschaft von der Frau? Zum Einfluß von Otto Weiningers 'Geschlecht und Charakter' auf den deutschen Roman," in *Die Frau als Heldin und Autorin. Neue kritische Ansätze zur deutschen Literatur*, hrsg. von Wolfgang Paulsen (Bern: Francke, 1979), S. 136-52.

8 Auf die Misogynie, die sich in der literarischen Tradition bis weit ins 18. Jahrhundert bemerkbar macht, sei nur am Rande verwiesen; vgl. dazu den ausgezeichneten Band von Katherine Rogers und den quellenkundlichen Aufsatz von Gillet zum 16. Jahrhundert.

9 Vgl. Bovenschen, *Imaginierte Weiblichkeit*, S. 17-61.

10 Dazu B. Becker-Cantarino, "Priesterin und Lichtbringerin: Zum Frauenbild der Frühromantik," in *Die Frau als Heldin und Autorin*, S. 111-24.

11 Vgl. dazu das Kapitel "Die Geschichtslosigkeit wird durch die Geschichte hergestellt," in Marielouise Janssen-Jurreit, *Sexismus. Über die Abtreibung der Frauenfrage* (München: Hanser, 1976), S. 28-53 und die positiven Ansätze im Aufsatz von Patricia Branca.

12 Hrsg. von Otto Brunner, Werner Conze, Reinhart Koselleck (Stuttgart: Klett, 1972 ff.).

13 H. Hausherr, *Wirtschaftsgeschichte der Neuzeit vom Ende des 14. bis zur Höhe des 19. Jahrhunderts*. 3. Aufl. (Köln und Graz, 1960.

14 Heinrich Bechtel, *Wirtschafts- und Sozialgeschichte Deutschlands. Wirtschaftsstile und Lebensformen von der Vorzeit bis zur Gegenwart* (München: Callway, 1967).

15 *Wirtschaftsgeschichte Deutschlands. Ein Grundriß.* Band I: *Von den Anfängen bis zur Zeit der Französischen Revolution* (Berlin: Verlag der Wissenschaften, 1957); auf S. 294 wird lediglich die Einführung des Spinnzwanges in Berlin (im frühen 18. Jahrhundert) für Hökerinnen und andere Frauen erwähnt.

16 Friedrich Lütge, *Deutsche Sozial- und Wirtschaftsgeschichte: Ein Überblick.* Enzyklopädie der Rechts- und Staatswissenschaft (Heidelberg und New York: Springer, 1966), 3. Aufl.

17 Hrsg. von Hermann Aubin und Wolfgang Zorn (Stuttgart: Union Verlag, 1971); Zitate aus Bd. 1.

18 Zu Eduard Fuchs' Kulturgeschichte vgl. *Ästhetik und Kommunikation*, 25 (1976), 10-59, Oeuvre-Katalog S. 54-56.

19 *Ein Beitrag zur Kulturgeschichte* (München: A. Langen, 1921).

20 *Preziöse Liebes- und Ehekonzeptionen und ihre Hintergründe.* Studia Romanica, 35 (Heidelberg: Winter, 1979). Einen Ausblick auf die Lage in Deutschland bringt Rosemarie Zeller, "Die Preziösen: Emanzipation und literarische Bewegung," in *Der europäische Hof im 16. und 17. Jahrhundert. Akten des 3. Barockkongresses Wolfenbüttel 1979* (Hamburg: Hauswedell, 1980).

21 Otto Brunner, "Das 'ganze Haus' und die alteuropäische Ökonomik," *Neue Wege der Verfassungs- und Sozialgeschichte*, 2. Aufl. (Göttingen: Vandenhoeck & Ruprecht, 1968).

22 Frühsorges Habilitationsschrift zu diesem Thema (Heidelberg, 1979) erscheint demnächst: *Herkommen und Weggehen. Tradition und Krise des 'ganzen Hauses' im Spiegel der Literatur der Spätaufklärung* (Stuttgart: Metzler, 1981).

23 Die erweiterte Fassung enthält in jedem Kapitel "Bilder und Geschichten," sozialgeschichtlich wichtige Texte und Illustrationen mit Quellencharakter.

24 Obwohl Luise Heß, *Die deutschen Frauenberufe des Mittelalters.* Beiträge zur Volkstumsforschung, 6 (München: Neuer Filser-Verlag, 1940) noch bis zum ausgehenden 16. Jahrhundert Über-

278

reste von selbständigen Frauenberufen dokumentiert, gibt es seit der Reformation kaum Zeugnisse über beruflich selbständige Frauen. Ebenfalls ist der Beginn der abhängigen Lohn- und Fabrikarbeit für Frauen im 18. Jahrhundert nicht erforscht worden.

25 Franziska von Bernadin (1748-1811), seit 1770 morganatische Gattin Herzog Karl Eugens von Württemberg, seit 1786 Herzogin, wird von Historikern ganz zur "Landesmutter" stilisiert; vgl. *Tagebuch der Gräfin Franziska von Hohenheim, späteren Herzogin von Württemberg*, hrsg. von Osterberg (Stuttgart, 1913).

26 Vergleichende Tabellen von hingerichteten Männern und Frauen aus zwölf historischen Studien (England, Frankreich und der Schweiz) finden sich in H. V. MacLachlan und J. K. Swales, "Lord Hale, Witches and Rape: A Comment," *British Journal of Law and Society*, 5 (1978), 251-61. E. William Monter, *Witchcraft in France and Switzerland* (Ithaca, N.Y.: Cornell Univ. Press, 1976), S. 121 zeigt, daß in Südwestdeutschland 82% der Hingerichteten Frauen waren. Das Material für Deutschland ist noch nicht ausgewertet worden.

27 So ein Kapitel in dem Standardwerk von Joseph Hansen, *Quellen und Untersuchungen zur Geschichte des Hexenwahns und der Hexenverfolgung im Mittelalter* (1901; Reprint Hildesheim: Olms, 1963); dazu jetzt auch Helmut Brackert, "Der Hexenhammer und die Verfolgung der Hexen in Deutschland," in *Philologie und Geschichtswissenschaft. Demonstration literarischer Texte des Mittelalters*, hrsg. von Heinz Rupp (Heidelberg: Quelle und Meyer, 1977), S. 106-16.

28 Bei diesem Thema kommt es oft zu kuriosen Thesen; so haben Alan Anderson and Raymond Gordon, "Witchcraft and the Status of Women--the Case of England," *British Journal of Sociology*, 29 (1978), 171-84, behauptet, in England seien weniger Frauen als Hexen verurteilt worden, weil die soziale Stellung und Ansehen der Frau im 16. Jahrhundert höher als in Europa waren. Daß sich dagegen jedoch statistisch sogar eine höhere Verurteilungszahl für England aus den historischen Dokumenten ergibt, haben J. K. Swales und Hugh V. McLachlan, "Witchcraft and the Status of Women: A Comment," *British Journal of Sociology*, 30 (1979), 349-58 gezeigt.

29 Die Frau als Hexe ist ein viel und ganz unterschiedlich behandeltes Thema in der feministischen Literatur; eine interessante Perspektive bietet Carolyn Matalene, "Women as Witches," *International Journal of Women's Studies*, 1 (1978), 573-87.

30 Diss. Erlangen 1910; Straßburg, 1911.

31 Diss. Frankfurt 1934; Borna-Leipzig: Noske, 1934.

32 Diss. masch. Göttingen, 1952.

33 Zum Ausschluß der Frauen aus den politischen Forderungen und Folgen der Französischen Revolution vgl. u.a. Jane Abray, "Feminism in the French Revolution," *American Historical Review*, 80 (1975), 43-62.

34 *Eine Untersuchung zur englischen Literatur- und Kulturgeschichte im 17. und 18. Jahrhundert*. Palaestra, 168 (Göttingen, 1930); vgl. "Die Frau als Leserin," S. 123-42. Heinrich bringt ebenfalls ein Kapitel zur Frau als Schriftstellerin (S. 142-60) mit ausführlicher Bibliographie.

35 *Archiv für die Geschichte des Buchwesens*, 13 (1972), 369-594. Belanglos und oberflächlich ist die Arbeit von B. M. Milstein, *Eight Eighteenth-Century Reading Societies. A Sociological Contribution to the History of German Literature*. German Studies in America, 11 (Bern: Lang, 1972).

36 *Die deutschen Frauenzeitschriften des achtzehnten Jahrhunderts*. Diss. Berlin, 1900.

37 Vgl. auch Roland Bainton, *Women of the Reformation in France and England* (1975); *Women of the Reformation. From Spain to Scandinavia* (1977); weniger rhetorisch und dogmatisch aber kritischer, Sherrin Marshall Wyntjes, "Women in the Reformation Era," in *Becoming Visible. Women in European History*, hrsg. von Renate Bridenthal und Claudia Koonz (Boston: Houghton Mifflin, 1977) S. 165-91 (mit Bibliographie).

38 In deutschen Darstellungen wird oft auf die wichtige Rolle der Frau in der italienischen Renaissance verwiesen, seitdem Jakob Burkhardt (1861) die Gleichstellung dieser Frauen betont hat. Daß das dejoch eine unzulängliche Verallgemeinerung ist, die lediglich auf einige wenige Fürstinnen zutrifft, hat schon Ruth Kelso, *Doctrine for the Lady of the Renaissance* (Urbana, Ill.: Univ. of Illinois Press, 1956) gezeigt; vgl. dazu auch Joan Kelly-Monter, "Did Women have a Renaissance?" in *Becoming Visible*, S. 137-64.

39 Vgl. die Ankündigung "Deutschlands Poetinnen und gelehrte Frauenzimmer, 1600-1740," *Wolfenbütteler Barock-Nachrichten*, 5 (Mai 1978), 179-80.

40 So auch die Göttinger Dissertation (1973) von Ruth Liwerski, *Das Wörterwerk der Catharina Regina von Greiffenberg*. Europäische Hochschulschriften, 244 (Bern: Lang, 1979) und die Arbeiten von Daly und F. Kimmich.

41 "Die Karschin. Eine schlesische Nachtigall," *Schlesien*, 10 (1965), 76-80.

42 Koblenz: Görres-Verlag, 1978. Ältere Arbeiten haben die Laroche als Schülerin von Rousseau und Richardson (Ridderhof, 1895) und als Großmutter der Brentanos (Milch, 1935) in die männliche Tradition eingeordnet.

43 Helena Szépe, "The Term 'Frauendichtung,'" *Die Unterrichts-praxis*, 9 (1976), 11-15; vgl. dazu meine Bemerkungen in "Caroline Pichler und die 'Frauendichtung,'" *Modern Austrian Literature*, 12 (1979), 1-24.

44 Hanstein, s. oben II; Kluckhohn, oben I.

45 *Die Fürstin Gallitzin und Goethe*. Arbeitsgem. f. Forschung d. Landes Nordrhein-Westfalen, Geisteswiss., Heft 76 (Köln und Opladen: Westdeutscher Verlag, 1957).

46 *Elisa von der Recke. Tagebücher und Briefe aus ihren Jugendtagen*, hrsg. von Paul Rachel (Leipzig: Dieterich, 1900); *Mein Journal; Elisas neu aufgefundene Tagebücher aus den Jahren 1791 und 1793/95*, hrsg. von Johannes Werner (Leipzig: Koehler und Ameland, 1927).

47 Der Aufsatz ging ein in P. E. Schramm, *Neun Generationen. 300 Jahre deutscher "Kulturgeschichte" im Lichte der Schicksale einer Hamburger Bürgerfamilie (1648-1948)* (Göttingen: E. Diederichs, 1963).

AUSWAHLBIBLIOGRAPHIE ZUR
SOZIALGESCHICHTE DER FRAU IN DEUTSCHLAND
1500-1800.

Die folgenden Titel sind ausführlich im vorangehenden Forschungsbericht besprochen worden. In diese Bibliographie wurden nur solche Werke aufgenommen, die einen wichtigen Beitrag--wenn auch z.T. aus sexistischer Perspektive--zum Thema "Die Frau (in Deutschland) von der Reformation zur Romantik" enthalten. Weitere Werke, die trotz Titel oder Intention wenig Neues zum Thema beitragen, so wie schwer erreichbare, zumeist maschinenschriftliche Dissertationen finden sich nur in den Anmerkungen zum Forschungsbericht.

I
Zur Aufgabe und Problematik:
Frauenbilder, Gesichts- und Geschichtslosigkeit

Becker, Gabriele u.a. "Zum kulturellen Bild der Frau im Mittelalter und in der frühen Neuzeit." In *Aus der Zeit der Verzweiflung. Zur Genese und Aktualität des Hexenbildes*. Beiträge von Gabriele Becker u.a. Frankfurt: Suhrkamp, 1977.

Bovenschen, Silvia. *Die imaginierte Weiblichkeit. Exemplarische Untersuchungen zu kulturgeschichtlichen und literarischen Präsentationsformen des Weiblichen*. Edition Suhrkamp, 921. Frankfurt: Suhrkamp, 1979. Bibliographie, S. 266-80.

Fauchery, Pierre. *La destinée féminine dans le roman européen du dix-huitième siècle 1713-1807; essai de gynécomythie romanesque*. Paris: A. Colin, 1972.

Gillet, Myrtle Mann. "Woman in German Literature Before and After the Reformation." *Journal of English and Germanic Philology*, 17 (1918), 346-75.

Hardwick, Elizabeth. *Seduction and Betrayal. Images of Women in Literature*. New York: Random

House, 1974.

Klein, Viola. *The Feminine Character. History of an Ideology* (1946). 2. Auflage. London: Routledge & Kegan Paul, 1971. Bibliographie, S. 183-95.

Kluckhohn, Paul. *Die Auffassung der Liebe in der Literatur des 18. Jahrhunderts und in der deutschen Romantik* (1922). 3. Auflage. Tübingen: Niemeyer, 1966.

Mayer, Hans. *Außenseiter*. Frankfurt: Suhrkamp, 1975.

Mörsdorf, Josef. *Gestaltwandel des Frauenbildes und Frauenberufes in der Neuzeit*. Münchener Theologische Studien, II. Systematische Abteilung, 16. München: Hueber, 1958. Bibliographie, S. 444-67.

Rogers, Katharine M. *The Troublesome Helpmate. A History of Misogyny in Literature*. Seattle: Univ. of Washington Press, 1966.

Schneider, Elisabeth. *Das Bild der Frau im Werk des Erasmus von Rotterdam*. Basler Beiträge zur Geschichtswissenschaft, 55 (Basel und Stuttgart: Helbing & Lichtenhahn, 1955).

Schreiber, S. Etta. *The German Woman in the Age of Enlightenment*. Columbia Univ. Germanic Studies, 19 (New York: Columbia Univ. Press, 1948).

Tilton, Helga S. "Opfer, Jungfern und Kindesmörderinnen. Zu Erfindungen des maskulinen Geistes im deutschen bürgerlichen Theater von Lessing bis Handke." Diss. masch. New York University, 1974.

II

Sozialgeschichten und die Geschichte der Frau

Becoming Visible. Women in European History. Hrsg. von Renate Bridenthal und Claudia Koonz. Boston: Houghton Mifflin, 1977.

Branca, Patricia. "Women's History: Comments on Yesterday, Today and Tomorrow." *Journal of Social History*, 11 (1978), 575-79.

Fuchs, Eduard. *Die Frau in der Karikatur. Sozial-*

geschichte der Frau. Nachdruck der 3. Ausgabe von 1928. Frankfurt: Verlag Neue Kritik, 1973.

Goncourt, Edmond und Jules Goncourt. *Die Frau im 18. Jahrhundert*. München: Hyperionverlag, 1920.

Hanstein, Adalbert von. *Die Frauen in der Geschichte des Deutschen Geisteslebens des 18. und 19. Jahrhunderts*. Leipzig: Freund und Wittig, o.J. [1899].

Histoire Mondiale de la Femme. Hrsg. von Pierre Grimal. Paris: Nouvelle Librairie, 1965. 4 Bände.

Lee, Vera. *The Reign of Women in Eighteenth-Century France*. Cambridge, Mass.: Schenkman Publishing Co. 1975.

Lougee, Carolyn C. *Le Paradis des Femmes*. *Women, Salons, and Social Stratification in Seventeenth-Century France*. Princeton: Princeton Univ. Press, 1976.

MacLean, Ian. *Woman Triumphant*. *Feminism in French Literature 1610-1652*. Oxford: Clarendon Press, 1977.

Sagarra, Edda. *A Social History of Germany, 1648-1914*. New York: Holmes & Meier, 1977.

Scherr, Johannes. *Geschichte der deutschen Frauenwelt*. 3 Bände. Leipzig: Otto Wigand, 1879.

Thompson, Roger. *Women in Stuart England and America*. London und Boston: Routledge & Kegan Paul, 1974.

What Manner of Woman. *Essays on English and American Life and Literature*. Hrsg. von Marlene Springer. New York: New York Univ. Press, 1977.

III
"Hausmutter" und Familie

Engelsing, Rolf. *Zur Sozialgeschichte deutscher Mittel- und Unterschichten*. Göttingen: Vandenhoeck & Ruprecht, 1973.

Floßmann, Ursula. "Die Gleichberechtigung der Geschlechter in der Privatrechtsgeschichte." In

Rechtsgeschichte und Rechtsdogmatik. Festschrift Hermann Eichler. Linzer Universitätsschriften: Festschriften, 1. Wien und New York: Springer, 1977. S. 119-44.

Frühsorge, Gotthardt. "Die Einheit aller Geschäfte. Tradition und Veränderung des 'Hausmutter'-Bildes in der deutschen Ökonomieliteratur des 18. Jahrhunderts." *Wolfenbütteler Studien zur Aufklärung*, 3 (1976), 137-57.

Hausen, Karin. "Die Polarisierung der 'Geschlechtscharaktere'--Eine Spiegelung der Dissoziation von Erwerbs- und Familienleben." In *Sozialgeschichte der Familie in der Neuzeit Europas*. Hrsg. von Werner Conze. Industrielle Welt: Schriftenreihe des Arbeitskreises für moderne Sozialgeschichte, 21. Stuttgart: Klett, 1976.

Hoffmann, Julius. *Die 'Hausväterliteratur' und die 'Predigten über den christlichen Hausstand.' Ein Beitrag zur Geschichte der Lehre vom Haus und der Bildung für das häusliche Leben.* Diss. Göttingen 1954. Weinheim, 1959.

Möller, Helmut. *Die kleinbürgerliche Familie im 18. Jahrhundert. Verhalten und Gruppenkultur.* Schriften zur Volksforschung, 3. Berlin: de Gruyter, 1969.

Schmidlin, Heinrich. *Arbeit und Stellung der Frau in der Landgutswirtschaft der Hausväterliteratur.* Diss. Jena 1940. Heidelberg: Winter, 1941.

Schücking, Levin. "Die Familie als Geschmacksträger in England im 18. Jahrhundert." *Deutsche Vierteljahrsschrift für Literaturwissenschaft u. G.*, 4 (1926), 439-58.

Schultz, Alwin. *Das Alltagsleben einer deutschen Frau zu Anfang des achtzehnten Jahrhunderts.* Leipzig: Hirzel, 1890.

Schwägler, Georg. *Soziologie der Familie: Ursprung und Entwicklung.* Tübingen: Mohr, 1970.

Stone, Lawrence. *The Family, Sex and Marriage in England 1500-1800.* London: Weidenfeld and Nicolson, 1977.

Weber, Marianne. *Ehefrau und Mutter in der Rechts-*

entwicklung. 1907; Reprint, Aalen, 1971.

Weber-Kellermann, Ingeborg. *Die deutsche Familie.*
Versuch einer Sozialgeschichte. Frankfurt: Suhrkamp, 1974.

───────────── *Die Familie. Geschichte, Geschich-*
ten und Bilder. Frankfurt: Insel, 1976.

IV
Außerfamiliäre Rollen:
Mätresse, Hexe, Kindsmörderin, Schauspielerin

Becker, Gabriele, u.a. *Aus der Zeit der Verzweiflung.*
Zur Genese und Aktualität des Hexenbildes. Frankfurt: Suhrkamp, 1977. Bibliographie, S. 441-49.

Friess, Ursula. *Buhlerin und Zauberin. Eine Unter-*
suchung zur deutschen Literatur des 18. Jahrhun-
derts. München: Fink, 1970.

Garrett, Clarke. "Women and Witches: Patterns of
Analysis." *Signs,* 3 (Winter 1977), 461-70.

Honegger, Claudia. "Comment on Garrett's 'Women and
Witches'." *Signs,* 4 (Summer 1979), 792-798.

Kneubühler, Hans Peter. *Die Überwindung von Hexen-*
wahn und Hexenprozeß. Diesenhofen: Rüegger,
1977.

Landsittel, Fritz. "Die Figur der Kurtisane in der
dramatischen Literatur des 18. Jahrhunderts."
Diss. Heidelberg, 1923.

Midelfort, H. C. Erik. "Recent Witch Hunting Research, Or Where Do We Go from Here?" *Papers of*
the Bibliographical Society of America, 62 (1968),
373-420.

───────────── *Witch-Hunting in Southwestern Germany*
1562-1684: The Social and Intellectual Founda-
tions. Stanford: Stanford Univ. Press, 1972.

Moia, Nelly. "Comment on Garrett's 'Women and
Witches'." *Signs,* 4 (Summer 1979), 798-802.

Monter, E. William. "The Pedestal and the Stake:
Courtly Love and Witchcraft." In *Becoming Visi-*
ble. Women in European History. Hrsg. von Renate
Bridenthal und Claudia Koonz. Boston: Houghton

Mifflin, 1977, S. 119-36.

——— *Witchcraft in France and Switzerland.* Ithaca: Cornell Univ. Press, 1976.

Petriconi, H[ellmuth]. *Die verführte Unschuld. Bemerkungen über ein literarisches Thema.* Hamburger Romanistische Studien, 38. Hamburg: Komissionsverlag Cram, de Gruyter, 1953.

Pietsch-Ebert, Lilly. *Die Gestalt des Schauspielers auf der deutschen Bühne des 17. und 18. Jahrhunderts.* Theatergeschichtliche Forschungen, 46. 1942; Reprint Nendeln/Liechtenstein: Kraus, 1977.

Sanger, William W. *The History of Prostitution.* New York: Arno Press, 1972.

Sasse, Hannah. *Friederike Caroline Neuber. Versuch einer Neuwertung.* 1937. Endingen-Kaiserstuhl: E. Wild, 1937. Bibliographie, S. 175-85.

Schormann, Gerhard. *Hexenprozesse in Nordwestdeutschland.* Quellen und Darstellungen zur Geschichte Niedersachsens, 87. Hildesheim: Lax, 1977. Bibliographie, S. 172-78.

Schubart-Fikentscher, Gertrud. *Zur Stellung der Komödianten im 17. und 18. Jahrhundert.* Sitzungsberichte der Sächs. Akad. der Wiss., phil.-hist. Klasse, Bd. 107, Heft 6. Berlin: Akademie Verlag, 1963.

Schwanbeck, Gisela. *Sozialprobleme der Schauspielerin im Ablauf dreier Jahrhunderte.* Theater und Drama, 18. Berlin-Dahlem: Colloquium Verlag, 1957.

Wächtershäuser, Wilhelm. *Das Verbrechen des Kindesmordes im Zeitalter der Aufklärung. Eine rechtsgeschichtliche Untersuchung der dogmatischen, prozessualen und rechtssoziologischen Aspekte.* Quellen und Forschungen zur Strafrechtsgeschichte, 3. Berlin: E. Schmidt, 1973.

Weber, Beat. *Die Kindsmörderin im deutschen Schrifttum von 1770-1795.* Abhandlungen zur Kunst-, Musik- und Literaturwissenschaft, 162. Bonn: Bouvier, 1974.

Bildung und Erziehung

Blochmann, Elisabeth. *Das "Frauenzimmer" und die "Gelehrsamkeit." Eine Studie über die Anfänge des Mädchenschulwesens in Deutschland.* Anthropologie und Erziehung, 17. Heidelberg: Quelle & Meyer, 1966. Bibliographie, S. 126-32.

Desselberger, Julius. *Geschichte des höheren Mädchenschulwesens in Württemberg.* Beiträge zur Geschichte der Erziehung und des Unterrichts in Württemberg, o.O., 1916.

Heigenmooser, Joseph. *Überblick der geschichtlichen Entwicklung des höheren Mädchenschulwesens in Bayern bis zur Gegenwart.* Mitteilungen der Gesellschaft für deutsche Erziehungs- und Schulgeschichte, Beiheft, 8. Berlin: A. Hofmann, 1905.

Herrmann, Ulrich. "Erziehung und Schulunterricht für Mädchen im 18. Jahrhundert." *Wolfenbütteler Studien zur Aufklärung,* 3 (1977), 101-27. Bibliographie, S. 114-25.

Kuckhoff, Joseph. "Das Mädchenschulwesen in den Ländern am Rhein im 17. und 18. Jahrhundert." *Zeitschrift für Geschichte der Erziehung und des Unterrichts,* 22 (1932), 1-35.

Roth, Friedrich. *Weibliche Erziehung und weiblicher Unterricht im Zeitalter der Reformation.* Diss. Leipzig 1892. Leipzig: Ferdinand Bär, 1893.

Stricker, Käthe. *Deutsche Frauenbildung vom 16. Jahrhundert bis zur Mitte des 19. Jahrhunderts.* Quellenhefte zum Frauenleben in der Geschichte, 21. Berlin: F. A. Herbig, 1927.

Theel, Adalbert. "Zur Geschichte der Berliner Mädchenbildung von ihren Anfängen bis zu ihrem Niedergang im Dreißigjährigen Krieg." *Zeitschrift für Geschichte der Erziehung und des Unterrichts,* 21 (1931), 154-69.

Tornieporth, Gerda. *Studien zur Frauenbildung. Ein Beitrag zur historischen Analyse lebensweltorientierter Bildungskonzeptionen.* Weinheim/Basel: Beltz, 1977.

Zimmermann, Josefine. *Betty Gleim (1781-1827) und ihre Bedeutung für die Geschichte der Mädchenbildung.* Diss. Köln 1926. Köln: Studentenburse, 1926.

VI

Leserin und Autorin
(Werkausgaben und rein literarisch-ästhetische Studien sind nicht berücksichtigt)

Archibald, Brigitte Edith Zapp. "Ludamilla Elisabeth, Gräfin von Schwarzburg-Hohenstein and Aemilia Juliane, Gräfin von Schwarzburg-Rudolstadt: Two Poets of the Seventeenth Century." Diss. Univ. of Tennessee, 1975.

Badt-Strauß, Berta. "Elise Reimarus und Moses Mendelssohn." *Zeitschrift für die Geschichte der Juden in Deutschland,* 4 (1932), 173-89.

Bainton, Roland H. *Women of the Reformation in Germany and Italy.* Minneapolis, Minn.: Augsburg Publishing House, 1971.

Boy-Ed, Ida. *Charlotte von Kalb. Eine psychologische Studie.* Stuttgart und Berlin: Cotta, 1920.

Brinker-Gabler, Gisela. "Das weibliche Ich. Überlegungen zur Analyse von Werken weiblicher Autoren mit einem Beispiel aus dem 18. Jahrhundert." In *Die Frau als Heldin und Autorin. Neue kritische Ansätze zur deutschen Literatur. 10. Amherster Koloquium zur Deutschen Literatur.* Hrsg. von Wolfgang Paulsen. Bern: Francke, 1979, S. 55-65.

Brinker-Gabler, Gisela. *Deutsche Dichterinnen vom 16. Jahrhundert bis zur Gegenwart. Gedichte und Lebensläufe.* Frankfurt: Fischer Taschenbuchverlag, 1978.

Brockmeyer, Rainer. "Geschichte des deutschen Briefes von Gottsched bis zum Sturm und Drang." Diss. masch. Münster, 1961.

De Berdt, Ausgust Joseph Julien. "Sidonia Hedwig Zäunemann: Poet Laureate and Emancipated Woman." Diss. Univ. of Tennessee, 1977.

Düntzer, Heinrich. *Charlotte von Stein, Goethe's*

Freundin. Stuttgart: Cotta, 1874.

Eberti, Johann Caspar. *Eröffnetes Cabinet. Deß Gelehrten Frauen-Zimmers/ Darinnen die Berühmtesten dieses Geschlechtes umbständlich vorgestellet werden.* Frankfurt und Leipzig: Rorlach, 1706.

Engelsing, Rolf. *Der Bürger als Leser. Lesergeschichten in Deutschland 1500-1800.* Stuttgart: Metzler, 1974.

Frank, Horst-Joachim, *Catharina Regina von Greiffenberg: Leben und Welt der barocken Dichterin.* Schriften zur Literatur, 8. Göttingen: Sachse und Pohl, 1967. Bibliographie S. 179-85.

Frauen der Goethezeit in Briefen, Dokumenten und Bildern von der Gottschedin bis zu Bettina von Arnim. Hrsg. von Helga Haberland und Wolfgang Pehnt. Stuttgart: Reclam, 1960.

Gehring, Thomas A. *Johanne Charlotte Unzer-Ziegler (1725-1782). Ein Ausschnitt aus dem literarischen Leben in Halle, Göttingen und Altona.* Europäische Hochschulschriften, 78. Bern: Lang, 1973.

Gillies, Alexander. "Emilie von Berlepsch and Her *Caledonia.*" *German Life and Letters*, 29 (1975/76), 75-90.

Groß, Heinrich. *Deutsche Dichterinnen und Schriftstellerinnen in Wort und Bild.* Bd. I. Berlin: Fr. Thiel, 1885.

Halperin, Natalie. *Die deutschen Schriftstellerinnen in der zweiten Hälfte des 18. Jahrhunderts. Versuch einer soziologischen Analyse.* Diss. Frankfurt 1935. Quakenbrück: C. Trute, 1935.

Hausmann, Elisabeth. *Die Karschin. Friedrichs des Großen Volksdichterin. Ein Leben in Briefen.* Frankfurt: Societäts-Verlag, 1933.

Hertz, Deborah. "Salonières and Literary Women in Late Eighteenth-Century Berlin." *New German Critique*, 14 (Spring, 1978), 97-108.

Horvath, Eva. "Die Frau im gesellchaftlichen Leben Hamburgs. Meta Klopstock, Eva König, Elise Reimarus." *Wolfenbütteler Studien zur Aufklärung*, 3 (1976), 175-94.

290

Jansen, Heinz. *Sophie v. La Roche im Verkehr mit dem geistigen Münsterland. Nebst ungedruckten Briefen Sophies an Sprickmann.* Münster: Regensbergsche Verlagsbuchhandlung, 1931.

Köpke, Wulf. "Die emanzipierte Frau in der Goethe-zeit und ihre Darstellung in der Literatur." In *Die Frau als Heldin und Autorin. Neue kritische Ansätze zur deutschen Literatur. 10. Amherster Kolloquium.* Hrsg. von Wolfgang Paulsen (Bern und München: Francke, 1979, S. 96-110.

Kraft, Werner. "Susanne von Klettenberg und ihre Ge-dichte." *Neue Deutsche Hefte*, 20, Nr. 137 (1973), 20-36.

Kröll, Joachim. "Die Ehre des Gebirges und der hohen Wälder: Catharina Margaretha Dobenecker, geborene Schwese." *Daphnis*, 7 (1978), 287-339.

Krull, Edith. *Das Wirken der Frau im frühen deut-schen Zeitschriftenwesen.* Beiträge zur Erfor-schung der deutschen Zeitschrift, 5. Diss. Berlin 1939. Charlottenburg: Lorentz, 1939.

Lehms, Georg Christian. *Teutschlands galante Poetin-nen mit ihren sinnreichen und netten Proben....* Frankfurt 1715. Reprint, Darmstadt: Bläschke, 1966; Leipzig: Zentralantiquariat der DDR. 1973.

Martens, Wolfgang. *Die Botschaft der Tugend. Die Aufklärung im Spiegel der deutschen moralischen Wochenschriften.* Stuttgart: Metzler, 1971.

Mehl, Jane. "Catharina Regina von Greiffenberg: Mo-dern Traits in a Baroque Poet." *South Atlantic Bulletin*, 45 (1980), 54-63.

Menck, Ursula. *Die Auffassung der Frau in den frühen moralischen Wochenschriften.* Diss. Hamburg 1940. Hamburg, 1940.

Milch, Werner. *Sophie La Roche. Die Großmutter der Brentanos.* Frankfurt: Societätsverlag, 1935.

Nickisch, Reinhard M. G. "Die Frau als Briefschrei-berin im Zeitalter der deutschen Aufklärung." *Wolfenbütteler Studien zur Aufklärung*, 3 (1976), 29-66.

Martens, Wolfgang. "Leserezepte für Frauenzimmer.

Die Frauenzimmerbibliotheken der deutschen moralischen Wochenschriften." *Archiv für Geschichte des*
Buchwesens, 15 (1975), 1143-1200.

Nasse, Peter. *Die Frauenzimmer-Bibliothek des Ham-*
burger 'Patrioten' von 1724. Zur weiblichen Bil-
dung der Frühaufklärung. Stuttgarter Arbeiten zur
Germanistik, 10. Diss. Münster 1975. Stuttgart:
Akad. Verlag Hans-Dieter Heinz, 1976. 2 Bde.

Otto, Karl F. "Die Frauen der Sprachgesellschaften."
Der europäische Hof im 16. und 17. Jahrhundert.
Akten des 3. Barockkongresses Wolfenbüttel, 1979.
Hamburg: Hauswedell, 1980.

Paullini, Franz Christian. *Das hoch- und wohl-ge-*
lahrte teutsche Frauen-Zimmer; nochmahls mit
mercklichen Zusatz vorgestellt. Frankfurt und
Leipzig. J. C. Stösseln, 1705.

Pischon, Friedrich August. "Über den Anteil der
Frauen an der Dichtkunst des 17. Jahrhunderts."
Germania. Neues Jahrbuch der Berlinischen Gesell-
schaft für deutsche Sprache und Altertumskunde, 8
(1848), 104-37.

Roe, Adah Blanche. *Anna Owena Hoyers. A Poetess of*
the Seventeenth Century. Diss. Bryn Mawr 1915.
Bryn Mawr, Pa. 1915.

Rüdiger, Otto. *Caroline Rudolphi. Eine deutsche*
Dichterin und Erzieherin, Klopstocks Freundin.
Hamburg: L. Voss, 1903.

Sauder, Gerhard. "Gefahren empfindsamer Vollkommenheit für Leserinnen und die Furcht vor Romanen in
einer Damenbibliothek. Erläuterungen zu Johann
Georg Heinzmann, *Vom Lesen der Romanen und Einlei-*
tung und Entwurf zu einer Damenbibliothek aus: J.
G.H., *Die Feyerstunden der Grazien. Ein Lesebuch,*
Bern 1780." In *Leser und Lesen im 18. Jahrhun-*
dert. Colloquium der Arbeitsstelle Achtzehntes
Jahrhundert. Gesamthochschule Wuppertal. Heidelberg: Winter, 1977, S. 83-91.

Schindel, Carl Wilhelm Otto August von. *Deutschlands*
Schriftstellerinnen des neunzehnten Jahrhunderts.
3 Tle in 1 Band. 1823-25. Reprint, Olms: Hildesheim, 1978.

Schoeps, H. J. "Anna Ovena Hoyers (1584-1655) und ihre ungedruckten schwedischen Gedichte." *Euphorion*, 46 (1952), 138-48.

Schramm, Percy Ernst. "Die Hamburgerin im Zeitalter der Empfindsamkeit." *Zeitschrift des Vereins für Hamburgische Geschichte*, 41 (1951), 233-67.

Schulz, Günter. "Elisa von der Recke, die Freundin Friedrich Nicolais." *Wolfenbütteler Studien zur Aufklärung*, 3 (1976), 159-74.

Sieveking, Heinrich. "Elise Reimarus in den geistigen Kämpfen ihrer Zeit." *Zeitschrift des Vereins für Hamburgische Geschichte*, 39 (1940), 86-138.

Steinhausen, Georg. *Geschichte des deutschen Briefes. Zur Kulturgeschichte des deutschen Volkes.* Berlin: Gaertner, 1889.

Sudhoff, Siegfried. "Sophie Laroche." In *Deutsche Dichter des 18. Jahrhunderts*. Hrsg. von Benno von Wiese. Berlin: E. Schmidt, 1977. S. 300-18.

Touaillon, Christine. *Der deutsche Frauenroman des 18. Jahrhunderts.* Wien und Leipzig: Braumüller, 1919.

Trunz, Erich. "Meta Moller und das achtzehnte Jahrhundert." In *Meta Klopstock geb. Moller. Briefwechsel mit Klopstock, ihren Verwandten und Freunden.* Hrsg. von Hans Tiemann. Hamburg: Maximilian-Gesellschaft, 1965. Bd. 3, S. 965-74.

Ziefle, Helmut W. *Sibylle Schwarz. Leben und Werk.* Studien zur Germanistik, Anglistik und Komparatistik, 35. Bonn: Bouvier, 1975.